Heinz-Dietrich Wendland

WEGE UND UMWEGE

50 Jahre erlebter Theologie
1919–1970

Gütersloher Verlagshaus
Gerd Mohn

CIP–Kurztitelaufnahme der Deutschen Bibliothek

Wendland, Heinz-Dietrich
Wege und Umwege: 50 Jahre erlebter Theologie;
1919–1970. – 1. Aufl.
Gütersloh: Gütersloher Verlagshaus Mohn, 1977.
ISBN 3-579-04207-6

ISBN 3-579-04207-6
© Gütersloher Verlagshaus Gerd Mohn, Gütersloh 1977
Gesamtherstellung: Bercker GmbH, Kevelaer
Umschlagentwurf: Peter Steiner, Stuttgart
Printed in Germany

O du Land des Wesens und der Wahrheit,
Unvergänglich für und für,
Mich verlangt nach dir und deiner Klarheit –
Mich verlangt nach dir!

MATTHIAS CLAUDIUS

ICH GEDENKE MIT DIESEN ZEILEN
IN VEREHRUNG UND LIEBE MEINER LEHRER

Friedrich Brunstäd
Adolf Deissmann
Martin Dibelius
Karl Holl
Willy Lüttge
Heinrich Rickert
Paul Tillich

Inhalt

Vorwort

Die erste Anregung zu diesem Erinnerungsbuch habe ich Carl Heinz Ratschow (Marburg) zu verdanken, als er noch Professor in Münster war. In einem Kreise von Kollegen in seinem schönen Haus kamen wir auf die alte Friedrich-Wilhelm-Universität in Berlin, Unter den Linden, zu sprechen. Da erzählte ich aus meinen Berliner Studiensemestern, von Adolf Deissmann, Karl Holl, Willy Lüttge, Reinhold Seeberg und anderen Größen der glanzvollen Berliner Universität am Anfang der zwanziger Jahre dieses Jahrhunderts. Als ich geendigt hatte, sagte C. H. Ratschow sofort ganz entschieden: »Dies alles müssen Sie unbedingt aufschreiben!«

Ich folgte nach meinem Ausscheiden aus der akademischen Aktivität, die ich bis Herbst 1969 verlängert hatte, und schrieb in der Hauptsache in den Jahren 1973–1975 die nachfolgenden Memoiren nieder.

Im Unterschied zu den je in ihrer Weise schönen und lehrreichen Lebenserinnerungen von Günther Dehn, Wilhelm Visser't Hooft, Wilhelm Stählin u. a. wähle ich einen anderen Stil. Alles Private und Familiäre ist bewußt streng ausgeklammert. Ich kann diese Lebensereignisse und -Umstände nicht für so wichtig oder so exzeptionell halten, daß ich sie einem weiteren Leserkreis darbieten müßte.

Übrigens mußte ich mich voll und allein auf den Fluß der Erinnerungen beschränken, die das Gedächtnis in meinem Alter hergab, denn fast alle Akten und Dokumente der Jahre 1919 bis 1942 sind den Zerstörungen während des Krieges in Kiel zum Opfer gefallen. Demnach konnte ich mich nicht wie z. B. Wilhelm Stählin auf ein umfangreiches Privatarchiv stützen und also auch nicht ein solches ausschöpfen. Hieraus erklären sich ganz natürlich Lücken, die dem Leser auffallen mögen. Fragmentarisch bleibt jedoch unser literarisches Lebenswerk immer, sogar das der größten Theologen oder Philosophen, eines Karl Barth oder Karl Jaspers oder Paul Tillich. Ich habe so emotional, spontan und freimütig geschrieben, wie es meiner Art und Natur entspricht. Ein literarisches Kunstwerk zu liefern, war weder meine Absicht noch steht dies in meinem Vermögen.

Freundlichen Helfern habe ich viel zu danken, zumal ein Altersglaukom mich schon während der Niederschrift stark behinderte. Frau Wilhelmine Kersting, Mitarbeiterin am Institut für christliche Gesellschaftswissenschaften an der Universität Münster, hat das erste, grundlegende Manuskript in die Maschinenschrift übertragen; ihr sei auch hier noch einmal mein herzlichster Dank für sehr viele treue Hilfe gesagt. Derselbe Dank gilt auch Frau Lore Hühnerbein für treue Hilfe beim Lesen der Korrekturen.

Münster, im März 1977

Berlin

Anfänge des Studiums

Im Februar 1919 verließ ich mit dem Abitur das humanistische Gymnasium zu Berlin-Steglitz als ein »normales Produkt« unseres öffentlichen Schulwesens, um mit Otto von Bismarck zu sprechen. Es war eine vorzügliche Schule, der ich bis in mein Alter großen Dank schulde. Auf der ehrwürdigen Friedrich-Wilhelm-Universität Unter den Linden bekam ich bald zu spüren, daß dem so sei.

Ich bezog diese Universität im März 1919. Man hatte ein sogenanntes Zwischensemester eingerichtet, um den aus dem Ersten Weltkrieg zurückflutenden Offizieren und Soldaten die Möglichkeit zu geben, die zur Verfügung stehende Zeit möglichst zu nutzen. Im Rahmen der damaligen Verhältnisse war die Berliner Universität eine Groß-Universität, zumindest solange, als die Frontsoldaten sie bevölkerten und den Ton angaben, was sich u. a. stark im Leben der studentischen Verbindungen auswirkte, in welchem wir Jungen, die wir keine Frontsoldaten und »Schützengraben-Menschen« gewesen waren, wenig oder nichts zu »melden« hatten. Doch war es vielleicht eine ganz gute Schule, sich gegen diese im Krieg gehärteten Männer allmählich durchzusetzen, wozu Charakter und Intelligenz gleich nützlich waren.

Ich wollte meinen Neigungen entsprechend Philosophie und Geschichte studieren. Mit welchem Berufsziel eigentlich? Das war ein schwieriges Problem für einen jungen Menschen von 19 oder 20 Jahren, zumal nach dem Zusammenbruch des Kaiserreiches, seiner Armee und seiner Traditionen. Ich war noch nicht ganz 19 Jahre alt, als ich mein Studium begann; meine Jahrgangsgenossen und ich, wir waren Entwurzelte. Ist es nicht zu verstehen, wenn wir nach dem Untergang so vieler alter Ordnungen ins Schwanken gerieten, trotz guten Rückhalts in der Familie, wie in meinem Falle? Es erwies sich als ein Glück, daß ich schon seit 1913 dem »Wandervogel« angehörte. Auf meiner »alten Penne« in Berlin-Steglitz war nämlich 1896 der Wandervogel entstanden, ein kritisches Verhältnis der Jugend zu ihrer Vor- und Umwelt war damit schon vorgeprägt. 1913 war das Jahr der »Freideutschen Jugend« und ihres Treffens auf dem

Hohen Meissner. 1919 begannen wir Primaner, Studenten und Lehrlinge mit der Revolutionierung des »Deutschnationalen Jugendbundes«, der nach dem widerwärtigen Motto »Wer die Jugend hat, hat die Zukunft« – es erregte unseren Zorn – von alten Offizieren und wohlmeinenden nationalgesinnten Bürgern der älteren Generation gegründet worden war. Zurück wollten wir nicht. Wir empfanden es instinktiv: das alte Preußen, die Monarchie der Hohenzollern, konnte nicht wieder restauriert werden, sie hatte selbst ihren Untergang bewirkt. Die Jugend von 1919 konnte nicht reaktionär sein, sie wollte und mußte vorwärts gehen, wenn sich auch viele ihrer idealistischen Zukunftsbilder nicht realisieren ließen.

Das heißt auch, daß ich nicht allein stand, sondern meine gleichbestimmten, kritischen und suchenden Freunde aus der Jugendbewegung um mich hatte. O diese nächtelangen, aufwühlenden Diskussionen in Berlin und anderswo, großartig, weit und frei, keine Scheingefechte zwischen ideologisch kasernierten Menschen, die doch stets nur in Terror und Gegenterror enden. In der »Fichte-Hochschulgemeinde« trafen sich die Studierenden, die aus der Jugendbewegung kamen. Hier lernte ich u. a. Otto Heinrich von der Gablentz kennen, dem nachmaligen Professor der Politologie an der Freien Universität Berlin. Ich sollte ihm 14 Jahre später, 1933, in der »Evangelischen Michaelsbruderschaft« von neuem begegnen. Er starb im Jahre 1972. Ferner traf ich dort mit Siegfried Wendt zusammen, zuletzt Professor der Wirtschaftswissenschaften in Göttingen. Ich durfte ihm die akademische Gedächtnisrede halten, obwohl ich seiner Disziplin nicht angehörte. Seine Beiträge zur christlichen Sozialethik rechtfertigten dies.

So könnte ich fortfahren, doch zunächst zurück nach Berlin und dem Anfang meines Studiums. Studienrat wollte ich nicht werden, wissenschaftlicher Bibliothekar (ohne direkten Bezug auf Menschen?) auch nicht. Selbst in meinen kühnsten Träumen dachte ich damals nicht an den Beruf des Universitätslehrers. Das wäre mir als wahnwitzig erschienen. Niemand in meiner Umgebung dachte in bezug auf mich an ein solches Ziel. Schließlich gab die Familientradition den Ausschlag. Ich ging zum Vollstudium der Theologie über, blieb aber »stud. theol. et phil.«, denn ich wollte die Philosophie mit in mein Studium einbeziehen, was mich zwar viel Zeit kostete, sich aber späterhin, wie ich meine, doch »ausgezahlt« hat.

Ich bin der Sohn und Enkel evangelischer Pastoren. Zweifellos war ein theologisches Erbe in mir wirksam. Ich trat meinen Weg in die Theologie weder gezwungen noch unwillig an. Der Rat meines Vaters zu diesem Studium schien mir gut, ohne mich jedoch auf das Berufsziel des Gemeindepfarrers festlegen zu lassen. Letzteres schreckte mich eher ab, als daß es mich anzog, denn ich hatte während meiner Schulzeit den Arbeitsalltag eines Gemeindepfarrers in der Großstadt miterlebt. Ich sah, wie die Kirche ihre Diener erschöpfte, ohne ihnen die notwendigen Hilfskräfte zur Verfügung zu stellen.

Mein Vater war Schüler des bedeutenden Theologen Martin Kähler in Halle, von dem er zeitlebens mit großer Liebe und Verehrung sprach. An allem, was in der Theologie seiner Zeit vorging, nahm er Anteil, bis hin zur viel umstrittenen »Religionsgeschicht-lichen Schule«, zu Friedrich Naumann und in den frühen zwanziger Jahren zum jungen Karl Barth, aber die Gemeindearbeit fraß ihn auf und wenn er theologische Bücher mit in den Urlaub nahm, war er oft so erschöpft, daß er sie nicht bewältigen konnte.

So sehr ich die Hingabe meines Vaters an sein Amt bewunderte, so sehr seine volle, strenge Hingabe an die Sache auch mich mit geprägt haben mag, ich wollte den Weg zu diesem kirchlichen Amt nicht gehen. Was aber kam dann in Frage? Gab es denn für einen Theologen noch andere Ämter in der Kirche? Damals jedenfalls nicht; es existierte kein anderes Berufsbild und -ziel als des die Kirche monolithisch beherrschenden »Gemeindepfarrers«. Ich liebte, in aller damaligen Unreife, die Wissenschaften, die Theologie, die Religionswissenschaft, die Philosophie, die Geschichtswissenschaft.

Ein Mann, der keine Bücher mehr lesen kann, das war weder ein Ziel noch ein Ideal für diesen jungen Studenten der Theologie. Also führte ihn sein Weg ins Ungewisse, ins Dunkle. Es konnte ein Holzweg sein, der sich im Unerkennbaren und nicht zu Realisierenden verlor.

Es gehört wohl der kecke Mut der Jugend dazu, einen Weg zu gehen, den man nicht zu übersehen vermag, von dem man nicht weiß noch wissen kann, zu welchem Ziel und Ende er führt.

Im März 1919 ahnte ich nicht, daß mich die Universität, deren »akademischer Bürger« ich nun geworden war, ein ganzes Leben lang festhalten und prägen sollte. Vom kleinen, zaghaften Studenten in diesem Berliner Zwischensemester bis zum Ordinarius, zum Professor der Theologie und Mitglied der Rheinisch-Westfälischen Akademie der Wissenschaften – welch weiter Weg durch die Katastrophen unseres Jahrhunderts: die alle Werte dem Nullpunkt gleichmachende Inflation, die Weltwirtschaftskrise, die millionenfache Arbeitslosigkeit, die unselige Herrschaft des großen Verführers, der Zweite Weltkrieg und seine Folgen, – in all dem, einschließlich der vier Jahre und sieben Monate russischer Kriegsgefangenschaft (8. 5. 1945 – 27. 11. 1949) am Leben geblieben zu sein, den Weg in all seinen Windungen und Biegungen, im Auf und Nieder, mit richtigen und falschen Entscheidungen fortgesetzt zu haben, ist von hier und heute aus gesehen ein Wunder, dem selbst mit polykausaler Methode und selbstkritischer Analyse kaum beizukommen sein dürfte.

Nennt es, wie ihr wollt! Die diesbezüglichen Worte der traditionellen Frömmigkeit, »Gottes Führung« und dergleichen mehr, wollen mir nur schwer über die Lippen. Man hat mit ihnen zu viele schauerliche Taten der Weltgeschichte zugedeckt und verkleistert, zuviel des Dämonischen und Antihumanen hinweggelogen, als daß man die Terminologie des »Befiehl du deine Wege-Christentums« ungereinigt und ohne Kritik passieren lassen könnte. Auch habe ich den schweren Angriff Karl Barths auf dieses Christentum, auf das allzu billige »Gottvertrauen« noch allzu gut in Erinnerung. Leider bleibt so vieles an seinem leidenschaftlichen Protest wahr, wie einseitig der große Kämpfer für die freie Gnade Gottes auch gewesen sein mag. Sie läßt sich jedenfalls nicht in eine allgemeine Geschichts-Theologie auflösen oder überführen: nach dem Leitwort »der Herr der Geschichte«, nationalistisch ausgelegt von Emanuel Hirsch (in: »Deutschlands Schicksal« 1920), einem Buch, das bei seinem Erscheinen großen Eindruck auf mich machte. Kam ich doch aus der deutschnationalen Tradition des protestantischen Pfarrhauses, und so war für viele und auch für mich das in den Staub getretene Vaterland das höchste und heiligste aller irdischen Güter. Die Grenze zum Ewigen war durchlässig, ja sie zerfloß sogar, denn wir standen unter der neuen, starken Wirkung von J. G. Fichtes »Reden an die deutsche Nation«, für die eben diese »Verflößung« des Ewigen ins Zeitliche grundlegend ist.

Erst viel später, mit Hilfe von Paul Tillich, konnte ich die Gefährlichkeit und Bodenlosigkeit dieser nationalistisch politisierten Geschichtstheologie durchschauen und mich allmählich von ihr befreien.

Der Anfang des Studiums war eher ernüchternd als begeisternd, keine Spur vom »Hochflug der Gedanken«, wie ich ihn als Jünger des klassischen Idealismus erwartete. Der »Kopten-Schmidt« las Kirchengeschichte 1 (Altertum), leider trotz unbestreitbar großen Wissens eintönig und langweilig. Die Darstellung des Stoffes in Form der Vorlesung war offensichtlich nicht seine Gabe, während sich dieser Gelehrte doch durch die Entdeckung gnostischer Schriften bleibende Verdienste erworben hat, die hier nicht näher erwähnt werden können.

Zudem wußte man damals noch nichts von Hochschul-Pädagogik und Didaktik. Ein jeder trug recht oder schlecht sich selber vor. Was wirklich aufgenommen, verstanden und verarbeitet wurde bzw. werden konnte, danach fragten unsere damaligen Lehrer offensichtlich wenig. So konnten dann auch haarsträubende Fehler in pädagogischer Hinsicht passieren, ohne daß dies irgendjemanden aufzuregen schien.

Natürlich gab es auch Lehrer, die uns durch die Macht der Rhetorik sowie durch die durchsichtige Klarheit ihres Vortrags begeisterten und fesselten, um so mehr, wenn wir die unbedingte Hingabe an die Sache verspürten, wie z. B. bei Paul Tillich, der freilich im »Hochschulring deutscher Art«, der Organisation der nationalen und »völkischen« Studenten, als »rot« verschrien und des Kommunismus verdächtigt wurde. Solche »schönen« Methoden der Diffamierung und des Rufmordes wurden schon damals oder seit jeher praktiziert.

Bei Adolf Deissmann

Da das Studium der biblisch exegetischen Fächer und der Kirchengeschichte herkömmlicherweise die ersten Semester beherrschte und in Anspruch nahm, mußte auch ich mich der Wissenschaft vom Neuen Testament zuwenden, obwohl meine »erste Liebe« der Religionsgeschichte und vornehmlich der Religionsphilosophie gehörte. Vom alten Pfleiderer angefangen, las ich alles, was zu erreichen war, und die Leitworte der Zeit, »das religiöse Erlebnis«, die »Wahrheit und das Wesen der Religion«, »christliche Erfahrung«, die vergebliche Suche nach dem »religiösen Apriori« beherrschten und erfüllten auch mein jugendliches Bemühen. Es war daher gar nicht so leicht für mich, den »Absprung« in die Philologie und historisch-kritische Exegese des Neuen und Alten Testaments zu finden.

Ich sehe mich ratlos und hilflos vor den hohen, vollgestellten Bücherwänden des Neutestamentlichen Seminars stehen. Wo anfangen? Mit welchen Hilfsmitteln? Anderen »Erstsemestern« erging es weit schlimmer als mir, der ich immerhin den Rat des Vaters zur Seite hatte, wenngleich dieser im damals Neuen und Neuesten auch nicht unterrichtet sein konnte. Immerhin, ich kam durch ihn und einen etwas älteren Kommilitonen auf Adolf Deissmanns Buch »Licht vom Osten«. Hier ging mir eine neue Welt auf, die der hellenistischen Koiné, der internationalen Verkehrsprache jener Epoche, die tief in den Osten vorgedrungen war. Die alten ungeschichtlich-dogmatischen Vorstellungen von Sprache und Gehalt des Neuen Testaments fielen in sich zusammen. Adolf Deissmann wurde mein Lehrer im Neuen Testament, bis ich später in Heidelberg vom Wintersemester 1922/23 an Martin Dibelius und damit eine jüngere Forschungsrichtung, die »Formgeschichte«, kennenlernte. Gleichwohl, ich bin Adolf Deissmann zu großer Dankbarkeit verpflichtet. Zwar war er alles andere als ein Pädagoge. Die Seminarsitzungen hatten etwas von einer feierlichen Liturgie an sich: Einzug des Herrn Geheimrats, gefolgt von seinen Assistenten, zuerst noch Karl Ludwig Schmidt, später Wilhelm Michaelis (beide nicht mehr unter den Lebenden), darauf Senior und Subsenior, eine wahre Hierarchie. Auf einem erhöhten Podium nahmen die drei Erstgenannten nach feierlicher Verbeugung des Geheimrats Platz, der Seminardirektor natürlich in der Mitte.

Den Hauptteil der Sitzung beanspruchten das Referat und Korreferat, die – höchst peinlich – von einem dem Direktor-Sitz gegenüberstehenden Pult vorzutragen waren. Von Diskussion und Lehrgespräch keine Spur; stereotyp erfolgten die Fragen Deissmanns: »Hat jemand etwas Methodologisches oder Inhaltliches zu bemerken?« Darauf meistens Schweigen im Walde. Höchstens Assistent, Senior, Subsenior oder ein schon erfahrenes »hohes« Semester hatten das eine oder andere zu bemerken. Auch Deissmann selbst äußerte sich nach seiner meditativen Art nur langsam und oft lapidar, was nicht gerade zur Einübung der Studenten beitrug. Wer nicht schlief, konnte Goldkörner einsammeln, Bemerkungen Deissmanns, besonders zur Sprachgestalt und -geschichte der neutestamentlichen Schriften, die den aufmerksamen Hörer auf neue Wege und Probleme verwiesen. Deissmann war ein erklärter Gegner jeder klappernden Begriffsapparatur, er liebte über alles das Irrationale, das Lebendige, das Prophetische, das Charismatische, das von einer Konfession im Sinne des religiösen Erfahrens und Bekennens Durchglühte. Er haßte alle, die das Neue Testament in ein System der Theologie verwandelten. Hier konnte der hoheitsvoll-gemessene Mann polemisch und sarkastisch werden. Wir nannten ihn spöttisch den prophetes, den Propheten, was gut zu seiner Haltung und Anschauung paßte. Er hielt trotz seiner Güte Distanz zu uns. Seine etwas gedrungene Gestalt, die würdevoll langsamen Bewegungen, der zu allerdem gut passende »Propheten«- oder Patriarchenbart schufen Abstand, und doch hat er einzelnen von uns in ihren Studiennöten immer wieder väterlich beigestanden. Meine ersten Erfahrungen und Beobachtungen an der Berliner Universität zeigen, wie falsch und unfair viele heutige Pauschalurteile über die »alte« Universität und ihre Lehrer sind, wie man sie heute in allen Gassen und Gossen der »neuen« Universität hören kann. Noch hat die in Gruppen zerrissene und in ihrer Lehrwirksamkeit am Rande der Selbstzerstörung dahinschwankende Universität unserer Tage nicht den Erweis einer so großen Leistung für die Wissenschaften erbringen können, was natürlich in wenigen Jahren nicht möglich ist. Nur sollten die Totengräber der alten »Ordinarien-Universität« etwas vorsichtiger sein. Auch ihr Werk wird Glanz und Elend, Leistung und Versagen in- und miteinander zeigen.

Merkwürdig und auch ein wenig ärgerlich fand ich, daß Deissmann nur wenige Seminarthemen behandelte. Sie tauchten in ständiger Rotation wieder auf: Die Reich-Gottes-Verkündigung Jesu, Persönliche und soziale Religion bei Paulus, Das Gebet bei Paulus u. ä. Da ich mehrere Seminare bis zum Sommersemester 1922 bei Deissmann absolvierte, fiel mir dies unangenehm auf. Später, als junger Privatdozent der Theologie in Heidelberg, schwor ich mir, das entgegengesetzte Verfahren einzuschlagen: immer neue Seminarthemen, an denen kein Mangel sein konnte. Nur wenn die Rücksichtnahme auf die zu erwartenden Teilnehmer es geboten erscheinen ließ, bin ich von diesem Prinzip abgewichen. Denn man muß selbstverständlich erwägen, welche Themen bei mittleren oder höheren Semestern möglich oder für diese instruktiv sind.

Manche »Front-Studenten« bewältigten in den Jahren nach dem Ersten Weltkrieg das ganze Theologiestudium unter Hochdruck sozusagen in 6 Semestern (man frage nur nicht, wie!). Andere benötigten 7 bis 8 Semester. Ich selbst brauchte – zum nicht geringen Kummer meines Vaters – 11 Semester bis zur Promotion in Heidelberg. Würde ich etwa ein »ewiger Student« werden, der nie den Mut zum Abschluß findet?

Eines Tages wurde auch ich vor die Aufgabe gestellt, ein Referat in Deissmanns Seminar zu halten, und zwar mit dem Thema: »Gegenwart und Zukunft des Reiches Gottes in der Verkündigung Jesu«, nicht gerade leicht angesichts des Charakters und der Vielschichtigkeit der synoptischen Quellen sowie der sehr umstrittenen Lösungsmöglichkeiten. Ein glücklicher Zufall oder mehr wollte es, daß mir rechtzeitig das bahnbrechende Buch »Die Predigt Jesu vom Reich Gottes« von Johannes Weiss (2. Aufl. 1900) in die Hände kam. Die Lektüre dieses Buches setzte mich in Bewegung und gab mir ein Lebensthema. 1931 erschien meine Habilitationsschrift unter dem Titel »Die Eschatologie des Reiches Gottes bei Jesus«.

Als ich 1954 zur 2. Vollversammlung des Ökumenischen Rates der Kirchen in die

USA reiste, trat mir ein amerikanischer Kollege mit der Frage entgegen: »Sind Sie der eschatologische Wendland?« Ohne Johannes Weiß jedenfalls hätte ich mein Referat nicht halten können, das steht fest. So kann ein einziges Buch das Denken und den wissenschaftlichen Werdegang eines Menschen bestimmen.

Die Eschatologie des Neuen Testaments faszinierte mich auch fernerhin: 1939 faßte ich den Plan, ein Buch über die Apokalypse des Johannes zu schreiben, was jedoch durch den Zweiten Weltkrieg vereitelt wurde. Abweichend von der Tradition habe ich mehrfach Vorlesungen zur Auslegung ausgewählter Texte der Johannesoffenbarung gehalten. Daß nicht alle Pläne reifen und Gestalt annehmen, muß auch der Wissenschaftler und Universitätslehrer schmerzlich erfahren. Deissmann hat nie das neutestamentliche Wörterbuch des hellenistischen Griechisch geschrieben, für das er Jahrzehnte hindurch gearbeitet und Massen von Stoff gesammelt hatte. Keiner seiner Schüler wollte oder konnte dieses Erbe übernehmen. Tragödien gibt es auch in der Geschichte der Wissenschaften, und auch hier sind sie wie überall mit menschlichen Leiden verbunden. Die Wissenschaft als solche, auch die Theologie enthebt uns derartigen Erfahrungen nicht. Mein Heidelberger Lehrer und späterer Kollege Martin Dibelius, dem ich freundschaftlich verbunden war und 1970 meine Einführung in die »Ethik des Neuen Testaments« in dankbarem Gedenken widmen konnte, hat seine von vielen erwartete große Literatur- und Formgeschichte des urchristlichen Schrifttums nie vollendet. Er starb früh, 1947; in einer besseren Zeit hätte man ihn wohl retten können; doch ich rede auf »menschliche« Weise, um mit Paulus zu sprechen.

Klopfenden Herzens trat ich aufs Rednerpult, vor mir die Dreierfront der Seminar-Hierarchie, eine fatale Situation, in die man keinen Studenten versetzen sollte. Damals fand man gar nichts besonderes dabei. Ein solches »Gegenüber« war eine vorgegebene Grundstruktur, die erst nach 45 Jahren (!) ins Wanken geriet und – so hoffen wir – nicht mehr restauriert werden kann.

Mit unsicherer Stimme begann ich, doch sie festigte sich, als ich die direktorale Hierarchie über der Sache und den zu behandelnden Texten vergaß. Nach nicht ganz 45 Minuten hatte ich die Prüfung hinter mir und atmete freier. Ob die »Aussprache« irgend etwas Wesentliches brachte, weiß ich nicht mehr zu sagen. Nach Schluß der Sitzung kam K. L. Schmidt auf mich zu und sagte: »Das war ja ein gutes Referat, Herr W. Arbeiten Sie nur so weiter!« Mir war, als hätte ich mich in den Wassern der Theologie »freigeschwommen«. Dies war nun freilich eine jugendliche Übertreibung, da ich mich in anderen Disziplinen noch gar nicht frei bewegen konnte, vor allem nicht in der Wissenschaft vom Alten Testament, dem Stiefkind meines Studiums, leider, denn dieser Mangel sollte mich später noch viel Arbeit kosten.

Das Alte Testament wurde mir später durch die unpassenden Spöttereien und Herabsetzungen Hugo Gressmanns, eines sehr bekannten und umstrittenen Vertreters der »Religionsgeschichtlichen Schule« ganz und gar verleidet. Natürlich war es jugendliche Torheit, sich vom Alten Testament und seinen schier unerschöpflichen

Reichtümern nur wegen eines einzigen Professors abzuwenden. Der alte, im besten Sinne des Wortes vornehme Graf Baudissin hatte mich auch nicht mit dem Alten Testament verbinden können. Ihn sehe ich nur noch vor mir, wie er den Hörsaal betrat. Mit einem großen, grauen Professoren-Schlapphut und Handschuhen bekleidet, trat er ein, hängte seinen »Calabreser«, wie wir uns auszudrücken pflegten, an den Haken, betrat sodann das ein wenig erhöhte Pult, entledigte sich seiner Handschuhe und legte diese neben das hochgestellte Pult; erst nach dieser sich immer wiederholenden Eingangs-Zeremonie begann er.

Probleme des Generationenverhältnisses

Derartige Einzelerlebnisse und völlig private Eindrücke stehen immer in einem mehrfachen, vielseitigen »Kontext«: im historischen und gesellschaftlichen Gesamtzusammenhang eines Landes und einer Nation, eines Gesellschaftskörpers, einer oder mehrerer Kirchen, die allesamt von den verschiedensten geistigen, sozialen und religiösen Strömungen durchpulst werden. So bin ich nicht nur der Erbe einer bürgerlichen Familientradition, sondern auch Reihenglied in den Traditionen des zweiten deutschen Kaiserreiches, ebenso auch des Staates Preußen, dessen Kernland meine Heimat, die Mark Brandenburg, bis zur endgültigen Zerstörung Preußens durch die Nationalsozialisten gewesen ist, wobei man auch an die Folgen ihrer Taten seit 1945 zu denken hat. Die Kirche meiner Heimat war in ihrer gesamten Tradition lutherisch, hieran hatte die Kirchen-Union Friedrich Wilhelms III. nur insofern etwas geändert, als sie Personen und Einflüsse aus den reformierten Gemeinden des Westens, vor allem des Rheinlandes nach Berlin führte. Die kirchenpolitische Gruppen- und Fraktionsbildung in den Synoden der zur »Altpreußischen Union« gehörenden bzw. mit ihr verbundenen Kirchen folgte noch in den zwanziger Jahren dem politischen Schema von Links, Mitte und Rechts. Mein Großvater Pastor Heinrich Wendland gehörte der »Rechts«-Gruppe der orthodoxen Lutheraner an, die gegen die vom Landesherrlichen Kirchenregiment des Königs von Preußen inaugurierte und auferlegte »Union« schwere theologische und kirchenrechtliche Bedenken ins Feld führten, ohne jedoch aus diesem Verband auszuscheiden. Mein Vater hingegen neigte der Mitte zu; er gehörte zu denen, die weder dem radikalen Liberalismus noch den Verfechtern der altreformatorischen Konkordienformel auf der lutherischen Rechten ihr Jawort geben konnten; zu deutlich war schon lange die gebieterische und heilsame Notwendigkeit hervorgetreten, das Evangelium von Jesus Christus mit »neuen Zungen«, neuen Begriffen und mit Zuhilfenahme »moderner« Methoden der Bibelübersetzung, der Textauslegung, einer gewandelten Predigtsprache zu verkünden, »für die Gegenwart«, wie eine beliebte Formel lautet. Dieses Haupt- und Grundproblem der Verkündigung und allen kirchlichen Handelns, Vergegenwärtigung in einer neuen

Gesamtsituation *oder* bloße Anpassung an geistige und sprachliche Modernitäten und Moden – beschäftigte und erregte die besten Köpfe in der Theologie und den Kirchen der zwanziger Jahre; sie ergriff alsbald auch mich. Angesichts der Schwere des theologischen Erbes und der Anzahl theologischer Strömungen seit der Reformation war das Problem wirklich nicht leicht zu bewältigen. Der Kampf zwischen Alt und Neu war seit Jahrzehnten in vollem Gange. Wir Theologiestudenten von 1919 und den folgenden Jahren wurden in den nicht enden wollenden Streit hineingerissen, zunächst ohne dies Geschehen kritisch reflektieren zu können. So war auch unser und mein eigenes Schwanken zwischen »Liberal« und »Positiv« unvermeidlich und verständlich.

Hätte es doch eine große Kraft, eine klare Position *über* den Gegensätzen gegeben! Sehnsuchtsvoll hielten wir damals nach einer solchen Ausschau. Einer kirchlichen Partei aber wollten wir weder beitreten noch auch nur in deren Kielwasser schwimmen.

Die Macht des organisierten »Freidenkertums«, des praktizierenden Atheismus politischer und naturwissenschaftlicher Prägung erzwang allmählich immer schärfere, radikale Fragestellungen. Dies war einer der Gründe, die einen Teil meiner Zeit- und Studien-Genossen in die Gefolgschaft Paul Tillichs oder Karl Barths führten, sofern wir an den großen »Zeit- und Streitfragen« um das Christentum lebendigen Anteil nahmen und nicht nur der Versorgung durch Examina und Amt zustrebten.

Von der Vorliebe Adolf Deissmanns für die Mystik, für die begrifflich nicht mehr erfaßbare Tiefe des religiösen Erlebens war oben andeutungsweise die Rede gewesen. Die »Lebensphilosophie« von Dilthey bis Bergson zeigte in jenem Jahrzehnt noch lebendig und wirksam, daß die Liebe zum Irrationalen, Transrationalen, zu den Mysterien des »Lebens« einschließlich des Göttlichen keineswegs auf theologische Kreise oder Erweckungsbewegungen beschränkt blieb. Der leeren Abstraktionen der neukantischen Erkenntnistheorie waren wir müde. Das eigentliche Leben der Philosophie aus und in der Tiefe der transrationalen Wahrheit war – so schien es vielen von uns – in diesem Neukantianismus ausgetrieben. Die Unbestimmtheiten der »Lebensphilosophie« nahmen wir zumeist in Kauf und verstanden sie als Hinweis auf das Geheimnis des letzten Ursprungs.

Die Jugendbewegung, vom Steglitzer Wandervogel bis zu den zahlreichen Bünden der Nachkriegszeit seit 1919 war auch als ein leidenschaftliches Bekenntnis zum schöpferischen Leben zu verstehen und daher erhob sich über alle Hervorbringungen und Einrichtungen der technischen Vernunft, des analysierenden Verstandes, der rationalen Organisation. Darin lag die große Gefahr der neuromantischen Antithese gegen die Ratio und den »Rationalismus«, ja der Diffamierung eben jener Vernunft, von deren methodisch geleiteten Erkenntnissen und technischen Konstruktionen wir *alle* faktisch leben.

Der Lebensphilosophie konnte ich nur einen Augenblick lang zuschwören; ihre Unschärfe mußte selbst einen so unreifen, jugendlichen Geist unbefriedigt lassen, wie ich es damals war. Erst viele Jahre später erkannte ich, daß hier neuromantische Metaphysik und profanisierte Mystik im Spiele waren, wenn von dem Urgrund des Lebens, den Quellen aus der Tiefe, der évolution créatrice und dem élan vital (Bergson) gesprochen wurde. Dem Anprall der neuen Probleme der zwanziger Jahre – so zeigte sich später – war die Philosophie des Lebens nicht gewachsen; sie konnte es nicht sein.

Kehren wir noch einmal zum Thema Kirche zurück. Die Kirchen allesamt wankten unter dem Stoß, den ihnen der Zusammenbruch der Fürstenstaaten, der Monarchie und eben damit des »landesherrlichen Kirchenregiments« versetzt hatte. In uns Jungen wirkte dies mangels genauerer, historischer Einsicht nur als Gefühl der Unsicherheit der kirchlichen Traditionen.

»Sich auf den Boden der Tatsachen stellen« – dies Schlagwort des Revolutionswinters 1918/19 ging auch in den Kirchen um. Die offiziellen Kundgebungen der kirchlichen Leitungsgremien machten auf uns junge Leute den Eindruck der Gewundenheit, der Verkrampfung und der halben Wahrheiten. Von den wahren Gründen der politischen Demokratie hatte man in diesen evangelischen Kirchen keine Ahnung, weder oben noch unten. Man tappte ängstlich umher, denn jetzt rächte es sich bitter, daß man den Legitimismus nicht mit dem kritischen Salz des Evangeliums zu Leibe gegangen war, sondern ihn naiv verabsolutiert und für ewig gehalten hatte.

Noch etwas anderes rächte sich, nämlich der Verzicht der lutherischen Kirchen auf die Herausbildung eines kirchen-eigenen, ursprünglich und allein aus der Kirche selbst hervorgehenden Leitungs- oder Bischofsamtes, was ja wiederum mit der frühzeitigen Anlehnung der evangelischen Kirchen an die Landesherren zusammenhing. Diese waren Schein- bzw. Ersatz-Bischöfe, was zu historischen Grotesken und Mißbildungen in den Kirchenordnungen geführt hatte. Auch auf diesem Hintergrund der Schwäche und der Hilflosigkeit der Kirchen und ihrer Oberen ist es zu verstehen, daß ich durchaus keine Neigung hatte, in den Dienst einer so verkümmerten und einer halbstaatlichen Bürokratie weithin ausgelieferten Institution zu treten. Hatte sie denn überhaupt noch Möglichkeiten der Selbst-Erneuerung und der Regeneration – diese Kirche, die sich so stolz auf die »Reformation« berief oder sich gar nach Luther benannte?

Gegen leere Rituale und eingerostete Maschinerien war die Jugendbewegung äußerst empfindlich und kritisch. Noch heute, nach 50 und mehr Jahren sage ich es mit Recht und guten Gründen. In Sachen der Religion fanden wir all' das abgelebt und unwahr geworden, was nicht lebendiges, gegenwärtiges religiöses Erleben und Erfahren war. Grenze und Strukturschwäche dieser Erlebnisreligionen sind seit Karl Barth in seinen Anfängen oft genug aufgedeckt und gründlicher theologischer Kritik unterzogen worden. Gut! – aber wir sollten auch in diesem Fall nicht »das Kind mit dem Bade ausschütten«.

Denn die Kritik an formalen, teilnahmslosen Vollzug von Riten, deren ursprünglicher Sinn nicht mehr geglaubt wird, das bloße Wiederholen von Gebeten und Glaubensformeln ist eine notwendige Durchgangsstation zum tiefen Erfassen der eigentlichen Intention von religiösen Überlieferungen aller Art. Auch diejenigen meiner Jugendgenossen, die sogenannte weltliche Berufe ergriffen, sind großenteils zur aktiven Teilhabe und Verwirklichung der tiefer erkannten Botschaft des Evangeliums gelangt, ob sie nun Pädagogen und Schulmänner, Politiker, Juristen oder Historiker wurden. Dies ist keine leere Redensart, denn die Namen dieser Menschen könnten genannt werden.

Im einzelnen war unsere jugendliche Kritik an den Erscheinungsformen der verwalteten Religion oft ungerecht, auch standen ihr nicht ausreichende Kenntnisse zur Verfügung. Trotzdem war sie für viele jugendbewegte Menschen der zwanziger Jahre der Beginn eines schöpferischen Durchbruchs »zur Sache selbst« hinter all den verwirrenden, nachgemachten neugotischen oder neuromanischen Fassaden, Formen des frühchristlichen Basilika-Stils und dergleichen mehr. Wir schlossen ungestüm von diesen Fassaden der kläglichen Institution auf die Menschen, welche dies Bauwerke geplant und errichtet hatten, auf dem Geist des Ungeistes einer bloß noch anempfundenen Frömmigkeit. Den lateinischen Spruch: »Ut desint vires, tamen est laudanda voluntas (wenn auch die Kräfte fehlen, so ist der Wille doch zu loben)« konnten und wollten wir auf das Unwahre und bloß Nachgemachte in den kirchlichen Bauten des 19. und anhebenden 20. Jahrhunderts gerade nicht beziehen.

Die bürgerlich-kleinbürgerliche Struktur dieser protestantischen Kirchen ist so oft analysiert und kritisiert worden, daß es völlig überflüssig ist, dem in 30 Jahren Erarbeiteten noch etwas hinzuzufügen. Wir hatten damals das Gefühl, in diesen Gemeinden und kirchlichen Vereinen ersticken zu müssen. Wo war denn da der große freie Atem des Heiligen Geistes? Wir kannten die enge Verschmelzung des im 16. Jahrhundert aufsteigenden Bürgertums mit der kirchlichen Reformation nicht, aber wir lasen bei Friedrich Nietzsche leidenschaftliche Angriffe auf das verbürgerlichte, moralisierte und nur allzuoft pharisäisch gewordene Christentum des 19. Jahrhunderts. Mußten nicht um der Echtheit von Religion, vielleicht sogar um Jesu von Nazareth willen die pseudochristlichen Werttafeln dieser Bürgerreligion zerstoßen und zertrümmert werden? Solche Fragen waren überall in uns und unter uns lebendig, ohne daß wir schon zu distanzierten, wissenschaftlichen Analysen dieses Riesenproblems gereift wären. Was Karl Marx dazu gesagt hatte, lernte ich erst viel später kennen.

Eines bleibt in allem Scheitern dieser Jugend wahr: sie pflanzte auf den Trümmern des alten Reiches, der staatsfrommen Kirchen, in der Armut der großen Inflation unwissend wissend das Banner der Hoffnung auf, einer Hoffnung, die fähig war, das Scheitern der eigenen, voreiligen Utopien des neuen Lebens, des neuen Menschen, des Dritten Reiches zu überstehen und zu überschreiten.

Insofern lag in unserem Lied »Mit uns zieht die neue Zeit« eine tiefere, eschatologische Wahrheit über den vordergründig-idealistischen Jugendglauben hinaus.

Es gab schon vor dem Ersten Weltkrieg und vollends während desselben Leute, die das Vaterland, die eigene Nation an die Stelle Gottes gesetzt hatten. Die Schar derer, die alles »auf dem Altar des Vaterlandes opferten«, war unabsehbar groß, verborgen freilich durch die täuschenden Fassaden der Volkskirche. Besonders von den »Alldeutschen« und von vielen Mitgliedern der sogenannten Vaterlandspartei während des Ersten Weltkrieges gilt das soeben Gesagte. Christentum und Nationalismus flossen bis zur Unscheidbarkeit ineinander. Gott war zunächst einmal der »deutsche Gott« (E. M. Arndt), der Herr der Heerscharen zog mit den deutschen Armeen ins Feld und segnete die deutschen Waffen. Die polytheistische Religion der Nationen stellte die nationalen Gottheiten gegeneinander.

Auch in meinem Elternhaus stand »Einharts« Deutsche Geschichte im Bücherschrank; dies war die alldeutsche, pangermanistische Deutung der deutschen Geschichte, ebenso »Der Rembrandtdeutsche«, und ich wurde auf Houston Stewart Chamberlains »Grundlagen des 19. Jahrhunderts« aufmerksam gemacht. Dabei waren die Eltern doch von der Vergöttlichung der Nation weit entfernt. Ihr in der Bibel tief verwurzelter Christenglaube machte ihnen den nationalistischen Götzendienst unmöglich. »Das Reich muß uns doch bleiben«, dieses Reich war für sie das Reich Christi, nicht das Reich der Deutschen. Das höchste der *irdischen* Güter war aber auch ihnen das irdische Vaterland, geliebt mit allen Fasern des Herzens.

Es ist schwer, die Grenze zwischen dem berechtigten Nationalbewußtsein und seinen nationalistischen Perversionen im Einzelfall zu ziehen. Dies hat mich eine lebenslange Beschäftigung mit diesem Problem gelehrt. Die »richtige« Synthese vom Weltbürgertum und legitimen Nationalbewußtsein ist weder im Europa des Jahres 1975 noch gar in der Welt gefunden. Vielmehr ereignet sich heute der große Aufstand der Partikularitäten und der Nationalitäten. Demzufolge wäre es ebenso unsinnig wie unbillig, von 20- oder 22-jährigen Menschen in der nationalen Jugendbewegung der zwanziger Jahre eine solche Lösung zu fordern. Die absolute Steigerung des Nationalismus bis zum Wahnsinn der Selbstzerstörung der Nation und ihrer Einheit stand uns noch bevor, wovon wir 1919, 1920 nichts ahnen konnten, wenngleich schon damals die Entdeckung des »Völkischen« kommende Raserei und Taumeltänze vorbereitete; nichtsahnend trugen einige von uns das uralte Sonnenrad-Symbol des Hakenkreuzes auf dem Gürtelschloß. Auch machte sich in allerlei Schriften die Religion des »deutschen Gottes« Luft und »deutsche Propheten« wie Luther, Fichte, Ernst Moritz Arndt, Nietzsche traten bei vielen an die Stelle von Amos, Jeremia und Jesaja, der großen Verkündiger des Rechtes und der Majestät Gottes, der an irdische Institutionen und Gewalten nicht gebunden, allein die freie Gnade übt und schenkt.

Hiermit ist schon auf kommende schwere Kämpfe und existentielle Bedrohungen des Glaubens im voraus hingewiesen.

Wie wurden wir mit der großen Spannung zwischen Familie und Jugendbewegung fertig, zwischen der »Fahrt«, d. h. der sonntäglichen Wanderung ins Freie, in die Natur? Die radikalen Lösungen im Stil der »Aristie« des Männerbundes nach Hans Blüher fanden in unseren Reihen nur wenige Liebhaber, die sich nicht durchsetzen konnten. Es gab natürlich eine Fülle individueller Abwandlungen dieser kritisch-krisenhaften Beziehung. Meine Brüder und ich fanden einen tragbaren Kompromiß, der von unseren Eltern angenommen wurde: zwei, im Sommer drei Sonntage gehörten dem »Bund« und den »Fahrten«, die restlichen der Familie und dem Besuch des Gottesdienstes. Da wir zu letzteren nie gezwungen wurden, gingen wir freiwillig mit unserer Mutter zur Kirche, vor allem dann, wenn der Vater predigte. Die Frucht unserer Freiheit hieß Einverständnis, Frieden und Bereitschaft der Generationen, einander zu verstehen. So glimpflich freilich konnte der Gegensatz dort nicht ausgeglichen werden, wo die Generation der Eltern auf den autoritären Gebräuchen und Zwangsgeboten alten Stils beharrte. Da gab es unaufhörliche Reibungen, Mißverständnisse, ja Machtkämpfe und tragische Konflikte, in denen die Jungen als die Zerstörer und Verräter des erprobten und überlieferten Guten, Wahren, Lebens- und Erhaltungswerten gebrandmarkt wurden.

Sozialismus und Jugendbewegung

Die ältere Generation war in und mit dem Zweiten Kaiserreich aufgewachsen, und dieses schien ihr für die halbe Ewigkeit festgegründet. Nur wenige durchschauten die Aushöhlung vieler seiner Traditionen und Institutionen oder die Untauglichkeit Wilhelms II., dieses Universal-Dilettanten, für das kaiserlich-königliche Herrscheramt. Im Revolutionswinter 1918/19 erwies sich all das, was schon brüchig gewesen war, als reif zum Untergang. Das deutsche Bürgertum bot dabei ein zwiespältiges Bild. Da waren die »alten« Preußen und Nationalgesinnten, denen der Sturz der Hohenzollern buchstäblich das Herz brach, – auf der entgegengesetzten Seite die, welche sich eilends »auf den Boden der Tatsachen« stellten, um zu überleben bzw. ökonomisch unter allen Umständen, auch mit Hilfe der steigenden Inflation, ihr Schäfchen ins Trockene zu bringen; der Berliner Volkswitz, auch in der schlimmsten Zeit nicht zu töten, nahm diese scharf aufs Korn, und wir Jungen verachteten sie, mit Recht. Zwischen diesen Extremen die große Masse der Schwankenden, die begreiflicherweise nicht wußten, wohin sie sich wenden, wo sie sich verankern sollten. Daß die politischen Parteien sich ziemlich schnell neu formierten, ist kein Gegenbeweis für das soeben Gesagte, bedeutete nur aufgeregte Aktionen auf der Vorderbühne. Alle Parteien wollten auf einen Schlag »Volks«-Parteien sein, sogar die Konservativen, die sich in »Deutschnationale Volkspartei« umtauften. Hier schon trat der Wahn und der verlogene Anspruch der Rechten hervor, *allein* »national« und »deutsch« zu sein, allein, wie einer von uns Jungen in der Jugendbewegung damals treffend sagte, »das Vaterland für sich gepachtet« zu haben. Es ist nicht zu ermessen, wieviel Zwietracht, Haß und Feindschaft von dieser Spaltung der Nation seither ausgegangen ist; noch im Jahre 1976 tobt die alte Feindschaft sich aus, wobei die Konservativen von heute die Verwegenheit besitzen, sich »christlich« zu nennen, gleich als ob Liberale und Sozialisten nicht christlich sein könnten oder sich *so* nicht nennen dürften.

Dieser Zwiespalt lastete schwer auf uns, die wir gutgläubig und naiv davon ausgingen, daß die deutsche Nation auch innenpolitisch eine Einheit sein müsse, und daß unser Vaterland allen gehöre. Ob Jungsozialisten oder Jungnationale, eine neu zu schaffende *Einheit* der Nation schwebte uns vor. Die Kommunisten allerdings, die von 1918–1921 Aufstände und Bürgerkriege hervorriefen, schienen uns sich selbst außerhalb der Nation gestellt zu haben; mit ihnen wollten wir nicht paktieren, nach Moskau gehen wollten wir nicht.

Es war nicht leicht, 1918/19 jung zu sein und nach irgendeinem festen Boden Ausschau halten zu müssen, der Halt versprach. Viele von uns waren nicht in der glücklichen Lage, ein Elternhaus zu besitzen, wie meine Brüder und ich, in den ein ohne jeden falschen Anspruch oder gar Zwang der evangelische Glaube durch die tiefen Kümmernisse und Leiden hindurchtrug, die der Zusammenbruch des alten Reiches den Eltern bereitete, die – 1869 und 1871 geboren, mit dem zweiten Kaiserreich, mit dem großen Kanzler Otto von Bismarck, mit und aus den glanzvollen Siegen der preußisch-deutschen Armee aufgewachsen waren. Es erwies sich später, daß dies Reich den Sturz der Monarchen überlebte und sogar die Bürgerkriege von 1919–1923 überstand. Ältere sahen darin damals einen Beweis für die geschichtliche Tauglichkeit und Kraft der Schöpfung Bismarcks.

Wir unsererseits sahen unsere Aufgabe, ja unsere geschichtliche Sendung darin, dem alten Reich, als es zu zerbersten schien, eine neue Form und neuen Inhalt zu geben. Das war hoch gegriffen. Wer die Blätter und Flugschriften der deutschen Jugendbewegung von 1919–1929 durchliest, der wird überall auf diesen, sehr verschiedenartig ausgedrückten Sendungsglauben stoßen. Die einen nahmen die Sprache Nietzsche's zu Hilfe, die anderen Stefan George und Rainer Maria Rilke, doch uns alle trieb und bewegte der Mythos vom »Dritten Reich«, das politisch wie geistig mehr sein sollte als das zweite, der Glanz und die Herrlichkeit des übernationalen Reiches Deutscher Nation sollten im Dritten Reich wiedererstehen. Die großen Herrschergestalten des Mittelalters von Karl dem Großen bis zu Friedrich II., dem genialen Hohenstaufen, begeisterten uns. Solche Größe sollte wiederkehren. Wir ermaßen damals noch nicht die schweren Gewichte der Entwicklung zur modernen Industriegesellschaft, die schon damals zunehmende Verflechtung Deutschlands in die Weltwirtschaft und viele andere gesellschaftliche und politische Faktoren, welche die Verwirklichung dieser Zukunftsutopie von vornherein unmöglich machten. An eine Restauration der Hohenzollern dachte bei uns niemand; denn reaktionär wollten und konnten wir nicht sein. Einige Jugendgenossen, die Geschichte studierten, verwiesen uns warnend auf historische Beispiele gescheiterter Restaurationen in Frankreich und anderswo.

Schon in jenen Jahren hatte sich die »Konfessionalisierung« des genuinen Marxismus vollzogen, welche durch den reformistischen Sozialismus schon vor dem Ersten Weltkrieg in Gang gesetzt worden war und sich seit 1949 durch die Revolution in China noch bedeutend verschärft hat. Auch damals waren die verschiedenartigsten Deutungen des Wortes und Begriffs »Sozialismus« im Schwange, gab es doch sogar einen an Fichte anknüpfenden, idealistischen Sozialismus, einen Sozialismus in der Solidarität von Geist und Gesinnung, aus dem sich dann die soziale Verfassung des

Gesamtkörpers der Nation ableiten lassen sollte. Angeblich würde dieser Idealsozialismus der Brüderlichkeit die tiefen sozialen Klüfte inmitten der Nation schließen können. Daß der ethische Sozialismus dazu nicht ausreichen würde, sahen viele Jugendbewegte damals nicht. Instinktiv aber lehnten wir alle den Materialismus ab, wobei wir den fundamentalen Unterschied des Materialismus im Marxismus, einen gesellschaftlich-politischen Begriff – von dem Materialismus der pseudo-naturwissenschaftlichen Volksaufklärung (alles ist Stoff) übersahen, der seit den 50er Jahren des 19. Jahrhunderts in immer neuen Wellen Deutschland überflutete. Haeckel war uns ein Greuel. Diesen primitiven Panbiologismus verachteten wir aus tiefster Seele. Man bedenke auch, daß die berühmten Jugendschriften von Karl Marx erst 1932 veröffentlicht wurden. Vom »jungen« Karl Marx wußten wir also nichts; auch dies mag helfen, die Einseitigkeit unserer Ablehnung des Materialismus zu verstehen. Natürlich waren wir alle fixiert auf jene verhängnisvolle Synthese der beiden Hauptformen des Materialismus seit und durch Friedrich Engels, die sich in ihrer rohesten und trostlosesten Form bei Stalin findet. Auch der Verband der deutschen Freidenker mit vielen Hunderttausenden von Mitgliedern war gänzlich von dem Materialismus der oberflächlichsten »Stoffhuberei« beherrscht.

Erst für denjenigen, der sich jahrelang mit den verschlungenen Problemen des Marxismus, Kommunismus, Sozialismus, Neo-Marxismus usf. befaßt hat, ist einigermaßen in der Lage, durch das Gestrüpp der konfessionellen Zerspaltung und Verflechtung zahlreicher Typen von Sozialismus und heftig streitender Exegeten der »Heiligen Schriften« der Urväter oder Gründer zum Licht durchzudringen. Eine böse Parallele zu den Zerklüftungen und Auslegungs-Streitigkeiten in der Christenheit seit etwa 1800 Jahren! Wird die Christenheit dem Wahrheitssucher durch ihre innerchristlichen Feindschaften und verwirrenden Gegensätze nicht eben empfohlen, so auch der Sozialismus durch seine Zerspaltung nicht demjenigen, der einen klaren, guten und überzeugenden Plan für die Gestaltung der Gesellschaft am Anfang oder Ende des 20. Jahrhunderts sucht.

Wie also mußten wir 20 oder 22 Jahre alten Menschen der Jugendbewegung im Dunkeln tappen oder uns im Labyrinth des Palastes »Sozialismus« verirren! Wohl dem, der von seinen Lehrern einen Leitfaden in die Hand bekam, sich wieder zurecht- bzw. hinaus zu finden.

Freilich, die damaligen bürgerlichen Nationalökonomen, wie sie von den Marxisten der Orthodoxie tituliert wurden, konnten uns auch nicht imponieren. Hundertmal hatten sie Karl Marx's ökonomische Lehren »widerlegt« und ihrer Meinung nach immer wieder »endgültig« ad absurdum geführt, die Unmöglichkeit des Bestehens einer kommunistischen Wirtschafts- und Gesellschaftsordnung schlüssig, evident »bewiesen«, – und doch: dies Ungeheuer fing an zu leben, wenn es auch lange Jahre nur vegetierte und Massen von Menschen verschlang; das »unmögliche« System festigte sich nach 1922 zusehends. Die bürgerlichen Kritiker gerieten in Verlegenheit, spätestens in jedem dritten Jahr wurde der Zusammenbruch des Bolschewismus angekündigt, welcher dann 50 Jahre lang ausgeblieben ist. Unter welchen Bedingungen, unter welchen Opfern? – davon ist bereits viel gesagt worden, von Wissenschaftlern, von Schriftstellern wie Alexander Solschenyzin und seinen Freunden; mit ihnen kann und will ich nicht konkurrieren, weil der Stil und der Sinn des vorliegenden Erinnerungsbuches einem solchen Wettbewerb durchaus widerspricht.

Aber unser jugendliches Unbehagen, unsre Ungeduld, unser Mißfallen an diesen Methoden der Marxismus-Kritik ist hier festzuhalten. So bürgerlich sein – nein, das wollten wir gewiß nicht, ohne gleich zu Kapitalismus-Fressern zu werden. Aber auf die grauenerregenden Folgen dieser angeblich einzig und wirklich ökonomischen Wirtschaftsweise stießen wir Berliner Jungen doch jeden Tag: das grenzenlose Elend in den gestaffelten Hinterhöfen, die unmenschliche Bauweise der siebziger bis neunziger Jahre und so fort ins 20. Jahrhundert, von den Behörden mitangesehen und geduldet, die im wahrsten Sinne des Wortes menschen-mordende Grundstücksspekulation mit dem Triumph und der Geldschwemme dieser Ausbeuter über dem Elend derer, die in diesen Höhlen leben, essen, schlafen, Kinder zur Welt bringen sollten! Wir lernten Käthe Kollwitz und Heinrich Zille kennen und verehren, doch wir kannten diese aller Kultur und Humanität ins Gesicht schlagenden Verhältnisse aus eigener Anschauung und Erfahrung von unseren Entdeckungsfahrten in die große Stadt, in den Berliner Norden und Osten. Auch die schönsten Fahrten an die Seen des märkischen Heimatlandes, des viel geliebten, in die herrliche wasserreiche Umgebung von Potsdam, die Nachtfahrten beim Licht des Mondes durch die stillen Wälder und Felder – all unsere Natur-Romantik oder Mystik konnte es uns nie vergessen lassen, daß es dies gab: das Berliner Proletariat des Ostens und des Nordens. Dazu kannten wir Kameraden in der Arbeiterjugend und bei den schon genannten Jungsozialisten, die übrigens nicht mit der gleichnamigen Linksgruppe in der SPD von heute gleichgesetzt werden dürfen. Nicht ihr besonderes »Links-Stehen« charakterisierte die Jungsozialisten von 1920, sondern ihre Problem-Offenheit, ihr sich Aufschließen für Fragen, die weder in der marxistischen Orthodoxie noch im »verbürgerlichten« Reformismus und »Verrätertum« vorgesehen waren. Eben damals habe ich den Namen Erich Ollenhauer zum ersten Male gelesen und gehört, und er schien mir schon so früh ein redlicher Streiter für seine Sache zu sein. Wir respektieren dergleichen, Gott Lob, alle Verteufelung von Menschen lag uns fern, obwohl wir keineswegs alles annehmen konnten, was in der Arbeiterjugend der zwanziger Jahre gesagt und geschrieben wurde. Aber das jugendliche Pathos der Freiheit von den »Bonzen« und der Kritik an ihnen gab es erfreulicherweise auch dort.

Gingen wir auch auf schwankendem Boden einher, so verließ uns doch der jugendliche Mut, etwas zu wagen, nicht, und der fragende Wille zur Wahrheit bohrte sich immer tiefer in all' die Überlieferungen hinein, von denen wir herkamen. Dies brachte uns aber in zunehmendem Maße zu der Erfahrung der Macht der Traditionen – sogar inmitten der Umwälzung, in der wir doch allesamt begriffen waren.

Noch war nicht von der Geschichtlichkeit unseres Daseins die Rede, wie wenig später in der Existenzphilosophie. Aber unbewußt halbbewußt spürten und erspürten wir sie, indem wir unsere nationalen, sozialen oder kirchlichen Traditionen nach ihrem Sinn, auf ihre Wahrheit hin befragten. In *diesem* Sinne waren wir sowohl historisch-kritisch als auch empirisch-kritisch eingestellt, ohne diese Begriffe im heutigen Sinne – der siebziger Jahre – zu gebrauchen und zu unterscheiden.

Damals lagen Bilder und Begriffe des »Organischen« und des »Organismus« in der Luft. Sie wurden von der aufkommenden völkischen Bewegung gehörig strapaziert. Später lernte ich einsehen, daß diese alt – wie neu-romantische Begrifflichkeit gänzlich ungeschichtlich sei und dem personalen Charakter der menschlichen Existenz widerspreche, wohl aber in dichterischer Symbolsprache Sinn habe und behalte, aber von geringem »humanen« Erkenntniswert sei. So gern wir uns damals organologisch ausdrückten – besonders beliebt war das Symbol des Baumes mit Ästen, Zweigen, Blättern, Blüten und Früchten für das Leben des Volkes und die Ausdrucksformen des »Volkstums« –, so lebendig fühlten wir doch andererseits, daß der Mensch und sein Leben den Bios überschreitet, während wir doch in dieser Hinsicht die ganze damalige Jugendbewegung die *Leiblichkeit* menschlicher Existenz leidenschaftlich erlebten. Dies hat Wilhelm Stählin in seinem Buche »Der Sinn des Leibes« zur Sprache gebracht. Doch wird von diesen Dingen noch öfters die Rede sein.

Idealismus und eine neue Weise von »Realismus«, der von Pan-Materialismus (alles ist Stoff oder dessen »Ausschwitzung«) wohl zu unterscheiden ist, flossen ineinander. Von dieser Jugendbewegung abgeklärte, wissenschaftliche Theorien zu erwarten, wäre absurd. Aber es galt doch nicht nur Fausts »Gefühl ist alles . . .« unter uns, das Allgefühl für Weite, Größe und Herrlichkeit des Kosmos erstickte den Erkenntnisdrang keineswegs, es beflügelte und stärkte ihn vielmehr. Diese deutsche Jugendbewegung von 1896–1933 unter dem Schlagwort »Irrationalismus« unterbringen zu wollen, wäre allzu billig, es ginge auch an der Tatsache vorbei, daß eine ganze Reihe von Wissenschaftlern, darunter solche höheren Grades, aus ihren Reihen hervorgegangen sind. Mit dieser Feststellung soll selbstverständlich nicht bestritten werden, daß es auch damals *viele* Zuwege zur Wissenschaft gegeben hat und dies wird wohl in allen Zeitaltern so sein. Die Fragen: Was ist das? – was ist der Sinn dieses Phänomens? – was ist die letzte, allumfassende Wahrheit? – können von den verschiedenartigsten Voraussetzungen her gestellt werden, und entgegengesetzte Erfahrungsstrukturen können sich zu solchen Fragen öffnen. Hier wäre jede Art »monistischer« Betrachtung fehl am Platze. Gegen die Vergewaltigung der Fülle des Lebens haben wir Jugendbewegten uns immer gewehrt, – dafür ließen sich je nach der zur Rede stehenden Dimension sowohl erkenntnis- und wissenschaftstheoretische Gründe aufführen als auch ethisch-humane und nicht zuletzt theologische. Denn der Schöpfer gab und gibt einer unermeßlichen Fülle von Kreaturen das Leben. Eine jede hat nicht nur ihre Art, wie schon die alttestamentliche Schöpfungs-Symbolik weiß, sondern auch ihre Zeit.

Auch die Jugendbewegung, an die ich mich auf diesen Blättern mit Liebe und Dankbarkeit als meiner Herkunft erinnere, hatte ihre Zeit. Wiederholt werden konnte sie nicht. Aber ich hoffe, es wird immer von neuem eine kritische Jugend geben; sie soll und sie wird immer ihre kühlen Hoffnungsbilder haben, die alles Gewesene und Gewordene hinter sich lassen in »Mut zur Utopie« (Georg Picht). Ohne Umwege zu machen, Irrwege einzuschlagen, in Sackgassen umzukehren, ist eine neue Gestalt des geschichtlichen Lebens nicht zu erreichen, nicht zu erkämpfen.

Philosophie in Berlin

Wie stand es nun mit der Philosophie, die ich so heiß liebte? Ich schloß mich ganz an die Renaissance des klassischen Idealismus an, die damals im Schwange und im Gange war, seit 1921 sogar eine Hegel-Renaissance, doch ich fand, in Berlin sei wenig für mich zu holen. Der herrschende Neukantianismus (Alois Riehl) reizte mich nicht, auch Max Dessoir fand nicht mein Interesse. Als Eduard Spranger nach Berlin kam, habe ich noch eine Vorlesung von ihm »schwarz« gehört, d. h. ohne sie zu belegen. Ich fand ihn großartig. In dem großen, überfüllten Hörsaal herrschte lautlose Stille; nur unter dieser Voraussetzung war seine (damals) zarte Stimme überhaupt zu vernehmen. Hier glaubte ich eine Synthese von moderner Problemstellung und bester klassisch-idealistischer Tradition zu sehen, wie sie mir auch in meinen jugendlichen Denkversuchen vorschwebte. Doch übte schon vorher Paul Tillich, damals Privatdozent der Theologie in Berlin, etwa zwölf Jahre älter als ich und bereits im Entwerfen einer großartigen Konzeption begriffen, den stärkeren Einfluß auf mich aus.

Ich hörte in Berlin bei ihm eine Vorlesung über »Religion und Kultur«, welche als Wurzel seiner späteren Religionsphilosophie gelten darf, sowie seinen später berühmt gewordenen Vortrag in der Kant-Gesellschaft über die »Überwindung des Religionsbegriffes« in der Religionsphilosophie.

Die innere Glut des Denkens brach aus seinen Worten hervor, und die Züge seines Gesichtes schienen mir in hohem Grade vergeistigt, obwohl er doch zu jener Zeit (1920–1922) noch ein junger Mann war. Dergleichen hatte ich noch nie erlebt. Zugegeben, es fehlte dem faszinierten jugendlichen Hörer noch an Vergleichsmöglichkeiten, doch hatte ich immerhin schon einige Dozenten und Professoren gehört. War das nicht jenes Denken, von dem G. Fr. W. Hegel gesagt hatte (oder gesagt haben soll), »Denken ist auch ein Gottesdienst«?

Schon in jenen Tagen ging von P. Tillich jener unbeschreibbare, anziehende, wunderbare Charme aus, der so viele Menschen in Deutschland und Amerika bezwang und so viele Schüler und Schülerinnen an ihn band. Etwa 35 Jahre später, 1954 in New York, auf einer Party in der Wohnung des Holl-Schülers und Kirchenhistorikers Wilhelm Pauck (Prof. am Union theological Seminary), erfuhr ich beglückt, daß von ihm immer noch derselbe Charme ausging wie zu Beginn der zwanziger Jahre. Auch erinnerte er mich daran, daß wir beide 1938 in dem ökumenischen Sammelband »The Kingdom of God and History« über das Problem »Reich Gottes und Geschichte« geschrieben hatten. Er konnte Wahrhaftigkeit im Urteil und liebevolle Zuwendung zu seinem jeweiligen Partner auf überzeugende, ja bestrickende Weise vereinen. Ich muß in späterem Zusammenhang auf Paul Tillich zurückkommen. Glücklicherweise haben mich die in Berlin umlaufenden Diffamierungen (»Der Kerl ist ja Kommunist!«) nicht daran gehindert, seine Gedanken und sein Wesen in mich aufzunehmen.

Die »alte« deutsche Universität hat eine Fülle bedeutender, ja großer Forscher und ausstrahlungskräftiger Lehrer hervorgebracht. Ohne sie wäre die Universität undenkbar, falls man darunter nicht eine Massen-Abfütterungsanstalt versteht, die nur das Rüstzeug für die Ausübung gesellschaftlicher Funktionen bereitstellt, ohne daß für diese weittragende, in der Tiefe der Probleme angesetzte zweckfreie *Forschung* allein um der Sachen und der ihnen innewohnenden Wahrheit willen getrieben wird. *Diese* Probe aufs Exempel hat die neue, in Krämpfen und Geburtswehen sich windende gestaltlose Universität zu Ende der sechziger Jahre erst noch zu bestehen. In 30, in 50 Jahren werden die ersten, einigermaßen verläßlichen Urteile möglich sein.

Zur Philosophie: Ich war ganz »entgeistert« und empört, als ich bei einem »Ständerling« meiner Verbindungsbrüder vom »heiligen Verein« Wingolf (einer christlichen Studentenverbindung) in der unteren Halle der alten Berliner Universität feststellen mußte, daß die Theologen unter ihnen die Meinung vertraten, sich mit Philosophie zu befassen sei »Blödsinn.« »Damit hat doch ein Theologe nichts zu tun!« war die Erwiderung auf meinen Hinweis, daß ich eine Übung über Kants »Metaphysik der Sitten« belegt hätte. Eine solch engstirnige Reaktion erhöhte nicht gerade die Achtung vor meinen theologischen Kommilitonen. Zu alledem war es noch eine Ablehnung ohne sachliche Argumente, denn von Karl Barth war 1919/20 unter uns noch nicht die Rede. Um so hartnäckiger verfolgte ich meinen Weg und behauptete mein Recht, so zu verfahren, obwohl mich dieser Weg auch in das Gestrüpp höchst schwieriger Probleme führen sollte, eben jene, die seit der Zeit der ersten Apologeten die ganze Geschichte des christlichen Denkens bestimmt und beherrscht haben. Mußte sich aber nicht ein prinzipiell nachdenkender Theologe in diese Probleme hineinstürzen? Ich bejahte diese Frage, und Tillich bestärkte mich darin. Der praktische Effekt meiner Haltung war freilich auch, daß sich mein Studium in die Länge zog. Meinen unter- oder hintergründigen Wunsch, in der Philosophie zum Dr. Phil. zu promovieren, konnte ich nicht verwirklichen. Ich wollte meine Eltern nicht noch mehr belasten, als ich es ohnehin schon tat. Stipendien gab es nicht; Sparguthaben fielen der reißend fortschreitenden Inflation zum Opfer; die für die Kriegsanleihen in vaterländischer Gesinnung gezeichneten Summen waren gleichfalls total verloren. Einen Staat, der dem Studenten einen großen Teil ihres Studiums finanziert hätte, gab es nicht.

Heutige, in der Wohlstandsgesellschaft, aufgewachsene Studenten können nur schwer verstehen, durch welche Nöte und Engpässe wir uns hindurchwinden mußten. Freilich, das Prädikat »ewig« verdient die heutige »Überfluß«-Gesellschaft auch nicht gerade, denn niemand kann heute sagen, wie es den Studenten in 10 oder 25 Jahren ergehen wird. Daß es auch unter den heutigen Verhältnissen, z. B. der Überfüllung, des Drucks in den »Massenfächern« des numerus clausus viele andere Schwierigkeiten gibt, darf nicht vergessen werden. Ein falsches Bild würde entstehen, wenn wir den Nöten der gar nicht »goldenen« zwanziger Jahre nur den Wohlstand und die Erfüllung heutiger Lebensansprüche gegenüberstellen wollten.

Doch noch einmal zurück zur Berliner Theologischen Fakultät und ihren Professoren.

Der Lüttge-Kreis

Dies war ein kleiner Kreis von Studenten, einschließlich einer Studentin der Theologie – damals ein »einmaliges« Phänomen, eine frühe Vorläuferin späterer Theologinnen, ja sogar Pastorinnen, – Wort, Sache und Person waren damals fast ein »Greuel im Heiligtum«. Auch ich gesellte mich dazu, nachdem ich vor oder nach einer Vorlesung von Professor Willy Lüttge von diesem »Institut« gehört hatte. Wir hatten literarische und wissenschaftliche Interessen. Lüttge besaß eine fast universal zu nennende literarische Bildung und war ein ausgezeichneter Vorleser, der auch in mehreren deutschen Dialekten vortragen konnte, angefangen von Fritz Reuter bis tief in den Süden des Vaterlandes. Seine Lese-Abende waren ein hoher Genuß und erweiterten unsere literarische Bildung ganz beträchtlich. Natürlich wurden auch Meinungen und Urteile der verschiedensten Art ausgetauscht und diskutiert. Von Bevormundung keine Spur, es herrschte Freiheit, auch die Freiheit zu ausgefallenen Ansichten. Einen Zwang zur Teilnahme in pedantischer Regelmäßigkeit gab es nicht.

Lüttge war a. o. Professor der Systematischen Theologie und las auch Religionsgeschichte, in der er bedeutende Kenntnisse hatte. Diese Vorlesung veranlaßte mich, noch weitere Kollegs bei ihm zu besuchen, z. B. die »Dogmatik I«, der er eine ganz neue Fassung zu geben versuchte: das Christentum in den Krisen unserer Kultur und in der Welt der Religionen, – so etwa könnte man seine leitende Intention wiedergeben. Er sprach lebendig und las nicht monoton ab. In philosophischer Hinsicht war er von Wilhelm Dilthey und Georg Simmel beeinflußt. Daß ich 1922 nach Heidelberg ging, hing auch mit Lüttge zusammen. Ich hörte ihn dort von neuem, nun allerdings schon kritischer. Es schien mir, die Lebensphilosophie jener Zeit – von Heinrich Rikkert scharf und mitleidlos kritisiert – sei die Ursache dafür, daß seine Vorlesungen nicht die mir nötig erscheinende Klarheit und Präzision der Begriffsbildung hatten. Was ich heute formuliere, war 1922/23 in Heidelberg nur ein Gefühl des Unbehagens, zumal dann, wenn ich ihn mit Autoren wie Tillich oder Brundståd verglich. Bei meiner dankbaren Verehrung für diesen meinen Lehrer hätte ich solche Kritik gar nicht in

Worte fassen können und mögen. Schon 1928, im Alter von 46 Jahren, starb er nach einer Operation, von mir und anderen Getreuen tief betrauert und bis heute nicht vergessen, trotz der ungeheuren Katastrophen und Wandlungen, die sich seitdem ereigneten. Schließlich ist es nicht Schande, sondern Ehre, unserer Lehrer verehrend zu gedenken. Sie haben uns erleuchtet und uns geholfen, unseren eigenen Weg zu finden. Zu ihnen gehört für mich Willy Lüttge, ein ungemein liebenswerter, in seiner Güte fast ein wenig hilfloser Mensch, der lange hatte warten müssen, bis er 1922 Ordinarius in Heidelberg wurde. Die Intuition war seine Stärke. Theologisch war er ein Schüler Julius Kaftans, aber es wäre ganz falsch, ihn im Schulsinne einen »Ritschlianer« zu nennen. Er strebte neuen Ufern zu, doch hat Gott ihm volle Entfaltung und Auswirkung nicht beschieden. Lüttge beschäftigte sich viel mit dem Verhältnis von Religion und Kunst; hierüber ist posthum ein Büchlein von ihm erschienen. Er hatte reiche, persönliche Beziehungen zu Dichtern und Schriftstellern seiner Zeit, was ich besonders bewunderte.

Während ich bei Männern wie Lüttge, Tillich, Karl Holl und anderen durchhielt bis zur letzten Vorlesungsstunde, gelang mir dies bei anderen nicht. Deissmanns Vorlesungen zu folgen, war mühsam; er macht Meditationspausen zwischen den einzelnen Sätzen. Ungeduldig wie ich war, wartete ich auf die Fortsetzung. In der Mitte des Semesters entfloh ich – akademische Freiheit! Solange man bei Deissmanns langsam-bedächtiger Sprechart aufpassen konnte, hörte man viele feinsinnige Bemerkungen über das »Urtümliche« und »Volkstümliche« der Evangelien oder über die »Mystik« des Paulus, wobei er das »ü« fast wie »ö« aussprach. Übrigens saß er bei den Vorlesungen ein wenig seitlich vom Katheder, ein Anblick würdevoller Gelassenheit.

Zu den Füßen von Reinhold Seeberg

Einmal – und nie wieder – hörte ich eine Vorlesung über den ersten Korintherbrief bei Reinhold Seeberg, nicht ahnend, daß die Korintherbriefe in meinem späteren Leben und Arbeiten eine sehr große Rolle spielen sollten. Trotz der schon lange in vollem Gange befindlichen Spezialisierung der Theologie bis hin zu der Gefahr ihrer Auflösung in Teildisziplinen, gab es immer noch aus alten und ältesten Tagen kombinierte Lehrstühle, z. B. in Berlin, Bonn und anderswo. So las denn ein Dogmenhistoriker und Dogmatiker wie Seeberg, der Vertreter der »modern-positiven Theologie« auch Neues Testament. Es gab offenbar Leute, die alles konnten oder sich doch alles zutrauten. Als ich älter wurde, kam mir diese »Alleskönnerschaft« offen gesagt etwas beängstigend, ja sogar etwas verdächtig vor. Konnte das – außer bei einem Genie – mit rechten Dingen zugehen? Ich vermochte jedenfalls keinen Gewinn aus Seebergs Auslegung zu ziehen. Er mischte seine geistesgeschichtlichen und dogmatischen Urteile und Vorstellungen in einer Weise in die Exegese ein, die mich befremdete. War Paulus denn ein idealistischer Theologe im Stile des 19. Jahrhunderts oder der Theologie um 1900 gewesen? Freilich räume ich ein, es kann auch an meiner Unfähigkeit gelegen haben, eine Exegese vom Standort eines Dogmenhistorikers und vermittelnden Systematikers zu verstehen und zu würdigen.

Als Seeberg den Übergang des Paulus von Kleinasien nach Europa schilderte und den berühmten Traum erwähnte, in dem ihm ein Mann aus Mazedonien erscheint und ihm zuruft: »Komm' herüber und hilf uns!«, brach der Geheimrat aus seinem breiten, schönsten Baltendeutsch in die pathetischen, hegelianisch »getönten« Worte aus: »Wenn d'r Weltjaist durch d'e Raiume straicht, zittert d's All in seinen Fujen!« Obzwar ein begeisterter Anhänger der Hegel-Renaissance, wollte mir doch dieser reichlich epigonenhafte Idealismus gar nicht gefallen. Was dieser »Weltgeist« mit dem Anruf oder Auftrag Gottes an Paulus zu tun hatte, kann ich heute so wenig begreifen wie in jener Kollegstunde. Einige Jahre später stellte ich anhand der Lektüre von Seeberg's »System der Ethik« fest, daß er tatsächlich nicht imstande war, den Heiligen Geist vom Geiste des bzw. der Menschen zu unterscheiden, sondern beides ständig durcheinander brachte. Angesichts solcher »Theologien« – Seeberg stand mit dieser Konfusion ja nicht allein da – kann ich noch heute, ohne je ein »Barthianer« gewesen zu sein, sehr wohl den heißen Zorn des jungen Barth verstehen, der, solchen Synkretismus verabscheuend, eine Art »Austreibung aus dem Tempel« im Raume der zeitgenössischen Theologie für notwendig hielt. Merkwürdig und lehrreich, daß heutige Kritiker Karl Barths dergleichen offensichtlich gar nicht mehr zu verstehen vermögen. Konnte man Paulus von derartigen Voraussetzungen aus überhaupt verstehen? Obwohl in der Exegese noch keineswegs ausreichend durchgebildet, verneinte ich diese Frage mit Hilfe von Paulus-Darstellungen jener Epoche (Deissmann, Wrede u. a.). Kurze Zeit nach diesem pathetischen Donnerschlag verließ ich dieses Kolleg für immer.

Mein Vater aber schenkte mir Seebergs Dogmengeschichte, die mir natürlich durch die Bewältigung eines immensen Stoffes imponierte. Auch nahm ich an einem Seebergschen Seminar über Kants Kritik der praktischen Vernunft teil. Er dozierte meistens, von einem Gespräch keine Rede, keine Fragestellungen an die Studenten oder doch höchst selten.

Sozialismus

Allmählich, von Semester zu Semester mich weiter arbeitend, gewann ich den Eindruck, daß es in der Theologie Tabus gab, die etwas a priori ausschlossen, wonach erst einmal zu *fragen* gewesen wäre. Den Namen von Sigmund Freud habe ich in Berlin mit Ausnahme von seiten Paul Tillichs, der sich ebenso gründlich wie kritisch mit ihm befaßt hatte, nie vernommen. Dabei lagen doch Freuds Entdeckungen schon 20 und mehr Jahre zurück. Scheuklappen der Theologen? Das Gleiche galt – abgesehen von einigen wegwerfenden Bemerkungen zum Kommunismus der von bürgerkriegsähnlichen Kämpfen und gärender Unruhe erfüllten Zeit – von Karl Marx. Wieder machte Tillich, der zum geistigen Führer des Berliner Kreises der religiösen Sozialisten emporgestiegen war, die rühmliche Ausnahme. Die »Grundlinien des religiösen Sozialismus« (1923) lernte ich allerdings erst nach meinem (vorläufigen) Abschied von der Universität (1924) kennen.

Damit ist das Stichwort »Sozialismus« gefallen, das für mich in den harten Lehrjahren meiner russischen Kriegsgefangenschaft (1945–1949) eine neue Bedeutung und Gewichtsveränderung erhielt. In den herkömmlichen nationalen Traditionen aufgewachsen, war mir die Welt des Proletariats und des Sozialismus fremd. Ich war also auch in diesem Betracht der Sohn eines bürgerlichen Hauses. Im Winter 1918/19 jedoch, beim Besuch zahlreicher politischer Versammlungen, darunter auch sozialdemokratischer, rückte mir die Frage, was Sozialismus seinem Kern nach sei, schon etwas näher auf den Leib. Am Alexanderplatz wurde geschossen, Bürgerkriegsparteien formierten sich. Um welche Dinge und Ziele ging es? Irgendwann und irgendwie mußten diese Fragen beantwortet werden.

Im Wintersemester 1919/20 mußte ich im »Wingolf« einen Vortrag über das Thema »Was ist Sozialismus?« halten. Ich habe keine Ahnung mehr, was etwa ich damals gesagt haben mag. (Viele Dokumente und Aufzeichnungen sind mir in Kiel während des Zweiten Weltkrieges verlorengegangen bzw. zerstört worden.) Ich weiß auch nicht, wie ich zu der Ehre dieses Vortrags kam, meinten vielleicht unsere »Chargierten«, ich stünde als ein Jugendbewegter dem Neuen oder überhaupt den Zeitproblemen etwas näher als andere, oder glaubten sie nur, ich könnte mir den Zeitverlust eher leisten als die ehemaligen Frontsoldaten, die es eilig hatten, mit ihrem Studium zu Ende zu kommen? Die Frage muß offen bleiben, aber die Fragestellung blieb in mir haften, obwohl ich sicherlich, wie es von der christlichen, der idealistischen und der nationalen Tradition her geboten schien, gegen den »Materialismus« Stellung bezog, weil das einfach bei Liberalen bis hin zur äußersten Rechten üblich war. In dieser Hinsicht war damals Paul Tillichs Auffassung überhaupt noch nicht in mich gedrungen. Das geschah erst, als ich von 1926–1929 in der »Evangelisch-Sozialen Schule« in Berlin-Spandau (Ev. Johannesstift) wirkliche Arbeiter und Arbeitersöhne kennenlernte. Immerhin hatten wir im »Jungnationalen Bund« Berührungen mit den »Jungsozialisten«, und es beeindruckte mich, daß es unter diesen hochintelligenten Menschen junge Akademiker gab, die mir in politischen Dingen an Wissen und Können weit überlegen waren. Zum ersten Mal tauchte für mich die schicksalsvolle Frage auf, ob man nicht die nationale Tradition in verjüngter und erneuerter Gestalt mit der sozialistischen verbinden müßte bzw. könnte, um des Bruderzwistes zweier großer Gruppen in demselben Volke endlich Herr zu werden. Erst auf der Ev.-Sozialen Schule in dem 1858 von Johann Hinrich Wichern gegründeten Johannesstift begann ich diese Richtung einzuschlagen, was dazu führte, daß ich mit dem Wintersemester 1929/30 in Heidelberg einen Lehrauftrag für christliche Sozialethik erhielt.

Pädagogische Mängel

Besonders in den biblisch-exegetischen Vorlesungen zeigte sich ein m. E. schwerwiegender Mangel: Die Professoren blieben in den ersten Kapiteln einer biblischen Schrift stecken. In der Vorlesung über das Johannesevangelium zum Beispiel kamen wir nur bis zum 4. Kapitel! Wie konnte man so etwas »Erklärung des Johannes Evangeliums« nennen?! In der Vorlesung über die Synoptiker war es wegen der ausführlichen Einleitung über die »synoptische Frage«, die Zwei-Quellen-Theorie u. dgl. fast ebenso schlimm. Wenn es eine Disposition gab, so fehlte doch ein Gesamtüberblick, der uns die Möglichkeit gegeben hätte, mit den Textmassen zurechtzukommen. Das war nämlich trotz der trefflichen Huckschen Synopse eine keineswegs nur für Anfänger schwierige Aufgabe. In der Römerbriefvorlesung herrschte das gleiche Elend: mit Kapitel 5 war Schluß, das Semester zu Ende. Was sollte man von derartigen, uns an den Kopf geworfenen Fragmenten halten? Dies war doch eine vollkommen unsinnige Methode! Was dachten sich die Professoren eigentlich dabei? Fragen konnten wir sie nicht, das war jedenfalls trotz des Umsturzes von 1918/19 in der Berliner Universität, wo die Geheimräte ganz oben standen, völlig unmöglich. Dieses pädagogisch gesehen widersinnige Verfahren war eine der größten Schwächen der »alten« Universität. Was sollte eine so gut wie unbrauchbare Kollegnachschrift über Johannes 1–4? Man war also an die Kommentare verwiesen, doch niemand sagte uns, *wie* man sie lesen muß und nutzen kann. Die *Technik* des wissenschaftlichen Arbeitens galt offenbar als eine so niedrige Stufe der Lehre, daß niemand von seinem hohen Stuhl herabstieg, um sich unserer anzunehmen. Infolgedessen lernten viele von uns *nie* wissenschaftlich zu arbeiten. Die meisten begaben sich eilends zu einem theologischen Repetitor, der alle Schliche und Sonderbarkeiten der konsitorialen Examinatoren ausspioniert hatte und danach Verhaltensregeln zum Besten gab. Von der Größe und Tiefe echter Theologie, von der »Anstrengung des Begriffs«, die es hier ebenso gibt wie in der Philosophie, konnte bei dem ebenso lächerlichen wie elenden Verfahren nicht die Rede sein.

Die Folgen für die Predigt, den Konfirmandenunterricht, das theologische Fundament aller Tätigkeiten eines Pfarrers waren verheerend. Der Durchschnitt hatte bei Studienabschluß in der Theologie nur herumgestümpert. Man konnte von Glück sagen, wenn es einem in einer Teildisziplin gelang, den richtigen Zipfel in die Hand zu bekommen, oder wenn man einem Hochschullehrer begegnete, der uns schon durch die Ausstrahlung seiner wissenschaftlichen Persönlichkeit derart erfaßte, daß vom Geist der betreffenden Wissenschaft her auch der Zugang zur Technik des wissenschaftlichen Arbeitens und zur Methode leichter wurde.

Offenbar gingen unsere Professoren auch hinsichtlich der Vorlesungen von einem Wissenschaftsideal aus, das in der Vorlesung verfehlt ist. So wollte man dem Studierenden z. B. einen alle Einzelheiten, Begriffsgeschichte, Grammatik, historische Umweltvoraussetzungen, religionsgeschichtliche Bezüge und Parallelen erschöpfend behandelnden Kommentar vortragen.

Daß man es auch ganz anders und besser machen kann, erlebte ich später in Heidelberg bei Martin Dibelius, der freilich eine glänzende methodische Begabung besaß und ebenso dem Vorzutragenden pädagogisch die rechte Form gab, offenbar mittels jener »gesunden« Mischung von Intuition und Reflexion, die wenigstens in den sogenannten Geisteswissenschaften von größter Bedeutung ist.

Wenn an irgendeinem Punkt, so war die alte Universität schon in den zwanziger Jahren dieses Jahrhunderts in dieser Hinsicht durchaus reformbedürftig. Ich versuchte als Dozent ab 1929 wenigstens in diesem Stück persönlich eine kleine Reform durchzuführen: ich behandelte den *ganzen* Text der betr. neutestamentlichen Schrift bis zum letzten Kapitel, ebenso die Hauptbegriffe sowie die großen Zusammenhänge gründlich. Ich folgte, wo nötig, dem Auswahlverfahren von Dibelius, der diese Textgruppen kursorisch und jene, die ihm besonders instruktiv und für die betr. Schrift repräsentativ zu sein schienen, ausführlich mit eingehender form- und religionsgeschichtlicher Analyse behandelte. Der Student bekam so einen Überblick über und eine Einführung in das Ganze des Textes; er konnte nun die Intention einer Schrift und ihre theologischen Hauptaussagen erfassen, wenn er nur wollte und einigermaßen mitging. Auch konnten die Kommentare, die in alle philologischen und historischen Einzelheiten einsteigen, auf Grund solcher Einführungen besser benutzt und verstanden werden. Die Vorlesung kann und soll nicht mehr leisten, als eine klare *Einführung* zu geben.

Kirchengeschichte

Wenden wir uns auch der Kirchengeschichte zu. Gegen Ende meiner Studienzeit in Berlin hörte ich Adolf von Harnack, den großen Meister der Dogmengeschichte und der Geschichte der Alten Kirche, sozusagen im Abendsonnenschein seines Wirkens und seiner Wirkung. Wie er an Hand eines einzigen Zettels, leicht auf das Pult gestützt, in freiem Vortrag die verwickeltsten Probleme der christologischen und trinitarischen Lehrbildungen entwickelte und durchleuchtete, das war nach Form und Inhalt einfach meisterhaft. Naturgemäß durchschaute ich damals nicht die vielen theologischen Voraussetzungen, die seiner Konzeption zugrunde lagen. Die Folgezeit hat bewiesen, daß man zu ganz anderen theologischen Urteilen über die »Leistung« der Alten Kirche und ihrer Theologen gelangen kann als Adolf von Harnack. Schon bei Karl Holl glaubte ich Abweichungen zu spüren, weil dieser einen ganz anderen Kanon der Beurteilung handhabte, nämlich die Rechtfertigungslehre Luthers, wie er sie verstand, nicht unbeeinflußt von dem ihm wie vielen seiner Generation eigentümlichen Kantianismus, mochte dieser auch mehr aus dem Hintergrund und unausgesprochen mit- und einwirken.

Holls Vorlesungen waren geradezu vollgestopft mit der ungeheuren Fülle seines Wissens, seiner fast universalen Kenntnis aller primären Quellen. Davor ging uns fast der Atem aus. Doch die Klarheit der Gliederung und die Herausarbeitung der großen Entwicklungszüge und Themen einer Epoche in Kirche, Theologie und Kultur durchleuchteten die ungeheure Stoffülle. Es war anstrengend, Kark Holl zu folgen, zugleich aber auch höchst anregend und gewinnbringend. Mit dem schönen Bild, das mein verehrter Kollege Helmut Kittel von seinem Lehrer Holl gezeichnet hat, kann ich freilich nicht in Wettbewerb treten.

Bei Holl machte ich ein Augustin-Seminar mit, in dem u. a. die Schrift »De utilitate credendi« (»Nutzen« und Gewinn des Glaubensaktes.) behandelt wurde. Ein mir befreundeter Kommilitone und ich sollten in der abzuliefernden schriftlichen Arbeit den Sündenbegriff des jungen Augustin darstellen. Holl besprach die Arbeiten im Seminar, scharf kritisch, aber gerecht. Mit der untrüglichen Schärfe seines Blicks für Quellen und Dokumente aller Art hatte Holl sofort erkannt, daß jener Freund und ich die Texte gemeinsam übersetzt und diskutiert hatten (soweit wir letzteres zu tun vermochten). Auf Holls Frage hin gestanden wir offen, daß dem so sei; wir fügten der Wahrheit entsprechend hinzu, daß jeder seine Arbeit selbständig und ohne die Hilfe des anderen abgefaßt habe. Holl erklärte, daß er uns dies glaube und abnehme. Ihm lag, das war klar, eben an dieser Selbständigkeit. Die Ähnlichkeiten unserer Auffassung hatte er natürlich sofort bemerkt. Der kleine Vorfall ist bezeichnend für Holl. Mein Freund und ich hatten schon befürchtet, er würde unsere Arbeiten abweisen, uns war gar nicht wohl in unserer Haut. Als ich meine Arbeit zurückerhalten hatte, sah ich sie zu Hause durch. Und siehe da, neben Korrekturen verschiedener Art fand ich auch eine Randbemerkung »Gut« – nämlich an jener Stelle, an der ich versucht hatte, von Paulus her an dem unter neuplatonischen und anderen spätantiken Einflüssen entwickelten Sündenbegriff Augustins Kritik zu üben. Auch eine solche Kleinigkeit vermag diesen großen und unerbittlich strengen Forscher und Kritiker ein wenig zu beleuchten und zu kennzeichnen. Öfters hörte ich von ihm den Satz: »Wie lange ist es wohl her, daß einer die Quellen selbst gelesen hat, statt wie . . . Gelehrtenlegenden weiterzugeben, ohne sie an den Quellen selbst geprüft zu haben?« Er fand es unwissenschaftlich und zugleich moralisch nicht einwandfrei, wenn ein »Gelehrter« sich nur auf Sekundär-Literatur stützte und von seinen Gewährsmännern abhängig wurde. Sobald sein schnell berühmt gewordenes Buch »Luther« (Band I der Gesammelten Aufsätze zur Kirchengeschichte) erschienen war, verschlang ich es mit Begeisterung. Ich blieb lange unter dem Einfluß der Hollschen Luther-Interpretation, die mich von dem traditionell kirchlichen Lutherbild (auch dies eine Legende) befreite; zum ersten Mal sah ich jetzt die Kühnheit, Tiefe und Weiträumigkeit der *Theologie* Luthers vor mir und erfuhr tausend Sachverhalte, von denen ich zuvor nichts geahnt hatte.

Praktische *Theologie?*

Ich gestehe offen, als Student wenig Sinn für diese Disziplin gehabt zu haben. Die Hauptschuld daran trug Friedrich Mahling. Seine von frommem Salböl und einem penetranten Moralismus triefenden Darbietungen waren uns, die wir wissenschaftliche Neigungen hatten, einfach ein Greuel. Man munkelte in Berlin, Mahling sei allein durch die Kirchenpolitik der letzten Kaiserin bzw. Königin von Preußen und ihre Hofdamen auf dieses Ordinariat für Praktische Theologie gekommen.

Besonders schlimm erschienen uns die »praktischen« Auslegungen neutestamentlicher Texte, zu Predigtzwecken. Da wurde denn sogar die seltsame Geschichte von der Austreibung der Dämonen, die in die Schweine fahren, aufs moralische Prokrustesbett gespannt, um etwas für die Predigt abzuwerfen. In keinem Kolleg machten so viele bissige Witze und schneidend scharfe Karikaturen die Runde wie bei ihm. Des öfteren ging ein kaum unterdrücktes Kichern durch die Reihen. Die Jugend, zumal die studentische, ist grausam. »Befehlsempfänger« waren wir nicht, wenn auch – zu unserem Glück – nicht in die Dressate einer Ideologie eingespannt und eingesperrt. Auf den sogenannten »Offenen Abenden«, die Mahling (wie auch andere Professoren) in seiner Wohnung veranstaltete, erging es uns nicht besser. Hier befremdete uns seine manchmal geradezu aufdringliche »Brüderlichkeit«; wir legten nicht den geringsten Wert darauf, mit der Anrede »liebe junge Brüder« beehrt zu werden. Die Verdienste Mahlings um die Innere Mission in Ehren, diese konnten *wir* damals nicht beurteilen, doch daß Mahling an das wissenschaftliche Niveau seiner Kollegen nicht heranreichte, konnten wir sehr wohl feststellen, und ich glaube, wir hatten Recht damit. Sobald nur irgend möglich, verließen wir seine Darbietungen und zogen uns auf irgendeinen Leitfaden oder ein Lehrbuch der Praktischen Theologie zurück.

In anderen Fakultäten

Ich hatte viele, zu viele Interessen als Student, und die Gefahr der Zersplitterung begleitete mich Jahrzehnte hindurch, von meinen Eltern mit begreiflicher Sorge betrachtet. Doch patriarchalischen Zwang gab es in meinem Elternhaus nicht, die vier Söhne genossen große Freiheit.

Mir schien es ebenso selbstverständlich wie notwendig, über die Grenzen der eigenen Fakultät vorzustoßen. Ich hörte also den Germanisten Gustav Roethe über das Nibelungenlied, über Wolfram von Eschenbachs Parzival, über Gottfried von Straßburg. Der mächtige Mann, mit einem gewaltigen, schwarzen Hut bewaffnet, stürzte durch den Mittelgang des großen, gutbesetzten Hörsaals auf das breite Podium zu. Während der Vorlesung schwang er zuweilen seinen ziemlich stattlichen Oberschenkel auf den Rand des Katheders, besonders dann, wenn er im Begriff war, einen seiner saftigen, ziemlich eindeutigen Witze über Tristan und Isolde zu reißen, die mit großem Beifall und dröhnendem Trampeln aufgenommen wurden. Gustav Roethe war ein geschworener Feind des Frauenstudiums. Seine erotischen Witze schoß er vor allem als Waffe gegen die anwesenden Studentinnen ab. Ich habe erlebt, daß einige Kommilitoninnen hochroten Kopfes und – nicht ohne Grund gekränkt und beleidigt den Kollegsaal verließen. Das war Roehtes »Sieg«, dann triumphierte er. Darüber kann man heute nur noch den Kopf schütteln. Man ermesse, wie es damals um die Emanzipation der Frauen an den Hochschulen stand. Es gab Universitätslehrer im damaligen Berlin, die das Frauenstudium lediglich als »Verlobungs-Institut« lächerlich zu machen suchten.

Es wäre aber ganz falsch, Roethe nur von dieser Seite zu sehen. Seine Vorlesungen waren temperamentvoll und lebendig, er war weit mehr als Editor und Textkritiker. Ich fand die Art, wie er die uralten Texte lebendige Gegenwart werden ließ, großartig und packend. Meine Liebe zur mittelhochdeutschen Dichtung wurde von neuem angefacht. Ich ahne nicht, was heutige Germanisten über Roethe denken, ich bin und bleibe ihm Dank schuldig. Denn das ist die Kunst großer Lehrer, eine andere, längst vergangene Welt zur blutvoll lebendigen zu machen, deren Menschlichkeit, deren Größe und Zweideutigkeit wir so mit erfahren und mit erleiden. Es gab in jedweder Fakultät im alten Berlin Koryphäen und »Kanonen«. Der Glanz dieser Universität war groß, sogar noch inmitten von Umsturz, Bürgerkrieg, Inflation und mühevollen Kämpfen um einen neuen Staat. Zu den Juristen fand ich damals nicht den Weg, wohl aber zu den Historikern, z. B. zu Dietrich Schäfer. Der schlichte Mann *erzählte* die Kaisergeschichte des Mittelalters fast völlig frei vom Manuskript; gerade das imponierte mir, das vor allem muß ein Geschichtsschreiber können. Dietrich Schäfer wohnte auf dem Fichteberg in Berlin-Steglitz, wo auch andere Potentaten aus Kirche und Universität ihr Domizil hatten. Schäfer nahm an einem Elternabend des Jungnationalen Bundes in Berlin-Steglitz teil, und ich hatte die Ehre, ihn als Sprecher dieses jugendbewegten Bundes zu begrüßen. Er fand gute Worte für unser Streben, einem »verjüngten Staat« zu dienen und diesen bauen zu helfen. Das war viel, war er doch Erbe und Repräsentant der »nationalen Geschichtsschreibung«. Schäfer trat als Zeuge in dem Untersuchungsausschuß auf, der sich mit Hindenburg und Ludendorff und der Frage ihrer Schuld und Verantwortung in den Krisen unserer Niederlage zu befassen hatte. An der Ecke des Ganges, der zu seinem Hörsaal führte, hatten wir einen Posten aufgestellt, uns ein Zeichen zu geben, sobald Schäfer sich näherte. War es soweit, begann ein ohrenbetäubendes, minutenlanges Trampeln, schon bevor er die Tür des

Kollegsaales erreicht hatte. Er konnte lange nicht die Vorlesung beginnen, und mehrmals erstickten Tränen seine Stimme. Die nationalgesinnte Jugend huldigte einem Gelehrten, der den Mut hatte, trotz der Niederlage für die Nation und ihre Feldherren Zeugnis abzulegen und die Verleumdungen zu entkräften, die gegen die letzteren ausgestreut worden waren. So sahen wir damals diese Dinge, auch Studenten aus der Fichte-Hochschulgemeinde und dem Jungnationalen Bund, obwohl wir uns doch gleichzeitig der Notwendigkeit bewußt waren, unsere nationalen, politischen Traditionen zu verändern. Ähnliche Widersprüche gab es vielfach in der damaligen, stark aufgesplitterten Jugendbewegung. Die Parteien bemühten sich, Jugend an sich heranzuziehen. Die Jungnationalen faßten ihren Bund als »Staat der Jugend« auf, als Vorschule eines zukünftigen deutschen Staates. Auch bei dem sogenannten »Jungdeutschen Bund« zeigte sich politisches Engagement. Der Staatsrechtslehrer Hans Gerber (Freiburg) ging aus diesem Kreis hervor und entwickelte dort seine Frühkonzeption vom Staat, die auch mich anzog und beschäftigte. Doch wurde in beiden Jugendgemeinschaften das Thema »Staat« sehr theoretisch, teilweise geradezu philosophisch behandelt.

Überhaupt kam in jenen Jahren die Staatsphilosophie sowohl durch den Zusammenbruch der alten politischen Institutionen und das schwankende Ringen um die Demokratie, als auch durch die Hegel-Renaissance neu in Bewegung, desgleichen die Sozialphilosophie. Man denke an Werke wie Paul Natorps »Sozialidealismus« oder Theodor Litts langhin wirkendes Buch »Individuum und Gemeinschaft« (1926). Solche und ähnliche Werke bestimmten unsere politischen Denk- und Gehversuche mit. Wir glaubten nicht mit Oswald Spengler an den »Untergang des Abendlandes«. Seine beiden glänzend geschriebenen Bände betäubten mich mehrere Wochen lang, doch leben konnten meine Freunde und ich nicht damit. Allerdings schienen uns die »Widerlegungen« Spenglers durch die Historiker der Zunft recht schwach und somit wenig überzeugend. Was Spengler schrieb, war schließlich auch ein Versuch, »seine Zeit« in Gedanken zu fassen, und wenn Theologen, Philosophen und Historiker unisono die Unhaltbarkeit seiner organologisch-neuromantischen Grundtheorie vom Altern und Verfall der großen Kulturen mit guten Gründen kritisierten, so bleibt es doch dabei, daß er einige wichtige Entdeckungen gemacht und Prognosen gestellt hat, die nicht ohne gute Gründe sind. Man denke nur an die Cäsaren Hitler, Mussolini und Stalin, an die Tatsache, daß wir in einem Zeitalter der Diktatoren rund herum und schwerer Erschütterung der Demokratie (USA, Italien) leben.

Mir war Spengler heilsamer Anlaß zur Prüfung meines jugendlichen Idealismus. Bald erhielt ich noch weitere Stöße und Anstöße, die mich zu der eschatologischen Grundvision des Neuen Testaments vom Reiche Gottes zurückführten.

Ich hielt es immer für selbstverständlich, daß »man« als Student der Theologie und Philosophie die Klassiker dieser Disziplin selbst las und nicht nur in sekundären Darstellungen. Meine philosophische Lektüre hatte in der Oberprima mit der Lektüre von Fichtes »Reden an die deutsche Nation« begonnen, der »Grundschrift« der nationalen und völkischen Bewegung bis 1933. Da flossen Philosophie und nationale

Idee als Zurüstung zum Befreiungskampf wider die napoleonische Fremdherrschaft zusammen. Das war es, was uns magisch anzog und begeisterte. Es folgten Kants Kritik der reinen und die der praktischen Vernunft, seine Darstellung der moralischen Vernunftreligion in »Religion innerhalb der Grenzen der bloßen Vernunft« sowie die »Metaphysik der Sitten«, von Fichte die »Grundzüge des gegenwärtigen Zeitalters« und die »Anweisung zum seligen Leben«. Zu viert gründeten wir eine »Hegel-Arbeitsgemeinschaft«, in der wir nach Maßgabe unserer Kräfte versuchten, in das System Hegels einzudringen. Ihr gehörte der bekannte Rechtsphilosoph und Zivilrechtler Karl Larenz (München) an, der aus demselben Bund kam wie ich. Soll man ein derartiges Vorhaben als sträflichen Übermut oder als ein Unterfangen mit ungenügenden Vorkenntnissen beurteilen und verwerfen? Zweifellos, die Unbefangenheit der Jugend und ihr kecker Mut waren die Voraussetzung. Mir scheint es jedoch besser, sich an Hegels »Enzyklopädie« oder der »Phänomenologie des Geistes« die Zähne auszubrechen, als ein solches Experiment *überhaupt nicht* zu unternehmen.

Die Hilfsmittel zum Hegel-Studium waren anfangs der zwanziger Jahre mehr als dürftig. Die gängigen Schlagworte vom »Panlogismus« Hegels, von seiner »Vergottung des Staates« fanden wir so abgeschmackt und dumm, daß wir uns dabei nicht aufhielten. Die Leute, die solche Märchen weitergaben, konnten ja wohl Hegel nie gelesen haben! Traurig, daß besonders Theologen solche Redensarten weitergaben, die sich an isolierte, zugespitzte Wendungen Hegels anhängten (»der Gott auf Erden« u. a.), ohne die weiträumigen dialektischen Zusammenhänge zu analysieren, innerhalb derer diese Wendungen ihren Platz hatten. Das Begriffsgeklapper, z. B. des Schemas von Thesis, Antithesis und Synthesis, formalistisch ausgehöhlte Begriffe, fanden wir in damaligen System-Darstellungen, nicht jedoch die Fülle geschichtlicher Gehalte, die Hegel im Unterschied zu seinen Vorgängern verarbeitet hat. Wir mußten also selbst »die Anstrengung des Begriffs« auf uns nehmen, die Hegel uns und jedem seiner Leser zumutet.

Auch ein Student der Geschichtswissenschaften aus Berlin-Steglitz, mein Freund und Bundeskamerad Rudolf Craemer, gehörte unserem Hegel-Kreis an. Er zeichnete sich schon früh durch eine unglaublich große Belesenheit aus und zwar sowohl in der »schönen« Literatur als auch in der Philosophie und Historie. (Er starb bereits 1941 mit 38 Jahren, von einem schweren Leiden verzehrt). Wegen seiner tief christlichen Überzeugung konnte er unter der Nazi-Herrschaft keine Professur erhalten, trotz aller mit Leidenschaft von ihm vertretenen Ideen von Nation und Reich und deren verpflichtender Größe. Craemer war Schüler von Erich Marcks. In Heidelberg trafen wir uns wieder, wo er bei dem Historiker Willy Andreas als Assistent tätig war. Er wuchs immer mehr über die Grenzen dieser Schule hinaus, zumal durch seine universal-historische Einstellung. Als ich nach Heidelberg zog, endigte für mich das Mittun im Hegel-Kreis.

Ein Gelehrter mit Humor

Wie wohltuend ist es, wenn ein Universitätslehrer von Format genügend Humor besitzt, sich kritisch von sich selbst zu distanzieren. Auf Adolf Deissmann traf dies zu. Bei einer Weihnachtsfeier des neutestamentlichen Seminars – jawohl, das gab es! –, nach dem Weihnachtslied und würdevoller Ansprache und nachdem die Weihnachtsgeschichte im Urtext vorgelesen worden war, berichtete Deissmann von seiner Reise zu den Ausgrabungen des antiken und spätantiken Ephesus. Seine Anteilnahme faßte er in die ironischen Worte: »Am Morgen ließ ich mich auf einer Steinplatte nieder und meditierte bis gen Sonnenuntergang.«

Große Heiterkeit und allgemeine Vergnügtheit! So durchbrach dieser Mann die festgegossene Form seiner hoheitsvoll-liturgischen Würde. Und gerade dies machte ihn uns liebenswert, sooft wir den »prophetes« auch bespöttelten. Ich rechne solche kleinen Begebenheiten zur Menschlichkeit der alten Universität. War ein Gelehrter wie Deissmann nicht mehr als nur ein »autoritärer Ordinarius«?

Gast bei anderen Wissenschaften

Zu den »Kanonen«, die ich außerhalb der theologischen Fakultät gehört habe, zählt auch der Wirtschaftswissenschaftler – damals hießen sie »Nationalökonomen« – Werner Sombart. Sein Auftreten, sein Stil waren hochnäsig und eitel, sein enormes Wissen, und der eigenartige Rationalismus seiner bis in die Kleinigkeiten gehenden Dispositionen jedoch verblüfften mich und imponierten mir. Zum ersten Male ahnte ich etwas von den ungeheuren Energien, welche die moderne Wirtschaft ermöglicht und geschaffen haben bis hin zu dem »Hochkapitalismus«, dem Sombart eines seiner Hauptwerke gewidmet hat. Nach dem Erscheinen der Neubearbeitung des Buches »Der proletarische Sozialismus« (1924 f.) lernte ich Sombart als Anti-Sozialisten kennen (was er früher nicht gewesen war). Ich schätze seine subtile, rationale Gliederung großer Stoffmassen, in denen mir aber öfters die leitende, kritische Intention verlorenging, was freilich nicht die Schuld des Verfassers war. In der Polemik war er nicht faul. Kein anderer Forscher, keine andere These oder Anschauung fand Gnade vor seinen Augen. Andererseits war es höchst bewegend, wie er seine Hörer spüren ließ, daß diese moderne Wirtschaft Welt-Wirtschaft war und alle Kontinente überzog und – ausbeutete. Welcher »Geist« schuf und beherrschte sie und ihren Expansionsdrang? Diese Frage stellte man damals, und sie hatte ihre anthropologische Seite: Wie sah der Mensch aus, wie war er geartet und beschaffen, der eine solche Wirtschaftsweise »erfand« und organisierte, um sie als Pionier und Eroberer in die Welt zu tragen, um die Güter der Erde an sich zu reißen und sie zur Grundlage und zum Mittel neuer ungeahnter Produktionsformen zu machen? Wir waren damals der Meinung, diese Frage sei theologisch relevant. Schlugen wir aber die gängigen Leitfäden und Lehrbücher der »christlichen« oder theologischen Ethik auf, E. W. Mayer oder W. Herrmann oder R. Seeberg, so kam dieser weltumwälzende »Wirtschaftsmensch« darin höchstens einmal am Rande vor. Zu diesem Thema mußten einige hergebrachte Formeln aus dem 16. Jahrhundert über die Arbeit als Gottes Gebot herhalten. Daß ein Luther und Calvin sehr viel mehr zur »Wirtschafts-Ethik« zu bieten hatten, lernte ich erst sehr viel später, nach 1926. Immerhin fühlten wir, ohne dies klar zum Ausdruck bringen zu können, das Loch in der zeitgenössischen christlichen Ethik dieser Zeit. Welchen Realitätsbezug hatte sie denn, wenn der homo oeconomicus für sie kaum existierte, der doch in Eduard Sprangers »Lebensformen« (1922) die Rolle »eines besonderen Typus« spielte?

Wir mußten damals feststellen, daß die »Humanwissenschaften« – ich übertrage diesen Ausdruck in jene Epoche – oft die besseren, schärferen Fragestellungen hatten als die Theologie, die allzu selbstgenügsam in ihren Traditionen hauste. Auch von dem um die Sozialethik (in seinem Verhältnis der Sache) bemühten Reinhold Seeberg hatten wir den Eindruck, daß er nie einen modernen Wirtschaftsbetrieb von innen gesehen hatte. Aber ich hätte, was ich erst nach dem Beginn der Lektüre von Ernst Troeltsch' großem Werk »Die Soziallehren der christlichen Kirchen und Gruppen« begriff, eben diesen von solchen jugendlichen Pauschalurteilen ausnehmen sollen. Doch in Berlin lehrte er ja gar nicht als Theologe, sondern als Philosoph in der Philosophischen Fakultät. Das mochte mir den Blick verstellt haben. Nach seinem – menschlich geredet – allzu frühen Tode (1923) hat uns Marta Troeltsch mit Recht gemahnt, über der letzten Periode seines Wirkens in Berlin als Geschichts- und Kulturphilosoph nicht *den Theologen* Troeltsch zu vergessen. Ich rechne es zu den glückhaften »Zufällen« in meinem studentischen Leben, daß ich ihn noch selbst habe hören können, freilich nur in einer einzigen Vorlesung über die Probleme der Geschichtsphilosophie. Seine machtvolle Rhetorik ging wie ein mächtiger Strom über mich dahin, so daß ich nicht sehr viel begreifen konnte. Er trug im wesentlichen das vor, was er in seinem letzten Werk »Der Historismus und seine Probleme« (Band I) festgehalten hatte, natürlich mit Abwandlungen und Kürzungen, wie die begrenzte Zeit einer Vorlesung sie notwendig machten. Dennoch war der Eindruck von diesem temperamentvollen Mann, der die Grundfragen modernen Geschichtsdenkens gleichsam durchwühlte, hinreißend. Zu kritischen Urteilen, wie man sie nach dem Erscheinen des genannten Buches hörte und las, war ich im Jahre 1922 weder befugt noch befähigt.

Im Sommersemester 1923 saß ich an meinem 23. Geburtstag an einem der großen Ecktürme des Heidelberger Schlosses, ganz im Grünen, das gewaltige alte Gemäuer hinter und über mir, und begann Troeltsch' letztes großes Werk zu lesen, das sich mein Vater trotz des Höhepunktes der allen Geldwert vernichtenden Inflation abgespart hatte, um es mir rechtzeitig zu schenken. So handelten damals Leute, denen selbst in der Not der »Geist« und die Wissenschaft höher standen als alle anderen Güter. Sie gaben für die Bildung ihrer Söhne das Letzte her. Ich konnte es damals noch gar nicht begreifen, was das bedeutete. Erst bei der Erziehung meiner eigenen Kinder verstand ich die Größe des Opfers, das Menschen solchen Lebensstils und solcher Haltung zur Selbstverständlichkeit geworden war.

Da ich in Heidelberg den Philosophen Heinrich Rickert hörte, war für mich die Auseinandersetzung mit der badischen Wertphilosophie im guten Sinne des Wortes aktuell. Als bei uns nun in den letzten Jahren Ernst Troeltsch in neuer Anknüpfung und Auseinandersetzung wieder zu Worte kam und mit ihm und durch ihn lange verschüttete Probleme, habe ich oft an diese kleinen Begebenheiten denken müssen, die im Werdegang des einzelnen eine beträchtliche individuelle Bedeutung haben können. Die Problemgeschichte des einzelnen Wissenschaftlers und Forschers ist tief verwoben mit der Problemgeschichte seines Zeitalters und seiner Wissenschaft. Auch Genies sind diesem Geschick unterworfen.

Rückschauend bewundere ich den Mut deutscher Verleger, die im Jahre 1922 solche Werke wie Troeltsch's »Historimus« herausbrachten.

Zuweilen »verirrte« ich mich auch in kunstgeschichtliche Vorlesungen. Unvergeßlich ist mir der Altphilologe Ulrich von Wilamowitz-Moellendorff, eine wahrhaft großartige, ja fürstliche Gelehrtengestalt. Er galt als Klassiker in seiner eigenen Wissenschaft und als universaler Interpret des Hellenentums, wieviel auch immer heute von seinen Ansichten und Positionen als »überholt« anzusehen und im doppelten Sinne »historisch« geworden ist: Dauernde Einsicht von großer Wirkung und doch vergängliche und vergangene Größe. Wer solche Gelehrte gehört und gesehen, wer die aus umfassender Beherrschung des einzelnen abgeleitete Interpretation der griechischen Texte erlebt hat, bleibt sein Leben lang einem unvorstellbar hohen Maßstab unterworfen, den er selbst niemals erreichen kann, der aber je und dann auch aus dem Kleineren und Kleinen das Letzte herausholt, was sie in den Grenzen ihrer Begabungen und Kräfte zu schaffen vermögen.

Noch heute mit meinen 76 Jahren bin ich froh darüber, im Umkreis solcher Männer gestanden zu haben. Ich konnte so die engen Schranken der *theologischen* Introvertiertheit vieler meiner Genossen durchbrechen, die über die Zäune von Zunftkonventionen nie hinausblickten und wurde »ohn' all' mein Verdienst und Würdigkeit« dahin gebracht, – Schicksal und Freiheit in der unauflösbaren Verflechtung, die Hegel so tief ergriffen und begriffen hatte, und in unseren Tagen von Paul Tillich aufs neue so glanzvoll dargestellt wurde.

Der Wingolf

»Schicksal« in Gestalt einer Familientradition war es auch, was mich zur Christlichen Studentenverbindung »Wingolf« führte. Mein Vater und dessen Bruder (gleichfalls Pfarrer) waren Wingolfiten, auch mein Großvater Pastor Heinrich Wendland war es gewesen. Sie sprachen dankbar und freudig von dem, was sie in den fünfziger bzw. neunziger Jahren des vorigen Jahrhunderts in dieser studentischen Gemeinschaft empfangen hatten. Mein Großonkel D. Hermann Steinhausen, Präsident des ehedem Königlich Preußischen Konsistoriums der Provinz Brandenburg (und in dieser Stellung eine große Nummer bei den Jungen und Alten im Wingolf) führte mich im Mai 1919 höchstpersönlich in diese Verbindung ein, damals eine große Ehre für einen 19jährigen. Ob es ein guter Schritt war, darüber hege ich heute nach mehr als 50 Jahren begründete Zweifel. Konnte sich ein ehemaliger, an »Schillerkragen« und kniefreie Hosen gewöhnter Wandervogel und jetziger »Jungnationaler« in den traditionellen Korporationsstil fügen? Hatten denn nicht auch anderswo »Jugendbewegte« große Schwierigkeiten in und mit den Verbindungen, in die sie eingetreten waren? Das traf zweifellos zu und sehr bald fühlte auch ich derartige Spannungen. Zwar war der Wingolf nie eine Saufkumpanei, doch galt immerhin ein Bier-Komment, der, was den Wingolf betrifft, damals schon eine Tradition von etwa 80 Jahren hinter sich hatte. Charakteristisch war für den Wingolf die selbstverständliche, anscheinend ganz unproblematische Synthese der christlichen mit den nationalen Traditionen. Es regierte die eigentümlich christlich-deutsch-nationale Geschichtstheologie, welcher Sedan »Gottes Fügung« und das zweite Kaiserreich der Geschichtswille Gottes war.

Die Wingolfiten in der Familie hatten sicher guten Grund, von positiven Erfahrungen in *ihrer* Studentenzeit auszugehen, zumal sich der Anstoß aus der Ur-Burschenschaft lange im Wingolf lebendig erhalten hatte. Auch hatte diese bewußt *nicht*-schlagende Verbindung es schwer gehabt, sich gegen die Vorherrschaft der Corps und der Burschenschaften durchzusetzen, die an dem »ritterlichen« Ehrenkodex festhielten, daß der rechte Mann – zumal der deutsche – es lernen müsse, sich mit der Waffe in der Hand zu schlagen, falls seine Ehre gekränkt würde. Der Wingolf wandte u. a. ein, daß seine Leute sich auf den Schlachtfeldern von 1870/71 genau so tapfer geschlagen hätten wie alle anderen Studenten aus den »schlagenden« Verbindungen. Zum aufrechten Mannestum gebe es noch andere Wege als den Zweikampf auf dem Paukboden. Wenn man im Wingolf nur gegen andere Konventionen ebenso kritisch verfahren wäre wie im Punkte der Mensur!

Über den friedlich-feigen Wingolf machte folgender Spottvers die Runde:

> »Wingolfiti sumus nos,
> pacis creaturae,
> Piget, pudet, paenitet,

48

taedet atque miseret
Semper nos mensurae!«

(Immerhin zeigt das Verslein, daß man in der Mitte des 19. Jahrhunderts noch Latein konnte.) Der Wingolf folgte in dieser Sache dem »christlichen Prinzip«, das einen derartigen Ehrenkodex des Zweikampfes ausschließt. Freilich hielten sich solche *Ständischen* Kodices allenthalben in den sogenannten »höheren Schichten« bis tief ins 20. Jahrhundert hinein, in einer Zeit, in der sich die Arbeiterbewegung erhob und formierte, in der die Industriegesellschaft zahlreiche Zäune wegriß und Vorurteile beseitigte, durch die sich bestimmte gesellschaftliche Gruppen gegeneinander abgrenzten, um sich selbst und die eigene Tradition und Konvention zu rechtfertigen.

Gegenüber der nationalen Tradition und den oft ins Groteske gehenden Synthesen oder besser Verwachsungen mit Teilstücken der christlichen Tradition wäre kritische Distanz wohl am Platze gewesen. Doch das haben einige unter uns erst acht bis zehn Jahre später begriffen, als Helmuth Schreiner, Wilhelm Stählin u. a. kritisch gegen die »völkische« Bewegung Stellung bezogen.

Gesamtweltanschauung

Studieren, lesen, im Jungnationalen Bund tätig sein, dem Wingolf angehören (und nicht nur einen Abend wöchentlich dort zubringen), dazu die Entfernungen vom Elternhaus bis zur Universität Unter den Linden – das heißt oft zweimal am Tage 50–60 Minuten hin und zurück –, wie dies alles in einer Woche, in einem Semester zeitlich unterzubringen war, ist schier unbegreiflich. Dazu gab es die Nächte hindurchgehende, nicht endenwollende Diskussionen und Gespräche zu zweit, zu dritt. Wenn etwas »golden« gewesen ist an den zwanziger Jahren mit ihrem Flittergold und der Inflation *aller* Werte, dann waren es diese Problemgespräche, die ohne die festen Schablonen einer Ideologie geführt wurden.

Meine Freunde und ich lebten zunächst ganz in jener idealistischen Bewegung, die nach der unbedingten Wahrheit sucht und eine alles umfassende Gesamtweltanschauung schaffen will, verankert und begründet im »Absoluten«, in der göttlichen Wahrheit. Daher unsere Wendung zu Fichte und Hegel. Wie müßte das »System« eines erneuerten Idealismus aussehen? Mit dieser Hauptfrage wendeten wir uns an die Philosophen unserer Zeit, an Heinrich Rickert, Eduard Spranger, Theodor Litt, Paul Tillich u. a., an Paul Natorp, den Neukantianismus und seine schon in Aktion tretenden Nachfolger. Das Fragen, die Probleme nahmen kein Ende.

Bewegung müßte auch in den Wingolf hinein! Aber wie? Weder als »Aktiver« noch als »Inaktiver« habe ich erlebt, daß dazu eine Lösung gefunden worden wäre, obwohl es ab und an Vorträge gab, die freilich meistens von »Philistern« (= Alte Herren) gehalten wurden, was je nach »Begabtheit« sehr verschieden ausfiel. Da kam es denn einer Erquickung gleich, als eines Abends Dr. Karl Bernhard Ritter, damals Pfarrer an der Neuen Kirche in Berlin, in Erscheinung trat. Ich erinnere mich seines Themas nicht mehr, aber es ging geistige Kraft und Leben von ihm aus. Auch er ein Schüler der idealistischen Philosophie in neuer Gestalt, nämlich des Erlanger Philosophen Friedrich Brunstäd. Zugleich war Ritter vom Geist der Jugendbewegung erfüllt und Angehöriger des »Jungdeutschen Bundes«, der mit meiner Generation (geb. 1900) verglichen um 5, 7 oder mehr Jahre Ältere umfaßte, so den bereits erwähnten späteren Professor des Staatsrechts Hans Gerber. Andere Glieder dieses Bundes versuchten später, mit mehr oder weniger Glück in die Politik einzusteigen. Ritter schaffte uns Jüngeren Luft, den Jugendbewegten und denen, die mehr oder minder offen mit uns sympatisierten. Er war gar nicht nur ein Restaurator von Traditionen. Es gab auch Verbindungsbrüder, die genau so fühlten wie ich, so der kluge Student der Chemie Vermehren, der schließlich Priester der »Christengemeinschaft« wurde, jenes von Rittelmeyer in Anlehnung an Rudolf Steiner begründeten »christlichen Ablegers« der modernen Gnosis. Vermutlich hat ihn gerade unser Streben nach der Gesamtweltanschauung dahin geführt. Einem Naturwissenschaftler mußte die von Schlatter und Lütgert zurecht beklagte Ausklammerung der Natur aus dem christlichen Denken geradezu als ein Verhängnis erscheinen. Was in dieser Hinsicht die Ritschlsche Theologie angerichtet hat, ist trotz der zu ihrer Zeit großartigen Leistung von Karl Heim immer noch nicht in Ordnung gebracht worden. Rudolf Steiner schien all das Vermißte zu bieten, Natur und Geist versöhnt, Goethe, Gnosis, indische Denkmotive – all das war bzw. ist hier vorhanden. Im Aufstieg zur Erkenntnis »höherer Welten« ist alles geklärt, alles verschmolzen; dies konnte auf einen jungen Naturwissenschaftler Eindruck machen, der nicht im »Vorfeld« rationaler Naturbeherrschung verbleiben wollte. Die Einseitigkeit einer vorwiegend historisch und »geisteswissenschaftlich« beherrschten Theologie, die jedes Verhältnis zu naturwissenschaftlichen Denkformen verlor, hat sich bis auf diesen Tag schrecklich gerächt, worauf der Physiker und Philosoph Carl Friedrich von Weizsäcker und sein verstorbener Freund Günther Howe mit Nachdruck hingewiesen haben.

Seit jenem Abend im Wingolf bin ich mit K. B. Ritter in Verbindung geblieben. Ich besuchte ihn in seinem Pfarrhaus, um über Probleme des Wingolf und der Jugendbewegung mit ihm zu sprechen. Auch seine politische Tätigkeit als deutschnationaler Abgeordneter im Preußischen Landtag interessierte mich brennend. Ritter war es, der mich in die »Berneuchener Konferenz« brachte.

Nicht daß ich gegen eine studentische Gemeinschaft mit »christlichem Prinzip« etwas einzuwenden gehabt hätte, aber man hätte daraus doch einen Abbau von Traditionen ableiten können, die nach 1918/19 wirklich nicht mehr zeitgemäß im tieferen Sinn des viel mißbrauchten Wortes waren, besonders was die uralten Zöpfe des »Komment« betraf. Die wenigen Jugendbewegten hatten gar nicht die Kraft, Reformen durchzusetzen, auch hatte die nationale Tradition ein derartiges Übergewicht, daß sie den Gesamtbestand studentischer Korporations-Konventionen einfach mit zu rechtfertigen schien. Wer innerhalb des Machtbereichs derartiger Sitten und Gebräuche steht, hat es weit schwieriger, zu kritischer Freiheit des Denkens und Handelns zu kommen, als derjenige, der die Institutionen samt ihrer Tradition lediglich von außen sieht. Der hat es leicht, zu kritisieren oder gar sich moralisch zu entrüsten. Als »Inaktiver« in Heidelberg kümmerte ich mich um die dortige Bruderverbindung überhaupt nicht mehr. Ich hatte genug vom Wingolf. Die Folge war ein Zusammenstoß mit einem Abgesandten des Heidelberger Wingolf, der von nun an seinerseits nichts mehr von mir wissen wollte. Ich hatte nun den »Rücken frei« und konnte mich ganz und gar dem Studium hingeben. Dies geschah – ich war damals schon ein »altes« Semester – im Wintersemester 1922/23. Gerechterweise muß ich erwähnen, daß in der zweiten Hälfte der zwanziger Jahre mehr Bewegung in den Gesamtwingolf kam. Wir hatten Schulungswochen für Leute aus allen Verbindungen, auf denen wir den großen Problemen der Zeit ernstlich zu Leibe rückten. Es ist das Verdienst des Generalsekretärs des Wingolfbundes Dr. Robert Rodenhauser, die neue Orientierung in Gang gesetzt zu haben. Auch ich nahm öfters an den von ihm geleiteten Tagungen teil, nunmehr schon ein »Philister«. Allem, was da werden wollte, machten 1933 Hitler und die Seinen über die »Gleichschaltung« bis hin zur völligen Auflösung ein Ende.

Was mich zuweilen geradezu schockierte, war eine gewisse Enge und Borniertheit, gerade auch in Sachen der Auslegung und Vergegenwärtigung der biblischen Botschaft. Nicht wenige unserer Alten Herren repräsentierten die kirchliche »Rechte«, die »Positiven«, die Orthodoxie, obwohl es natürlich auch liberale Wingolfiten gab. In einer Feierstunde, wie sie beim Stiftungsfest oder bei nationalen Gedenktagen üblich war, hielt A. W. Schreiber, Ehrendoktor der Theologie, einmal eine Ansprache, in der er das Wingolfprinzip »Durch Einen alles« gegen Atheismus, Pantheismus, Mystik und andere Irrlehren der Zeit verteidigte, um dann mit erhobener Stimme in die Worte auszubrechen: »Gott ist nicht neutrius, sondern *masculini* generis!« Leider hatte der von seiner Formulierung ganz begeisterte Sprecher das weibliche Geschlecht, die Göttin, die Gottheit, vergessen. Ich war empört, ja wütend – und nicht nur ich allein – über diese primitive Vermännlichung Gottes, mir schauderte vor einer Theologie, in der so etwas Sinnwidriges, ja Perverses gesagt werden konnte.

Wir hatten bei Kant, Fichte und Hegel gelernt, daß Gott nicht ein Gegenstand unter Gegenständen, nicht Objekt, nicht Substanz sei, sondern als absoluter Geist oder »das Unbedingte« oder wie immer definiert jenseits solcher Vergegenständlichung stehe. Das war uns zur Selbstverständlichkeit geworden, und jetzt sollten wir an diesen haarsträubenden Unsinn, an einen »Mann-Gott« glauben. Da war Ritter denn doch ein anderer Mann, insofern er ja gerade aus dieser idealistischen Gotteslehre und Religionsphilosophie herkam.

Daß ich und meinesgleichen in diesen Jahren noch nicht zur Kritik des heißgeliebten Idealismus reif waren, liegt offen zutage. Ich begeisterte mich denn auch mit Peter Wust für »die Erneuerung der Metaphysik«, eine Traum-Vision, die zerrinnen mußte, und doch enthielt sie Probleme, die Jahre und Jahrzehnte danach in gewandelter Gestalt von neuem auftauchten.

Einen Namen, der für die weitere Geschichte der Philosophie und Theologie höchste Bedeutung gewinnen sollte, Sören Kierkegaard, hörte ich zum ersten Mal 1921 in einer Vorlesung von Willy Lüttge. Im übrigen existierte dieser Mann für die Berliner Theologie der Älteren überhaupt nicht, und niemand befaßte sich darstellend oder kritisch mit ihm, den vielbelesenen W. Lüttge ausgenommen. Ich weiß nicht mehr, in welchem Zusammenhang er auf Kierkegaard kam, – die Geistesgeschichte des 19. Jahrhunderts spielte in den meisten seiner Vorlesungen eine große Rolle. Ich erstand mir 1924 antiquarisch eine ältere deutsche Übersetzung·der »Einübung in das Christentum«, aber die Lektüre blieb vorerst ohne größeren Einfluß auf mich. Vor der bei Diederichs erschienenen Übersetzung von Christoph Schrempf wurden wir gewarnt, sie sei willkürlich und geradezu bedenklich, was die vorgenommene Textauswahl betreffe. Die Folge war, daß man gar nicht wußte, wohin man sich wenden sollte, weil eine wissenschaftlich einwandfreie Ausgabe des großen Dänen nicht vorhanden war. So gibt es Hinweise, Anregungen oder Anstöße, die schnell wieder versinken und verebben, um doch nach Jahren wieder aufzutauchen und von neuem wirksam zu werden.

Ökumene

Wir hörten zuweilen etwas von der ökumenischen Tätigkeit unseres Lehrers Deissmann. Man wußte, daß er während des Ersten Weltkrieges und danach einen großen Teil seiner Zeit und Kraft den »Evangelischen Wochenbriefen« sowie der Aufrechterhaltung oder Neuanknüpfung internationaler Beziehungen zwischen Christen und Kirchen gewidmet habe. Aus Bemerkungen Deissmanns konnte man leicht schließen, daß er über sehr viele Kontakte mit kirchlichen Persönlichkeiten und Theologen des Auslandes verfügte, vor allem in den angelsächsischen Ländern, aber auch in Skandinavien. Dieses »Potential« setzte er für den Frieden ein, für die Verständigung unter den durch Haß und zahllose Vorurteile getrennten und verfeindeten Nationen. Sein Engagement galt aber vor allem der Einigung der Christen aller Kirchen, zunächst aber auch dem Abbau von Mißverständnissen und Vorurteilen aller Art, dogmatischen, kirchenrechtlichen, und all denen, die aus der Tradition spezifischer Frömmigkeitsformen herstammen. Die Vielschichtigkeit dieser ganzen ökumenischen Problematik war mir unbekannt, und die ungeheuren Hemmnisse kirchlicher wie politischer Natur, die sich vor den wenigen, allzu wenigen deutschen Pionieren der zukünftigen Ökumene auftürmten, konnten wir Berliner Studenten vollends nicht ermessen. Unsere nationale Beschränktheit behinderte lange unseren Blick, viele haben sie niemals durchbrochen. Immerhin gab es einige wenige, die in ihrem »dunklen

Drange« fühlten, daß da etwas im Werden war, was wir weder überschauen noch definieren konnten. Wir schoben auch eine gewisse, uns fühlbare Einschränkung der wissenschaftlichen Arbeit und Produktivität Deissmanns auf seine weitgespannte ökumenische Tätigkeit, und dies wohl nicht ohne Grund. Die wissenschaftlich Engagierten unter uns fragten sich, warum Deissmann denn außer den Neuauflagen der Bücher »Licht vom Osten« (4. Aufl. 1923) und »Paulus« (2. Aufl. 1925) »gar nichts Großes mehr mache«? Von seinem geplanten umfassenden Wörterbuch zur Koiné des Neuen Testaments war nach dem Ersten Weltkrieg schon längst nicht mehr die Rede, und wir hielten es mit Recht für taktlos, »Meister Adolfo« danach zu fragen. Deissmanns vermittelnde Natur – sowohl in der Theologie wie in der Kirche hielt er sich stets in der Mitte, er hatte wenig Sympathie für die radikalen Flügel in der innerdeutschen protestantischen Kirchenpolitik – machte ihn zum Dolmetscher, Verbindungsmann und Brückenbauer höchst geeignet. Seine Neigung zur Mystik ermöglichte ihm das Verständnis der Ostkirche, was in den zwanziger Jahren höchst ungewöhnlich war. Die evangelische Theologie jenes Jahrzehnts war konfessionell weitgehend introvertiert, was sogar von liberalen Theologen galt, die doch eigentlich hätten tolerant sein sollen. Doch fand sich auch bei diesen oft ein polemischer, angriffsfreudiger Protestantismus. Als 1924 der Reformkreis der »Berneuchener Konferenz« auf den Plan trat, war sie für immer mit dem Vorwurf »katholisierender Neigungen« diffamiert und abgestempelt. Auf einmal waren da Liberalismus, Pietismus, calvinistische und lutherische Orthodoxie in schönster Eintracht zu sehen. Sie alle standen in der antikatholischen Front traditioneller Aversion, Verständnislosigkeit und Feindschaft, und die berüchtigte »Kaplanspolemik« (die Protestanten, Gottlosen, Heiden, Abgefallenen etc.) war auf evangelischer Seite genauso verbreitet. Im »Evangelischen Bund« unseligen Angedenkens trat diese Kaplanspolemik, verbunden mit deutschnationalen Tiraden, in erschreckendem Maße auf. Gemeint ist der Ultramontanismus, der gefährlichste Feind der deutschen Nation, vorzüglich ihrer Freiheit und Einheit. Solche Verkrampftheiten und nationalistischen Dressate hätte man sich vor Augen führen müssen, um die enormen Schwierigkeiten psychologischer, politischer, kirchlicher und theologischer Art zu ermessen, vor denen Adolf Deissmann zumal *vor* 1925 (Stockholmer Weltkirchenkonferenz) stand und ebenso selbstverständlich auch Friedrich Siegmund-Schultze. Als Deissmann nach Stockholm reiste, hätte ich ihn brennend gern begleitet. (Ich hatte damals schon promoviert.) Aber wer sollte das bezahlen? Die Kirchen kamen für die Delegation auf, aber für junge theologische »Interessenten« hatte niemand Geld. In den damaligen Anfängen der ökumenischen Bewegung dachte – jedenfalls in Deutschland nicht – kaum jemand daran, eine Jugend-Delegation aufzustellen, wie dies später üblich wurde.

Und doch sollte ich ein Jahr später von Deissmann mit »Stockholm« befaßt werden. Denn nun gab er das große deutsche Aktenwerk über Stockholm heraus mit sämtlichen Vorträgen, Ansprachen usw. und beauftragte mich, die Indices zu bearbeiten. Es war ein mühseliges Unternehmen und trotz intensiven Korrekturlesens sind viele Druckfehler stehengeblieben. Diese meine erste kleine Arbeit für die Ökumene brachte es mit sich, daß ich in allen Details kennenlernte, was auf dieser Welt-konferenz gesagt worden war, mit der zweifellos ein neues Blatt in der Kirchenge-schichte aufgeschlagen wurde. Von nun an kam ich von der Vision eines gemeinsamen Dienstes von Christen und Kirchen der ganzen Welt an eben dieser nicht wieder los. So können kleine Dinge große, lebensbeherrschende Folgen haben. Mein »Glück« wollte es, daß ich Ende 1929 Kollege eines anderen Neutestamentlers wurde, und zwar des gleichfalls ganz für die Ökumene aufgeschlossenen Martin Dibelius, der fortan eine bedeutende Rolle in meinem Leben spielen sollte. Auch mit Dora Dibe-lius, seiner Frau, blieben wir bis zu ihrem Tode eng verbunden. Davon mehr in mei-nem Heidelberg-Kapitel.

Wer heute das Vorwort Deissmanns zu dem 1926 erschienenen imposanten Doku-mentenwerk liest, findet dort viele Namen, deren Träger in der Geschichte der öku-menischen Bewegung eine Rolle gespielt haben, an erster Stelle natürlich Erzbischof D. Nathan Soederblom von Uppsala, dessen Witwe ich 1935 dort kennenlernen durf-te.

Bei meiner Arbeit für A. Deissmann lernte ich auch Heinrich Rennebach, den Lei-ter des Furche-Verlages kennen, der der Theologie viele unschätzbare Dienste erwie-sen hat. Er war nicht nur der Verleger des Lebenswerkes Karl Heims und der »Reli-giösen Verwirklichung« Tillichs, der Schriften Hanns Liljes u. v. a., sondern auch für alles Neue und Zukunfträchtige aufgeschlossen, so auch für die Ökumenische Be-wegung. Wir ahnten damals beide nicht, daß ich nach fast drei schweren, von Kata-strophen erschütterten Jahrzehnten in nähere Verbindung zu ihm treten würde, an die ich mit Freude und Dankbarkeit zurückdenke. Sein Verlag hatte nach dem Zweiten Weltkrieg seinen Sitz von Berlin nach Hamburg verlegt. Auch im Alter war Renne-bach noch genauso aufgeschlossen für alles Neue, das ihm gut und notwendig schien. In den Berliner Jahren jedoch, von denen ich berichte, hatte der Verlag sein Quartier am Hegelplatz hinter der Universität, in jenen Tagen ein stiller Ort.

Anfänge der Schriftstellerei

Mit dem Schreiben habe ich sehr früh begonnen, bereits mit 19 Jahren. Der Grund da-für lag nicht in den Wissenschaften; denn innerhalb des Studiums im engeren Sinn kamen ja nur Seminararbeiten und Referate in Frage, sondern in der tätigen Teilhabe an der Jugendbewegung. Nachdem wir 1921 den Jungnationalen Bund aus der Taufe gehoben hatten (und zwar auf dem Wege einer regelrechten Jugend-Revolution in-nerhalb des Deutschnationalen Jugendbundes) gegen die dort beliebte, uns verhaßte »Jugendpflege« von oben her, von seiten der Alten, gründeten wir für unseren neuen Bund auch ein Blättchen, den »Bannerträger«, später noch die »Jungnationalen

Stimmen«, die etwas »gehobeneren Ansprüchen« Genüge tun sollten. In diesen Blättern betätigte ich mich als jugendlicher Journalist, der natürlich mit dem kecken Mut der Jugend Themen in Angriff nahm, die weit über seine Möglichkeiten hinausgingen. »Nation und Welt« hieß z. B. ein Aufsatz in den »Jungnationalen Stimmen«.

Ich schrieb aber auch für andere Organe, z. B. für den »Jugendweg«, ein Blatt des Burckhardt-Hauses in Berlin-Dahlem, dazumal die Zentrale des Evangelischen Verbandes für die weibliche Jugend. Der »Jugendweg« diente den »höheren Töchtern«, wie man spöttisch zu sagen pflegte, d. h. den Schülerinnen der »Lyzeen«, besonders der Oberstufe. Das war aber in Berlin ein höchst lebendiger Kreis, in dem die Frage nach dem Verhältnis von Christentum und Jugendbewegung geradezu stürmisch diskutiert wurde, ebenso die Frage nach der Stellung evangelischer Jugend zur Weimarer Republik. Da ließ ich mich in der zweiten Hälfte der zwanziger Jahre des öfteren vernehmen. Auch entsinne ich mich, in einem Blatt der politischen Rechten, nämlich des Kreises um Moeller van den Bruck, des »Herrenklubs« und anderer parteipolitisch nicht festgelegter kleiner Gruppen, einen Aufsatz geschrieben zu haben. Welch' finstere Vergangenheit! Von Hitlers ersten Versuchen, auf der politischen Bühne Fuß zu fassen, wußten wir wenig. Es hatte uns in Berlin nicht besonders aufgeregt, viele von uns nicht einmal berührt.

Unsere Frage stammte aus den Berührungen mit der sozialistischen Arbeiterjugend und den Jungsozialisten. Es mußte doch einen Weg geben, den Bruch inmitten des Volkes zu heilen, die Ströme der nationalen und der proletarisch-sozialen Tradition ineinander fließen zu lassen. Welche geistige und politische Macht könnte daraus hervorgehen! Das war unser Denken und Empfinden. Von hier war zweifellos auch ein Weg in den Nationalismus möglich, doch davon später. Noch andere Zeitschriften beehrte ich mit meinen Erzeugnissen, so das Blatt »Der Bund« des lange von Wilhelm Stählin geleiteten »Bundes deutscher Jugendvereine«.

Einiges von diesen literarischen Gehversuchen ist erhalten geblieben, anderes der Zerstörungswut des Zweiten Weltkriegs zum Opfer gefallen. Es lohnte sich gar nicht, von diesem Jugend-Journalismus zu sprechen, wäre er nicht ein Übungsfeld, das als *solches* nicht zu verachten ist.

Mein Vater war ein scharfer Kritiker meines Stils, dem ich viel zu verdanken habe. Einige meiner Lehrer, so Adolf Deissmann, Karl Holl und Paul Tillich, waren hervorragende Stilisten, Meister des knappen, zuweilen lapidaren, durchsichtigen Stils, keine Freunde dicker Wälzer und noch weniger des Gelehrten-Chinesisch mancher wissenschaftlicher Disziplinen vnn heute. Ich hatte also gute Vorbilder, und sie wirkten stark auf mich ein. Kritiker haben freilich öfters bemerkt, daß ich auf Kosten auszubreitender Gelehrsamkeit und ohne die notwendige »Unterkellerung« mit zahllosen Anmerkungen, zu knapp und zu allgemein-verständlich schriebe. Dem altüberlieferten Stil deutschen Gelehrtentums entsprach meine Art, sich zu äußern, zweifellos ganz und gar nicht. Mögen andere beurteilen, was an dieser Kritik richtig oder unrichtig ist.

Zwischenspiel in Hamburg

Ich erhielt von meinem Vater die Erlaubnis, das Wintersemester 1921/22 in Hamburg zu studieren. Die Wahl gerade dieser Stadt war außergewöhnlich, denn es gab dort keine theologische Fakultät, dafür aber die höchst bescheidene Geschäftsstelle des Jungnationalen Bundes, und sie war die Haupttriebfeder für mein Hamburger Semester. Die »Bundeskanzlei« des Jungnationalen Bundes war in dem geräumigen Souterrain des Hauses einer vermögenden Kaufmannsfamilie in der Sierichstraße untergebracht. Der Sohn dieser Familie, Theo Böttiger, gehörte unserem Bunde an und hatte uns diese Unterkunft vermittelt. Mit den bescheidensten Mitteln hielten wir dort die Verbindung mit den einzelnen Gauen des Bundes aufrecht. Vormittags arbeitete ich vor allem am »Bannerträger«, unserem Bundesblättchen, der Nachmittag war dem Studium, den Heimabenden unserer Hamburger Ortsgruppen oder den Sehenswürdigkeiten der großen Hafenstadt gewidmet. »Hamburg – das Tor zur Welt«, das war mehr als ein Werbeslogan, das wurde immer stärker Realität. Der Hafen, die Elbe, die Binnen- und Außen-Alster boten mir ganz neue Eindrücke, und seitdem hat diese Stadt ihre Anziehungskraft auf mich nie wieder eingebüßt.

Natürlich wollte ich mich neben meiner Arbeit für den »Junabu« auch der Philosophie widmen. Eine Theologische Fakultät wurde in Hamburg erst in den fünfziger Jahren gegründet, die dann schnell durch bedeutende Lehrer einen guten Ruf erlangte. In jenem Wintersemester jedoch war ich ganz auf die Philosophie verwiesen. Ich las damals Paul Natorps Schrift »Sozialidealismus« sowie die sehr merkwürdige, nach dem Systemgeist des transzendentalen Idealismus verfaßte Religionsphilosophie Albert Görlands, bei der mich die Offenheit überraschte, mit welcher der neukantianische Verfasser erklärte, Jesus von Nazareth passe in eine solche Religionsphilosophie überhaupt nicht hinein, sie könne mit ihm nichts anfangen. Ich war zunächst konsterniert, offenkundig auch deswegen, weil ich über das Verhältnis der Religionsphilosophie zur Erscheinung Jesu noch gar nicht recht nachgedacht hatte, obgleich mir doch die Lektüre von Kants »Die Religion innerhalb der Grenzen der bloßen Vernunft« reichlich Anlaß dazu hätte geben können. Ferner laß ich Natorps Religionsschrift und kam bald zu dem kühnen, doch nicht ganz falschen Schluß, daß der Neukantianismus mit der Religion eigentlich nichts anzufangen wußte. Er überführte sie in Moral oder faßte sie vom Ästhetischen her auf. Ein Jahr später fand ich dann bei Brunstädt eine klar begründete Ablehnung jeder Moralisierung, Rationalisierung und Ästhetisierung der Religion, so daß dies Problem damit für einige Zeit bereinigt war.

Auch zu Ernst Cassirer und seiner Fortentwicklung des Neukantianismus kam ich in kein näheres Verhältnis, obwohl ich einige philosophie- und geistesgeschichtliche Essays von ihm mit Genuß und Gewinn las. Sehr viel später brachte mir seine große Darstellung der »Philosophie der Aufklärung« letzterer näher, indem ich jetzt über Fichtes und Brunstäds Kritik an der Aufklärung hinausgeführt wurde. Ihnen erschien ja die Aufklärung als Ursprung allen Unheils, als »Krisis der Kultur«, wie man in den zwanziger Jahren sagte, als bloßer Rationalismus und somit als Feind jeder tiefen und wahren Philosophie.

Theologisch kam ich in Hamburg gar nicht voran. Ich geriet vielmehr in die Gefahr, gar manches zu vergessen, was ich mir besonders auf dem Gebiet des Neuen Testaments angeeignet hatte. Trotzdem brachte mir die Hamburger Zeit eine große Blickerweiterung. Lange Diskussionen mit den Freunden und Kameraden im Jungnationalen Bund über alle Probleme der Zeit, besonders aber über den politischen Weg Deutschlands, waren auch hier an der Tagesordnung.

»Akademische« Begegnungen von Bedeutung gab es für mich in Hamburg nicht bzw. noch nicht. Das Erlebnis der Stadt, ihre Wanderwege an Elbe und Alster, das Lotsen- und Alt-Kapitänsdorf Oevelgönne mit seinen oft winzigen, blitzsauberen Häuschen und den Minigärten vor der Tür – den Blick auf die seewärts oder hafenwärts ziehenden Schiffe aus aller Welt –, das alles ersetzte mir die gewohnte Fülle des Berliner Universitätslebens. Die Hamburgische Universität befand sich noch im Stadium der ersten Entwicklung. Es gab noch keine Hochhäuser, die ganze Fakultäten oder Studienbereiche in sich hätten aufnehmen können. Als ich in den sechziger Jahren auf Einladung der Ev. Studentengemeinde im ehemaligen kleinen Hörsaalgebäude am Dammtor einen Vortrag hielt, gedachte ich der »alten Zeit, der vorigen Jahre«. Welch ein Unterschied gegenüber der neuen Hamburger Universität!

Der »Berliner Junge« »mit dem Munde vorneweg« hatte es zunächst schwer, mit den urechten Hamburgern in unseren Ortsgruppen zurechtzukommen. Ich war ihnen ein Fremder, fast ein Ausländer. Das Hamburgische Platt und Missingsch konnte ich nicht sprechen, obwohl mich die in Hamburg erfundene Mischung von Niederdeutsch und Umgangshochdeutsch ungemein belustigte und erheiterte. Natürlich kannte ich Fritz Reuter und andere plattdeutsch schreibende Dichter, doch Lesen und Sprechen – das ist bekanntlich ein Riesenunterschied. Das märkische Platt meiner Kindheit und Dorfheimat in der Gegend von Potsdam war mir noch einigermaßen geläufig. Bei allen Abweichungen des »ostelbischen« Platt vom holsteinischen und hamburgischen gab es doch auch viele Ähnlichkeiten, die mich weiterführten. Trotzdem, die Hamburger Jungs und Deerns akzeptierten mich nicht sogleich, irgendwie war ihnen der Berliner »Intelligenzler« – »was will der hier bei uns!?« – unheimlich. Die Stammesunterschiede waren beträchtlich, die Nivellierungsprozesse der urbanisierten industriellen Gesellschaft vor fünfzig Jahren noch nicht so weit fortgeschritten wie heute. Schritt für Schritt mußte ich mir das Vertrauen unserer Leute – darunter ganz prächtige Jungen und Mädchen – erst erobern. Einige der damals schließlich doch entstandenen Freundschaften haben ein Leben lang gehalten. Man sagt wohl mit Recht, solche Jugendfreundschaften seien die besten und haltbarsten. Ich kann dies bestätigen, aber ich habe auch das Glück gehabt, noch in den fünfziger und sechziger Jahren meines Lebens – als ein im Jahre 1900 Geborener gehe ich mit meinem Jahrhundert – neue Freunde zu gewinnen, was ziemlich selten vorkommt. Selbstverständlich trug unser »Fahrten«-Stil sowie die Gemeinsamkeit der jugendbewegten Erlebnisformen viel dazu bei, Brücken zu bauen. Eine ganz individuelle Komponente war mit im Spiel: mein sehr lebhaftes Temperament, die – altmodisch ausgedrückt – »emotionale« Grundverfassung meiner Natur stieß auf die feste, aus meiner Sicht zuweilen unbewegliche, aber grundsolide Natur dieser Hamburger, die ein langsameres Tempo an sich hatten. Am Ende gab es einen vortrefflichen Ausgleich und auf beiden Seiten sogar ehrlichen Abschiedsschmerz.

So hatte ich in Hamburg in bezug auf den Umgang mit Menschen viel hinzugewonnen und -gelernt. Solche Anstöße und Erfahrungen waren wichtig für einen jungen Menschen, der zur »Leseratte« prädestiniert war und ein ganz einseitiger »Akademikertyp« zu werden schien oder zumindest von dieser Abgleitung bedroht war. Mit meinen 21, 22 Jahren konnte ich nicht im geringsten ahnen, daß es mir bestimmt war, schon vier Jahre später (1925) und mit dem Beginn meiner Universitätslaufbahn (1929) für immer mit der »reiferen Jugend« umzugehen. Im Rückblick darf ich ohne Übertreibung sagen, daß dies ganz wesentlich zum Glück meines Lebens beigetragen hat.

Politisches Denken

Was dachten wir Jungnationalen eigentlich in politischer Hinsicht? Darüber gibt das Motto in einem Buch unseres Freundes Rudolf Craemer mit dem Titel »Der Kampf um die Volksordnung« Auskunft: » Vom Staat der Jugend zum verjüngten Staat!« Der »Bund«, nach seinem Selbstverständnis kein Verein, keine Organisation, sondern »Gemeinschaft« im Sinne des idealistischen und romantischen Sprachgebrauchs, wollte eine aus jungen Menschen bestehende Pflanzstätte des Staates sein. Mit der Wahl *dieses* Wortes schlossen wir uns an die preussisch-deutsche Tradition an, die den Staat über alle »Stände«, Gruppierungen oder Klassen erhebt und ihm eine Hoheit zuspricht, die keiner anderen menschlichen Ordnung verliehen ist. Wir verabscheuten den »Parteienstaat« der Weimarer Republik und wollten weder ein Ableger der

Deutschnationalen noch der erst nach jener aufgetretenen »Deutschvölkischen Frei-
heitspartei« sein, die übrigens in mancher Hinsicht ein Vorläufer der Nationalsozialisten war, besonders hinsichtlich ihres scharfen Antisemitismus. Damit kam eine neue
Note zum Bisherigen hinzu: die Ideologie der »reinen« germanisch-nordisch-deut-
schen Rasse begann sich auszubreiten. Auch in unserem Bund blieben Gedanken von
Gobineau, H. St. Chamberlain sowie aus dem Buch »Der Rembrandt-Deutsche« – es
stand im Bücherschrank meines Elternhauses – nicht ohne Wirkungen, doch kann
man nicht sagen, unser Bund habe »rassistisch« gedacht und gefühlt. Das preußische
Element in unserer Tradition verhinderte dies. Wir verehrten und liebten den »Preußischen Stil«, wie ihn Moeller van den Bruck beschrieben hatte. Von Friedrich Wilhelm I. über Friedrich den Großen bis hin zu Otto von Bismarck reichte das für unser
Auge einheitliche Preußentum, der großen Führer und Feldherren der Befreiungs-
kriege nicht zu vergessen. Wir liebten einen Gneisenau und Clausewitz, die den Geist
mit Kriegskunst und Staatsbewußtsein vermählten und verehrten den großen Reformer des Staates, den Reichsfreiherrn vom Stein, der uns die deutsche Art des Staats-
mannes verkörperte.

Die Tradition der nationalen deutschen Einigungsbewegung des 19. Jahrhunderts,
wonach der Staat als Nationalstaat zu denken ist, war uns eine Selbstverständlichkeit.
Staat und Nation möglichst zur Deckung zu bringen, galt uns als ein hohes Ziel. Aber
wir waren keine Imperialisten, und von dem Wahnwitz der alldeutschen Annexions-
pläne vor dem Ersten Weltkrieg war bei uns keine Rede. Auch wir träumten vom
»Reich« und seiner Wiedererstehung in Ehre und Würde, wie es im Liede vom Kaiser
Barbarossa heißt, der im Kyffhäuser Berge sitzend auf die gute Stunde harrt: »Er hat
hinabgenommen des Reiches Herrlichkeit und wird einst wiederkommen mit ihr zu
seiner Zeit« (Friedrich Rückert).

Am schönsten hat damals der schon zitierte Rudolf Craemer (gest. 1941) das Wesen
des ersehnten Reiches der Deutschen gekennzeichnet: ein Reich des Friedens und der
Gerechtigkeit, das andere Völker weder knechtet oder niedertritt, sondern ihre Eigenart schützt und eine Rechts- und Völker-Ordnung aufrichtet, welche die Grenzen
des überlieferten Nationalstaates überschreitet. Allerdings, diese Utopie des zukünftigen Reiches zerfloß in eine Vision, die jenseits der realen Möglichkeiten politischer
Gestaltung lag. Die romantische Reichs- Erwartung verkannte die geschichtliche Situation, die durch die rapide Entwicklung der modernen Industriegesellschaft, der
Technik und der Wissenschaften jede Erneuerung der mittelalterlichen Reichs-Herr-
lichkeit ausschloß. Doch unsere Begeisterung galt gerade den großen Herrschergestalten des Mittelalters, Karl dem Großen, Heinrich III., Friedrich Barbarossa und
Heinrich VI. Wir rätselten herum an der Tragödie der Hohenstaufen oder den vergeb-
lichen Versuchen der deutschen Könige, mit der »deutschen Zwietracht« und dem
Egoismus der Stammesherzöge fertig zu werden. Wir begriffen noch nicht, daß das
deutsche Volk in mehr als 1000 Jahren nie seine nationale »Identität« gefunden hatte,

auch nicht im Zweiten Kaiserreich, was doch den Franzosen und Engländern auf Grund völlig anderer historischer, sozialer und ideeller Voraussetzungen so früh gelungen war.

Man muß zugeben, daß wir uns in einem schweren Dilemma befanden. Unsere kleinen Bünde waren politisch machtlos. Nach dem nichtssagenden Schlagwort: »Wer die Jugend hat, hat die Zukunft« waren wir den Parteien und ihren Funktionären von einiger Wichtigkeit. Manche tüchtige jugendbewegte Leute aus den Bünden sind seit etwa 1925 in die Politik gegangen, doch das reichte keineswegs zur Verjüngung des Staates. Ohne diesen traurigen Tatbestand zu reflektieren, hatten wir das dunkle (und richtige) Gefühl, die ganze nationale Opposition sei ohne Gestaltungskraft und jede große, der neuen Lage gemäße politische und sozialpolitische Konzeption fehle genau wie bei den preußischen Konservativen vor und während des Ersten Weltkrieges, welche die »soziale Frage« ihrer Zeit und der Industriegesellschaft nie begriffen hatten. Die ständige unfruchtbare Negation des Sozialismus, das Herbeten alter Vorstellungen, die Unfähigkeit, die historische Notwendigkeit der Demokratie zu erfassen, war ihr Elend und ihr Versagen, um die Deutschnationalen, außer einigen in die Zukunft blickenden Persönlichkeiten, traten dieses unselige Erbe an. Der ideologische Anspruch, das wahre Deutschland zu verkörpern und die eigentlichen Interessen der Nation allein zu vertreten, stand in schreiendem Widerspruch zur politischen Alltagswirklichkeit der »nationalen Rechten«. Wir Jungen waren außerstande, daran etwas zu ändern.

Erste Lektüre von Karl Barth

Meine Arbeit für den Jungnationalen Bund, mein Interesse für Politik und Philosophie bedeuteten nicht, daß ich mich in dieser Zeit von der Theologie losgelöst hätte. Ausgerechnet in Hamburg fielen die ersten Schriften Karl Barths – ein vordem mir völlig unbekannter Name – in meine Hände. Ich sehe mich noch in der Hamburger Vorortsbahn sitzen und mit ebensoviel Eifer wie Verwunderung die beiden Broschüren »Unerledigte Anfragen an die heutige Theologie« und »Biblische Fragen, Einsichten und Ausblicke« lesen. Das war ein ganz neuer Ton, den ich noch nie vernommen hatte – und ein neuer, ungewohnter Stil. Auch vom »Römerbrief« in der ersten Fassung wußte ich damals noch nichts. Erst aus den beiden Schriften erfuhr ich, daß es diesen Kommentar gab. Ich muß gestehen – entgegen meiner sonst pedantisch befolgten Maxime, *jedes* Buch ganz zu lesen –, die erste Fassung gar nicht vollständig gelesen zu haben, denn schon 1922 erschien ja die völlig neugestaltete zweite Fassung, die in der Geschichte der Theologie Epoche gemacht hat. Zunächst hatte ich gar kein Verhältnis zu Bundungsritten und kühnen Vorstößen gegen die zeitgenössische Theologie, ob »liberal«, »orthodox« oder »pietistisch«, sowie gegen die gesamte Theologie des 19. Jahrhunderts seit Schleiermacher. Ich fühlte nur eines: Beunruhigung und Unruhe. In den Jahren 1921/22 war ich ja ein junger idealistischer Theologe. Was kam da auf uns zu? Ich wußte es nicht. Gab es wirklich unerledigte Fragen und Probleme in der Theologie sowie Aussagen des Evangeliums selbst, die wir alle, alt und jung, noch gar nicht gehört und gelesen hatten? Ich war außerstande, darauf eine Antwort zu geben. Auch kannte ich die Theologiegeschichte nicht gut genug, um den Impetus Karl Barths zu verstehen. Immerhin hatten das Studium der Synoptiker, die Bücher von Johannes Weiss, Albert Schweitzer u. a. meinem Idealismus an einem ganz entscheidenden Punkt einen Stoß versetzt, den ich damals noch kaum spürte. Es war die Einsicht in den *eschatologischen* Charakter der Verkündigung Jesu.

Dies war in der Tat der entscheidende Ansatzpunkt für ein neues theologisches Denken, das über den Idealismus und *seine* Vollendungsreichs-Erwartung hinausgehen mußte. Diese Frage führte mich 1929 zu meiner Habilitationsschrift »Die Eschatologie des Reiches Gottes bei Jesus«, die 1931 bei Bertelsmann in Gütersloh als Buch erschien. Die Frage begleitete mich immerfort, wovon verschiedene Veröffentlichungen in den dreißiger und fünfziger Jahren auf ihre verschiedene Weise Zeugnis ablegen. Im Wintersemester 1921/22 dagegen, als ich die kleinen und so beunruhigenden Schriften Barths in mich aufnahm, war erst der Keim des eschatologischen Reich-Gottes-Glaubens in mir wirksam, ein Ferment der Gärung. Als ich dann später den berühmt gewordenen Satz Karl Barths las, das Christentum sei ganz und gar restlos Eschatologie, nahm ich ihn mit begeisterter Zustimmung auf, ohne freilich zu übersehen, was die theologischen *Folgen* dieses Satzes kosten sollten.

Die Volkshochschule und Wilhelm Stapel

In Hamburg lernte ich zum ersten Mal die in den zwanziger Jahren stark aufblühende Volkshochschul-Bewegung kennen, mit der ich dann von 1925 an mehrere intensive Berührungen und Begegnungen hatte. In Hamburg handelte es sich um die Fichte-Gesellschaft, die Namen und Intention von Johann Gottlieb Fichte herleitete, dessen berühmte »Reden an die deutsche Nation« damals fröhliche Auferstehung feierten. Dieses eigenartige »ideenpolitische« Phänomen hat Hermann Lübbe treffend charakterisiert. Die Fichte-Gesellschaft griff auch nach Berlin über und fand einen in vieler Hinsicht günstigen Standort in dem von J. H. Wichern 1858 in Berlin-Spandau gegründeten Ev. Johannesstift.

In Hamburg nahm ich an einer Arbeitsgemeinschaft teil, in der die Reden Fichtes unter der Leitung von Dr. Wilhelm Stapel gelesen und interpretiert wurden. Er war der spiritus rector sowohl der Fichte-Gesellschaft als auch der viel gelesenen und weit verbreiteten Zeitschrift »Deutsches Volkstum«. Stapel, ein höchst gründlicher und vielseitig gebildeter Mann, hatte Germanistik, Philosophie und auch etwas Theologie studiert. Die diffamierenden Pauschalurteile, die man heute über jene Zeiten und solche Persönlichkeiten der »völkischen Bewegung« sogar in seriösen Blättern liest, können mich nicht davon abhalten, nach historischer Gerechtigkeit zu streben und zu differenzieren. Stapel kannte sich sehr gut in der mittelhochdeutschen Dichtung und in der »deutschen Mystik« aus. Er liebte Luther, wenngleich er diesen »im Zuge der Zeit« germanisierte, was ja auch Reinhold Seeberg getan hatte. Stapel hatte Kant und Fichte studiert und nicht nur Schriften, die der neu-idealistischen und neuromantischen Bewegung jener Tage besonders lagen oder gar ins Modern-Völkische hinüberinterpretiert werden konnten. So hatte er sich z. B. als »Übersetzer« Kants verdient gemacht. Was er darbot, hatte immer Niveau und war der Auseinandersetzung wert. Kein Zweifel, er war Antisemit und hat diese seine Entscheidung immer klar herausgestellt. Dennoch kann er nicht den NS-Massen- und Schreibtischmördern zugerechnet werden. Er lieferte für seine Auffassungen seine eigene Begründung. Jedenfalls war er ein anziehender Ausleger Fichtes und hat als solcher auf mich gewirkt. Stapel zog lutherische Theologen wie Paul Althaus zur Mitarbeit am »Deutschen Volkstum« heran, und auch ich rechnete mich diesem Kreis zu. Bis 1932 hatte ich eine ganze Reihe von Gesprächen mit Stapel, in denen es z. B. um die Bedeutung der Mystik für die christliche Theologie oder um »Vorläufer« der völkischen Bewegung seit Herder, der Romantik, der Urburschenschaft ging, um die Erstentdeckung des »Volkstums«, der »Volksseele«, der organologischen Staats- und »Gemeinschafts«-Lehre usw. Ich fühlte mich belehrt und fing erst allmählich an, mich kritisch zu behaupten. Die Stunde der Trennung schlug, als Stapel 1932/33 mit fliegenden Fahnen ins Lager der »Deutschen Christen« überging, um nicht ohne Fanatismus die Vereinbarkeit nicht nur, sondern auch die *Notwendigkeit* der Vereinigung von Nationalsozialismus und deutsch-lutherischem Christentum zu propagieren. Diesen Weg konnte ich nicht mitgehen, was mich jedoch nicht hindert, Dank zu sagen, wo ich Dank schulde. Als begeisterter Anhänger der Idealismus-Renaissance ahnte ich nichts von den kommenden kirchlichen und theologischen Entscheidungskämpfen. Ich hatte in Hamburg auch nicht im entferntesten die kritischen Mittel zur Hand, um dem viel älteren Stapel gegenüber eine eigene Auffassung von Fichtes »Urvolk«-Philosophie entwickeln zu können. Und doch war es gut, daß ich noch diese Lehre durchmachte.

Der Nationalsozialismus hat viele Trennungen zwischen Menschen, Freunden und Kollegen sowie Zwist in den Familien hervorgerufen. Auf so manchen Abschied ist niemals wieder in diesem Leben eine Neu-Anknüpfung oder gar Versöhnung erfolgt. Wilhelm Stapel hat die Bitternis des Zusammenbruchs aller seiner Hoffnungen und Ideen erfahren müssen. Er starb 1954.

Die »Nobilis Germania«, der er zum Abschluß seines Buches »Der christliche Staatsmann« einen sie mythologisch zur »großen Mutter der Völker« erhebenden lateinischen Hymnus gewidmet hatte (1932), sank dahin und der Traum vom Reich ging in Bränden und Trümmerbergen ganzer Städte zugrunde. Der Ernst und die Hoffnungslosigkeit in den zahllosen menschlichen Tragödien 1944/45 und danach sollte es uns verbieten, in ein allzu billiges Hohngelächter auszubrechen. In der Weltgeschichte muß alles *bar* bezahlt werden, auch die nationalen und völkischen Wahnträume der einzelnen.

Merkwürdig und bezeichnend für den sich vorwiegend aus Leuten der Jugendbewegung zusammensetzenden Menschenkreis in der Hamburger Fichte-Gesellschaft war für diese Zeit und für mich selbst, daß – soweit meine Erinnerung reicht – niemand die Fragwürdigkeit der »Urvolk«-Spekulation Fichtes bemerkt oder aufgedeckt hat, obwohl doch schon damals historische, biologische und philosophische Gegenargumente griffbereit dalagen. Unser Blick war verstellt.

Erster Aufbruch nach Heidelberg
Fortsetzung des Studiums bis zur Promotion

Im Studentenparlament

Bevor ich mich in Gedanken auf den Weg nach Heidelberg mache – es sollte in meinem Leben eine große, schicksalhafte Rolle spielen –, noch eine kurze Ergänzung im Blick auf Berlin.

Als ich in die reiferen Semester (5. und 6.) gelangt war, hatte mich meine Verbindung, der Wingolf, in das Berliner Studentenparlament entsandt. Vermittelt hatte dies mein »Leibbursch«, der sich selbst auf diesem ganz neuen Felde studentischer Existenz tummelte. Eine sonderbare Sache – denn ein solches Parlament war in der Ordnung alias Verfassung der alten Berliner Universität überhaupt nicht vorgesehen –, es wäre geradezu undenkbar gewesen. Ein Produkt also der Revolution von 1918/19: Demokratie und Parlamentarismus auch in der Studentenschaft! Daher das ganze Parteienspektrum des Reichstages, von den Kommunisten und Sozialisten über die Liberal-Demokraten bis zum »Hochschulring deutscher Art«, der alle »rechts« stehenden Korporationen – sie bildeten die Mehrheit – und Gruppen in sich vereinigte und hinter sich hatte. In Ermangelung konkreter Arbeitsaufgaben auf Fernziele und Forderungen, auf Resolution en gros et en détail verwiesen, wurden die meisten Reden »zum Fenster hinaus« gehalten. Der sehr redegewandte und mit Verhandlungsgeschick ausgestattete Otto de la Chevallerie war damals Sprecher des Hochschulringes deutscher Art; dem Vernehmen nach soll er später in die Wirtschaft gegangen sein. Im Ideologischen waren wir natürlich »stramm« deutsch-national-völkisch, wir Leute aus der Jugendbewegung mit den kritischen Reserven gegenüber der Tradition. Daß mit der Restauration nichts zu machen war, daß nach dem Unglück mit den Bourbonen, nach der Bezwingung Napoleons I. von der Rückführung der Hohenzollern erst recht nicht die Rede sein konnte, war uns *allen* klar, abgesehen von dem kleinen »Bund der Kaisertreuen«, der jedoch unter uns nicht vertreten war. Mit Otto Heinrich von der Gablentz (gest. 1972) sprach ich nicht nur über wissenschaftliche Probleme, sondern auch über Chancen und Möglichkeiten neuorganisierter Studentenschaftsarbeit. Er war schon damals sehr kritisch gegen alle bloße Reaktion und Restauration, er verband den klaren Blick für reale Mächte und politische Möglichkeiten mit dem Überfliegen des nur soeben Gegenwärtigen durch umfassende Neugestaltungen, – ein Ansatz zur Einordnung der Mächte und der Wissenschaften in das Universum eines »christlichen Weltbildes«, um das er sich sein Leben lang bemüht hat.

Im Studentenparlament Berlin trat auf der demokratischen Linken der spätere Historiker Wilhelm Mommsen hervor. »Früh krümmt sich, was ein Häkchen werden will«, sagt das Sprichwort. Er fiel mir durch den sachlichen Gehalt seiner Reden auf und hatte sicher recht, wenn er dem Hochschulring deutscher Art die Legitimierung dafür absprach, Fichtes »Reden an die deutsche Nation« in Erbpacht für sich allein in Anspruch zu nehmen. Hier trat ein Element hervor, das die preußisch-deutschen Konservativen und Nationalisten fleißig unterdrückt hatten: das große, Weltgeschichte machende Prinzip der *Freiheit*. Hegel als kritischer Erbe der Reformation und der Aufklärung hatte es hinreißend großartig beschrieben, Schiller auf den Schild erhoben, der »Idealismus der Freiheit« (Wilhelm Dilthey) und die erste Deutsche Burschenschaft lebten und kündeten davon, – von den Mächten der Restauration und der Knechtschaft wurde es unterdrückt. War nicht gerade Johann Gottlieb Fichte der philosophische Apostel der Freiheit des Ich, des innersten »Kerns« der Person, des »Charakters« – eben wie der Freiheit der Nation, die gegen den großen Tyrannen wiedererrungen werden mußte? Alle Liberalen (das Wort im eigentlichen Sinne genommen, ohne die daran angeklebten politischen Plattitüden unseres Jahrhunderts) haben guten Grund, sich auf Fichte zu berufen.

Da ich mich anhand von Lehrbüchern wie denen von Wilhelm Windelband schon ziemlich viel mit der Geschichte der Philosophie befaßt hatte, ahnte ich – und es beunruhigte mich von neuem –, daß mit der deutschen »Rechten« etwas nicht in Ordnung sein müsse – formulieren konnte ich es nicht –, etwas ganz Tiefliegendes, das sie seit 1848 unfähig machte, »die großen Fragen der Zeit« so zu erfassen, so in der Tiefe zu befragen, daß daraus eine *neue* politische Konzeption für die Zukunft hätte entstehen können. Aber dies geschah weder *vor* noch nach dem Ersten Weltkrieg (und es geschieht auch heute – 1976 – immer noch nicht): die Tragödie der deutschen politischen Rechten.

Im Innenhof der Friedrich-Wilhelm-Universität wurde 1919 oder 1920 (das genaue Datum habe ich leider vergessen) eine Gedenktafel für die im Ersten Weltkrieg gefallenen Angehörigen der Universität enthüllt, weit überwiegend Studenten, eine erschreckend hohe Zahl. Auch viele Wandervogelführer waren darunter, die vor dem Ausbruch des Krieges in meinem Vaterhaus in Berlin-Steglitz verkehrten, denn mein »progressiver« Vater war ein Freund und Förderer der Jugendbewegung. Wie oft hat er den Tod dieser jungen, zum Teil hochbegabten Menschen beklagt. Sie waren eine

Elite im besten Sinne des Wortes. Die »Menschenpleite«, an der wir nach einem Wort Friedrich Brunstäds in den zwanziger und dreißiger Jahren litten, hat vermutlich zum Teil auch mit den ungeheuren Verlusten des Krieges 1914–1918 zu tun. »Ungeheuer« (etwa 2 Millionen) in den Maßen jener Zeit, die durch den rapiden Fortgang der Katastrophen dieses Jahrhunderts auf entsetzliche Weise übertroffen wurden.

Die Gedenkrede bei dem Trauer- und Gedächtnisakt hielt mit glänzender Rhetorik Reinhold Seeberg. Sein Leitwort lautete »Invictis victi victuri«. Das lapidare Inschriften-Latein ist eigentlich unübersetzbar: »Den Unbesiegten die Besiegten, die (einst) siegen werden!« Also war der Kampf noch einmal zu erneuern. Die Gefallenen wurden *nicht* besiegt! Und wie sie werden wir Lebenden, die neuen jungen Generationen in Zukunft Sieger sein. »Deutschland, Deutschland über alles in der Welt!« Da klang echte, tiefe Trauer um die Gefallenen, um den Sturz des Kaiserreiches von seiner Höhe, um den Fall des geliebten Vaterlandes zusammen mit dem Gedanken an »Revanche«, an die Umkehrung des gegenwärtigen Unheils in die »nationale Wiedergeburt«, Verwandlung der Niederlage in neuen Sieg, Vorstellungen des Nationalismus, die durch die Niederlage schärfer, bitterer und verzweifelter geworden waren. »Die Schmach des 9. November (1918) muß gesühnt werden!« Das hat nicht erst Hitler gesagt, das hörten wir schon in den deutschnationalen Versammlungen des Winters 1918/19. Was dieser nationalistische Zukunftswahn der Deutschen Europa, die ganze Welt und nicht zuletzt sie selbst gekostet hat, wissen wir spätestens seit 1945.

Reinhold Seebergs nationales Pathos ergriff die Zuhörer. Ich sah Tränen in den Augen, auch bei Studenten. Unter ihnen waren noch viele, die die Höllen des Trommelfeuers durchlitten und durchschritten hatten. Sie glaubten tief und ehrlich, mit ganzem Herzen, – aber wie schrecklich, daß es ein Wahn-Glaube war! Ich selbst war genauso ergriffen und erschüttert wie die anderen. Es waren die Tage und Jahre, in denen der Versailler Vertrag am schwersten auf uns allen lastete. Unendlich viele Menschen in der eigenen Verwandtschaft und Freundschaft und anderswo erlitten damals seelische Qualen, die man nur schweigend ehren kann, weil diese Menschen ihr persönliches Geschick mit dem des Vaterlandes in eins setzten.

In heutigen Darstellungen jener Zeit vermisse ich oft die höhere historische Gerechtigkeit, welche die Menschlichkeit des Verstehenkönnens in sich schließt. Heute ist es leicht, sich aufs hohe Roß des Kritikers zu setzen. Wer tief darin steckte, weiß, daß es jahrelange schwere Arbeit kostete, sich herauszuarbeiten. Nichts gegen theologische Ideologiekritik, an der ich selbst nicht unbeteiligt bin, sie ist nötig und wird es bleiben. Aber niemand weiß, wie anfällig auch die Kritiker unseres damaligen Nationalismus morgen oder übermorgen für *neue* Ideologien sein werden. Die europäischen Maoisten von 1976 sind nicht das Ende der Welt – noch der Denkgeschichte. Ohne Zweifel, die Aufgabe ist schwierig. Ideologen wissen von der Geschichte jeweils immer nur das, was Wasser auf die eigenen Mühlen liefert. So war es bei den Alldeut-

66

schen und Germanophilen à la »Einhart«, Houston Stewart Chamberlain, den »Rembrandt-Deutschen« und Genossen, so bei den Altmarxisten, den Nationalsozialisten usw., und so wird es bleiben bis ans Ende der Zeiten. Man muß die theologische Substanz aus Kirchenkämpfen und mühsamer Theologiegeschichte bewahren, um aus der »letzten« Freiheit des Eschaton heraus den Standort zu gewinnen, auf dem theologische Vergangenheits- und Geschichtskritik überhaupt erst möglich wird, aber man soll von historischen Epochen und ihren Menschen nicht verlangen, alles so sehen und sagen zu müssen, wie wir das *heute* tun, die wir klüger vom Rathause gekommen sind. Das wäre nicht nur unmenschlich, sondern auch dumm. Und wir haben unseren Preis gezahlt für die Fehlentscheidungen, die wir einst getroffen, von 1933–1945 und zum Teil noch länger bis 1949 oder 1953, – wobei ich an die Menschen denke, die in russischer Kriegsgefangenschaft waren oder dort elend umgekommen sind.

Invictis victi victuri: schreckliche Schein-Erfüllung in den ersten Siegen Hitlers 1939–1941 über Polen, Frankreich und andere Länder. Aber all das war nur das Vorspiel zum Wahnsinnstaumel bis in den Untergang, nach der Ausrottung der Juden und des eigenen Volkes . . . Andere haben besser gesagt, was hier zu sagen wäre, – schweigen wir also.

Hatte ein Gelehrter von Meriten wie Reinhold Seeberg es nötig, nach 1933 vor dem Nationalsozialismus seinen Kotau zu machen – in seinem Alter? Da zeigten sich die Früchte des in »christliche Ethik« verpackten Nationalismus und der völkischen Romantik mit ihren pseudo-wissenschaftlichen Begründungen, – so in der 3. Auflage der »Ethik« Seebergs von 1937. War es vielleicht der Sohn Erich S., der Kirchenhistoriker, ein großer Freund des Nationalsozialismus, der dessen Größen eifrig umwedelte – sogar Rosenberg, den Erzfeind des Christentums – der den Vater auf diese Bahn gedrängt hatte? Wer die beiden Personen kannte, wird diese Vermutung nicht von der Hand weisen.

Natürlich geht es mir hier nicht um Theologiegeschichte, nicht um eine Gesamtbeurteilung des voluminösen Lebenswerkes von Reinhold Seeberg. Von seiner großen Dogmengeschichte habe ich viel gelernt, obwohl auch dort, z. B. in der Würdigung dessen, was in und mit der Reformation Luthers begonnen hat, merkwürdig germanophile oder germanisierende Motive mitschwingen.

Auch im Zusammenhang meiner akademischen Lernjahre ist der Tatsache zu gedenken, daß ein Mann wie Friedrich *Brunstäd* (gest. 1944) in theologischer Hinsicht einmal von Seeberg ausgegangen war. Brundstäd war freilich, wie seine Religionsphilosophie »Die Idee der Religion« (1922) bewies, seinem ehemaligen Lehrer an systembildender konstruktiver Kraft weit überlegen.

»Die Idee der Religion«

Der Jungnationale Bund veranstaltete auf der Burg Rabeneck im östlichen Franken eine Tagung seiner Führerschaft. Dorthin brachte unser Bundesführer Heins Dähnhardt einige Exemplare des neuen Buches von Brunstäd mit, und schon auf der Rückreise begann ich es mit Begier zu studieren. Diese Lektüre sollte für die zweite Hälfte der zwanziger Jahre erhebliche Folgewirkungen in meinem Leben und Denken haben. Brunstäd war sozusagen zum geistigen Patron unseres Bundes geworden. Unsere Führer holten sich Rat bei ihm. Seine eindeutige Zugehörigkeit zur Deutschnationalen Volkspartei, für die er – immer als Philosoph – mehrere große kulturpolitische Reden gehalten hatte, konnte uns nicht davon abschrecken, mit dieser ungewöhnlich starken Persönlichkeit Kontakt zu haben. Die Unart, einen Menschen nach Feststellung seiner Parteizugehörigkeit entweder zu bejubeln oder zu diffamieren, herrschte in unserem Bunde glücklicherweise nicht. Brunstäd war eine regimentale Figur, aber er hat uns nie vergewaltigt und auch nie in das innere Leben unseres Bundes eingegriffen. Sein Verständnis für den Willen junger Menschen, sich selbst zu wagen und zu entfalten, hinderte ihn daran, uns kommandieren zu wollen.

Jedenfalls machte »die Idee der Religion« starken Eindruck auf mich. Ich hatte die gängigen Religionsphilosophen vom alten Pfleiderer bis zur Epoche des Ersten Weltkrieges gelesen, doch eine so starke Synthese aus Religionsgeschichte und systematischer Philosophie in einer Synthese von Kant und Hegel samt positiv bejahender Durchdringung des christlichen Glaubens war mir bisher noch nicht begegnet, einzig Paul Tillich ausgenommen. Natürlich konnte die Masse unserer »Junabu«-Leute das philosophische System Brunstäds nicht verstehen, doch seine kraftvolle, ja wuchtige Männlichkeit und die lautere Hingabe des Herzens an das Vaterland, sein Wille, um die »nationale Erneuerung« von Volk und Staat mitzukämpfen, überzeugte alle. Paul Althaus hat mit Recht in einem Nachruf von dem so früh Dahingeschiedenen gesagt, als Mensch und Persönlichkeit sei Friedrich Brunstäd unvergleichlich viel mehr gewesen, als sein begrenztes philosophisch-theologisches Schrifttum erkennen lasse.

Brunstäd war zu jener Zeit (1922) außerordentlicher Professor der Philosophie in Erlangen. Man bezweifelte, ob er wegen seiner politischen Richtung je ein philosophisches Ordinariat erlangen würde. Tatsächlich nahm Brunstäd 1925 den Ruf auf einen ordentlichen Lehrstuhl der Systematischen Theologie in Rostock an, wo er bis zu seinem Tode (mit 61 Jahren) verblieb. Welch merwürdiges Wechselspiel: während Ernst Troeltsch und Heinrich Scholz den Weg aus der Theologie in die Philosophie antraten – was einige borniertе Zionswächter als »Fahnenflucht« brandmarkten –, trat umgekehrt Brunstäd den Weg zur Theologie an, wobei es für ihn keiner Bekehrung oder Zuwendung zum Neuen bedurfte. Auch der Erlanger Philosoph war Christ und machte daraus keinen Hehl.

Auch Tillich nahm an diesen »Übertritten« teil, als er nach Frankfurt am Main berufen wurde. Solche Vorgänge zeigten mir auf ihre Weise, daß Philosophie und Theologie nicht im Stile des radikalen Dualismus voneinander zu trennen sind, und daß es eine »chemisch« reine, sozusagen philosophiefreie Theologie gar nicht geben kann, auch nicht in der Form der mit Karl Barth beginnenden Theologie des Wortes Gottes (Deus dixit). Diese Einsicht gewann ich freilich erst lange nach meiner Studentenzeit.

In Brunstäds »Idee der Religion« hatte mir das religionsphänomenologische Kapitel sehr imponiert wegen seiner souveränen Durchdringung der Religionsgeschichte mit philosophisch-theologischen Leitbegriffen. Hier sprach ein echter Erbe Hegels. Ich hatte viel religionsgeschichtliche Literatur gelesen und damit schon vor Beginn des Studiums angefangen, so daß das Studium der biblischen Fächer darunter litt. So las ich u. a. auch W. Lüttges schöne Studie über die Erlösung im Buddhismus und im Christentum sowie andere Schriften über indische Religionen usw. Daher ist meine anfänglich große Begeisterung für die »Religionsgeschichtliche Schule« und die Reihe der populären »Religionsgeschichtlichen Volksbücher« verständlich. Besonders Wilhelm Bousset war einer meiner Heiligen. Sein Büchlein über Jesus versah ich mit zustimmenden Ausrufen, besonders an jenen Stellen, wo er sich gegen alle und jede Christus-Dogmatik wendet, weil diese das Bild des wirklichen, geschichtlichen Jesus von Nazareth bis zur Unkenntlichkeit entstelle und nichts ahnen lasse von der einfachen, schönen Religion Jesu, seinem schlichten Gottvertrauen. So etwa der Tenor des mich entflammenden Büchleins, das mich wohl deswegen so bewegte, weil ich überhaupt mit 18, 19 Jahren im Begriffe war, den Raum des Pietismus zu verlassen und mich über den Vorplatz der rationalistischen Aufklärung in die geweihten Räume des klassischen Idealismus zu begeben. Das war eine Art individuellen Nachvollzugs der großen geistesgeschichtlichen und kirchengeschichtlichen Entwicklung Europas seit dem 17. und 18. Jahrhundert in dem sehr engen Raum und Rahmen eines Einzellebens, aber doch typisch für das, was sich in jungen Menschen der zwanziger Jahre, die aus einer starken, scharf ausgeprägten christlichen Tradition herkamen, vielfach ereignete. Mein Vater, ein Schüler Martin Kählers in Halle, hatte sich durch die Ritschlsche Schule und deren Folgen, durch die »liberale« Theologie seiner Zeit hindurcharbeiten müssen. Ein mystischer Zug, im Gegensatz zur hausbackenen Bürgerlichkeit und Moralität Ritschls, war ihm eigen, aber ein Pietist war er nicht. Die Frömmigkeit, von der ich herkam, war gut lutherisch ohne jede Enge und konfessionellen Doktrinarismus. Kirchenpolitisch gesehen – es gab ja damals von links nach rechts die verschiedensten Gruppen, ja Parteien, die in den zwanziger Jahren noch durch die »Religiösen Sozialisten« erweitert wurden – war mein Vater genau wie Deissmann ein Mann der Mitte; die Extremisten bei den kirchlichen »Liberalen« stießen ihn genauso ab wie die »Positiven«, ob nun mehr pietistisch oder lutherisch-orthodox.

Junge Menschen dagegen werden bekanntlich gerade durch die Extreme angezogen, und es ist gut, wenn sie diese praktisch und theoretisch durchexerzieren. Das hätten die Rufer nach »law and order« in den sechziger Jahren und am Anfang der siebziger wahrhaftig wissen können und bedenken sollen, als die »Studenten-Revolution« losbrach. Also hielt ich mich zunächst an die, die gegen die gräßliche Dogmatik des Paulus, diesen Urheber des »Sünde-Gnade«-Christentums, gegen seine ganz verfehlte Christologie und die des Johannes bis ins 19. Jahrhundert revoltierten und protestierten, bis sich gegen Ende meiner Studienjahre (1924) schon ein kräftiger Umschwung vorbereitete. Auch Brunstäd war einer der Helfer, die mich weiterführten.

Es war nichts als ein beklemmendes, quälendes Gefühl, wenn ich den Reden von links und rechts im Studentenparlament mit dem Federhalter folgte. Man hatte mich 1921 zum Schriftführer erkoren. Nächtelang schrieb ich Sitzungsprotokolle mit der Hand. Die studentische »Schwatzbude« (so titulierten die Berliner den Reichstag) hatte kein Geld, um einen Stenographen oder eine Sekretärin zu bezahlen. Ich war froh, als im Oktober 1922 mit meiner Abreise nach Heidelberg diese anstrengende Arbeit ihr Ende fand.

Kein traditioneller Weg zum Examen

Nach damaligen Normvorstellungen hätte ich mich schleunigst zum Examen melden müssen, gemeint ist das 1. theologische Examen beim Ev. Konsistorium der Provinz Brandenburg in Berlin. Warum tat ich es nicht? Hatte ich zu viel »Allotria« getrieben, Jugendbewegung, Studentenparlament, literarische Liebhabereien, politische Interessen? Daran ist sehr viel Richtiges, denn ein Student, der stur aufs Examen lossteuert, um spätestens im 7. oder 8. Semester am Ziel zu sein, bin ich nie gewesen, *konnte* es wohl gar nicht sein. Zu groß, zu reich war mir die Welt und ihre Geschichte, sie hatte zuviel der lockenden Schönheit, um so borniert und beschränkt leben und arbeiten zu können.

Doch zurück zur Examensfrage. Ich fühlte mich absolut nicht »reif« dazu. In dem Fach Altes Testament fehlte mir noch immer sehr viel, obwohl ich bei Otto Eissfeldt, dem damaligen Berliner Privatdozenten für Altes Testament – später ein bedeutender Alttestamentler in Halle/Saale – einen Kurs »Hebräisch für Fortgeschrittene« mit Nutzen absolviert hatte. Auch in der Kirchengeschichte fühlte ich mich gar nicht sicher. Ich las mit großer Begeisterung Karl Holls »Luther«, als dieser 1921 erschien und sehr schnell Berühmtheit erlangte. Eine völlig neue Sicht Luthers im Vergleich zur Pfarrhaus-Tradition oder dem landläufigen Religionsunterricht an den Schulen wurde mir durch dieses Buch eröffnet. Aber Luther – das war nur eine Epoche (wenn auch für uns grundlegend) –, es gab da noch so viele *andere* Zeitalter, in welchen ich Bescheid wissen sollte. »Der Heussi«, das weitverbreitete Studentenlernbuch vieler

Jahrzehnte, fand ich abscheulich trocken, Leben und Kampf der Geschichte in dürre Paragraphen, Überschriften, Unterabteilungen und Begriffe verwandelt – nichts für mich! Dennoch mußte ich 1924 diesen alten »Schmöker« für das Rigorosum durchbüffeln, zahllose Unterstreichungen in Blei-, Rot- und Blaustift zeugen noch heute von meinem mit Widerwillen durchsetzten Fleiß. Das nur in Fragmenten erschienene große und bewunderswürdige Lehrbuch von Karl Müller, Tübingen, war mir 1921–1924 noch gar kein Begriff, ich kannte nicht einmal den Namen. Hätte es doch damals schon den Grundriß der Kirchengeschichte von Kurt-Dietrich Schmidt (gestorben als Professor der Kirchengeschichte in Hamburg) gegeben, der in lesbarer Form klare Linien durch das Chaos von Daten, Personen, Lehren und Ereignissen zieht, in welchem ich mich damals fast versinken fühlte.

Also mußte ich denn wohl oder übel weiterstudieren. Letzten Endes aber betrifft das soeben Gesagte doch nur Vordergründe. Ich konnte mich einfach nicht dazu durchringen, den traditionell vorgeschriebenen Routineweg über die kirchlichen Examina ins Gemeindepfarramt zu beschreiten. Für meine Eltern eine sehr schwierige Situation, die ihnen Sorgen bereitete. Jedoch, wenn ich im Pfarrhaus an der Markus-Kirche zu Berlin-Steglitz mitansehen mußte, wie die Kirche in Groß-Berlin ihre Pfarrer ausbeutete und »verheizte« – 8000 »Seelen« und ein einziger Pastor, und diese Konstellation unverändert durch Jahrzehnte –, so verging mir jede Lust und Freude an einem solchen, in meinen Augen geradezu entstellten, Menschen ruinierenden Amt. Außer den in Anstalten und Verbänden der Inneren Mission tätigen Pastoren gab es damals überhaupt noch keine Ausgliederung des Pfarr- und Theologen-Amtes in sachlich spezifizierte Aufgaben und Arbeitsbereiche verschiedener Art und Zielsetzung. Da lag also mein Dilemma.

Irgendetwas von persönlicher Art, Eignung und Veranlagung ist dabei mit im Spiele gewesen. Meine Freunde können dies weit besser beurteilen als ich selbst.

Zu meinem 22. Geburtstag schenkte mir eine Patin, Gertrud Gühne, eine Schwester meiner Mutter (Lehrerin und Konrektorin an einer großen Volksschule in Berlin-Schöneberg) das, was mein Vater, der noch drei andere Söhne durchzubringen hatte, nicht finanzieren konnte: ein Semester in Heidelberg. Sie schuf damit die Grundlage für die Promotion zum Dr. theol. in Heidelberg (13. 12. 1924). Diese Frau vollzog nicht bloß in guten Worten, sondern mit Taten das oft so entleerte, zum gesellschaftlichen Routineakt herabgesunkene Patenamt. Ich bin sehr dankbar dafür, daß ich dieser Patin, einem Menschen betender Frömmigkeit ohne religiöse Sentimentalität, hier ein kleines Denkmal errichten darf. Ohne sie ist mein späterer Weg unvorstellbar. So kann eine schlichte, liebevolle Helfertat tief in das Leben eines jungen Menschen eingreifen und es zu neuen Zielen wenden. Für mich ein Beweis für das ehedem nur empfundene, nicht gewußte und nicht durchdachte Geheimnis, wie Gott in Kirche und Welt, in der kleinen Wirklichkeit eines Menschenlebens immerdar *durch Menschen* handelt.

71

Last und Lust zugleich bedeutete die Tatsache, daß ich nur allzu viele Interessen hatte. Oft und mit Recht bin ich vor der Zersplitterung gewarnt worden. Sie hat mich in der Tat mein ganzes Leben hindurch bedroht. Ich hätte mich ganz der Philosophie ergeben mögen oder der Geschichtswissenschaft oder mich – innerhalb der Theologie ebenso gern dem Neuen Testament wie der christlichen Dogmatik gewidmet. Glückhafte Wendungen aus Ursprüngen jenseits meiner Person haben schließlich und endlich dazu geholfen, daß ich durch den Anreiz so vieler Verlockungen und Verführungen meinen eigenen Weg fand. Leicht war es trotzdem nicht immer. Abfällige Urteile derer, die mich in ihren Fachdisziplinkästen nicht unterbringen konnten, gab es in allen Jahrzehnten meines akademisch-theologischen Daseins genug.

Natürlich gab es Kopfschütteln auch bei den Pfarrkollegen meines Vaters in Berlin-Steglitz (damals wurde noch nicht »gebrüdert« – Anrede mit »lieber Bruder«.): »Warum macht er denn nicht endlich Examen?« »Er hat doch schon acht Semester!« »Wenn der nur nicht ein ewiger Student bleibt, dann täte mir der Kollege Wendland wirklich leid.« Rumor et fama, Gerede und Gerücht hinterbrachten es den Leidtragenden und Betroffenen. Angenehm war das weder für meine Eltern noch für mich. Um so lieber kehrte ich jetzt – im Oktober 1922 – Berlin den Rücken und entschwand nach Heidelberg.

Hellas und Rom

Zur Steuer der Wahrheit soll aus der Bildungsgeschichte des pp. H.-D. Wendland noch folgendes vermerkt werden, was für das historische Bewußtsein meiner Zeit- bzw. Jahrgangsgenossen nicht unwesentlich ist. (Wir pflegten den Jahrgang oo mit einem hier nicht wiederzugebenden, drastischen Ausdruck selbst »durch den Kakao zu ziehen«.) Schon vor dem Ersten Weltkrieg schenkte mein Vater mir, dem Untertertianer, zwei Bücher von Wilhelm Wägner, »Hellas« und »Rom«. Sie waren, wie man sich damals auszudrücken beliebte, »für die reifere Jugend« geschrieben. Das waren gut erzählte Einführungen in Geschichte, Kultur, Mythologie und Religion des antiken Hellas und Rom. Ich habe sie mehrmals gelesen und immer wieder aufgeschlagen. Stoll-Lamers Sagen des klassischen Altertums kamen noch hinzu. Ich trat in eine neue, bezwingend große Welt. Die Bücher machten einen unauslöschlichen Eindruck auf Herz und Kopf des jungen Lesers. Es hört sich wie eine Übertreibung an, wenn ich sage: der klassischen Humanität bin ich mein Leben lang verbunden und verpflichtet geblieben. Das hat seinen Nachhall bis in meine sozial-ethischen Schriften der sechziger Jahre, wenn es da um das Verhältnis des christlichen Ethos, der Agape (Liebe im Sinne des Neuen Testaments) zur »allgemeinen« Humanität, zur Mitmenschlichkeit geht.

Meine Großmutter Anna Wendland (geb. Steinhausen) verstärkte noch meine Liebe zum klassischen Altertum. Sie schenkte mir zu meiner Konfirmation Theodor Mommsens »Römische Geschichte«. Da las ich denn mit glühender Begeisterung das berühmte Kapitel über Cäsar, der für Jahre mein Idol wurde und sogar Perikles in den Hintergrund drängte. Es gab nur einen, den ich neben Cäsar stellte: Alexander den Großen. So wurde ich mit dem Tragischen in der Geschichte vertraut, mit frühem Sterben, jähem Scheitern und Untergang auf der Höhe der Macht. Das undurchdringbare Geheimnis der Weltgeschichte berührte mich. Die gleiche Erschütterung überfiel mich, wenn ich von den großen Kaisern Heinrich VI. und Friedrich II. und vom Untergang der Hohenstaufen hörte. Den Untergang der Hohenzollern mußte ich als 18jähriger miterleben. Anfang November 1918 stand ich an der Schloßstraße in Berlin-Steglitz und sah die müden grauen Kolonnen der einst so stolzen kaiserlich-königlichen, preußisch-deutschen Armee an mir vorüberziehen, geschlagen, besiegt, elend und halb verhungert, die meisten ohne Waffen, die rote Binde um den Arm, ohne die alte Ordnung und Disziplin. Andere dagegen in militärischer Zucht, auch in der Niederlage noch Soldaten, die ererbte und anerzogene Haltung bis zum bitteren Ende bewahrend. Was hatte dies alles zu bedeuten? Meine Jugend im alten Reich war dahin. Plötzlich war Vergangenheit, was Eltern, Großeltern und Lehrer als das höchste irdische Gut geliebt und verehrt hatten: das Vaterland. Die Tragödie der Weltgeschichte, jetzt hatte ich sie selbst erlebt und erfahren. Kann es da wundernehmen, daß ich den Satz Hegels »Die Weltgeschichte ist nicht der Boden des Glücks«, den ich wenige Jahre später las, voll in mich aufnahm und bejahte.

Die Historiker und die Geschichte

Zu Theodor Mommsen kam in der Prima Leopold von Rankes »Die großen Mächte«. Mich fesselte die gemessene, mir klassisch erscheinende Sprache. Der eigenartige Real-Idealismus des großen Geschichtsschreibers, wonach die großen politischen Mächte zugleich eigentümliche, sittliche Ideen verkörperten und diesen Gestalt gäben, war begreiflicherweise Wasser auf die Mühle des jungen Idealisten. Später, beim Beginn des Studiums, las ich Rankes »Deutsche Geschichte im Zeitalter der Reformation« in einer gekürzten Ausgabe. Wir haben seit Ranke enorm viel hinzugelernt, die Flut der Untersuchungen über Luther und seine Theologie, über die Reformation und ihre Weltwirkung etc. ist unermeßlich und sogar für den Fachgelehrten heute unübersehbar –, doch die Werke Rankes haben durch den großen historischen Atem, der sie durchweht, durch die Andacht des Betrachters, in Erfahrung zu bringen, wie es eigentlich gewesen sei, ihre besondere Wirkung. Damals war das nur mein unmittelbar-ganzheitlicher Eindruck. Mein Onkel Richard Harder, Oberpfarrer in Halberstadt und späterer Superintendent in Landsberg an der Warthe, ein historisch höchst gebildeter Mann, hat die Liebe zu Ranke und anderen großen Historikern in mir gestärkt. Mein Vater wiederum erzählte des öfteren von Heinrich von Treitschke, den er selbst Ende der achtziger, Anfang der neunziger Jahre des vorigen Jahrhunderts in Berlin gehört hatte. Donnernder Trampelapplaus habe den geliebten historischen Rhetor, den Repräsentanten preußisch-deutscher nationaler Geschichtsschreibung, dem Preußen als Wegbereiter deutscher Größe, als Kern und Stern des zweiten Kaiserreiches über alles ging, jeweils begrüßt. Mit Ranke und Droysen kam auch Treitschke in meinen Bücherschrank, doch mußte ich das personalistisch-heroische Prinzip »Männer machen die Geschichte« ernstlich korrigieren, als ich 1929/1930 als Privatdozent in Heidelberg begann, mich mit Sozialgeschichte und sozialen Bewegungen zu befassen.

Der Name Droysen führt mich zum Hellenismus und dem Zeitalter Alexander des Großen und seiner Diadochen zurück. Durch Deissmann hatte ich die mächtige Wirkung der Koine, der Allerwelts-, Umgangs- und Verkehrssprache dieser Zeit, in ihren »volkstümlichen«, zumal aus den Papyri gewonnenen Hauptzügen kennengelernt. In Heidelberg wurde ich darüber hinausgeführt und mit anderen Stilelementen und Bewegungen des Hellenismus bekannt gemacht, – doch eben dies hatte ich in den Jahren 1922–1923 in Heidelberg noch gar nicht bemerkt. Ich war so sehr auf Systematische Theologie und Philosophie eingeschworen – ich lernte Heinrich Rickert sowie die »Wertphilosophie« der Südwestdeutschen, Badischen Schule aus erster Hand kennen –, daß ich sozusagen von Deissmann und der neutestamentlichen Wissenschaft »abfiel«, weil ich mir naiverweise einbildete, hierfür in Berlin genug getan zu haben. Trotzdem blieb das Interesse am klassischen und hellenistischen Altertum unbewußt in mir lebendig und konnte zu seiner Zeit wieder aufwachen, – eine Voraussetzung, ohne die ich schlecht ein Ausleger des Neuen Testaments hätte sein können.

Ich las in Heidelberg »Die Formgeschichte des Evangeliums« von Martin Dibelius in der ersten Auflage, doch begriff ich nicht die Intention des Verfassers, so daß der weittragende Entwurf ohne Wirkung auf mich blieb.

Reise nach Heidelberg

Doch zunächst ein Wort darüber, wie ich Mitte Oktober 1922 von Berlin nach Heidelberg gelangte: mit einem ganz gewöhnlichen Personenzug ab Anhalter Bahnhof, den es nicht mehr gibt. Abfahrt etwa 20 Uhr, zunächst bis Frankfurt am Main, wo ich umsteigen mußte, Ankunft in Heidelberg gegen 14 Uhr am darauffolgenden Tage! Natürlich fuhr ich in der untersten Holzklasse, »vierter Jüte«, wie man in Berlin zu sagen pflegte. Mehrere Nachtstunden verbrachte ich auf dem Fußboden des großen, für Traglasten bestimmten Abteils. Die Reisekameradschaft war »prima«. Ich wurde mit heißem Kaffee erquickt, trotz der Ungunst der Zeiten, trotz der rapide, gleich einer Schwindsucht fortschreitenden Inflation. Zunächst bevölkerten nur Berliner das Abteil. Dieser mit Skepsis, Nüchternheit und ständiger Witzbereitschaft ausgerüstete Menschenschlag läßt sich bekanntlich nicht so leicht »kleinkriegen«. Nach einer Reisedauer von fast 18 Stunden war ich bei der Ankunft auf dem alten, in der Stadt gelegenen Heidelberger Bahnhof ziemlich erschöpft. Ich begab mich zur Großen Mantelgasse, wo ich ganz nahe der Alten Universität, bei der Witwe Beiler wohnen sollte. Diese Studentenbude hatten mir Prof. Willy Lüttge und seine Frau vermittelt. Er hatte nicht lange zuvor einen Ruf nach Heidelberg erhalten und angenommen, soviel ich weiß als Nachfolger des nach Göttingen berufenen G. Wobbermin. Frau Beiler lebt noch heute im höchsten Alter in Heidelberg.

Ich mußte noch am gleichen Tag zum Güterbahnhof eilen, um meinen Frachtkorb abzuholen. Da der Güterbahnhof damals ziemlich weit draußen vor der Altstadt lag, mußte ich den Korb mit einem Handwägelchen fast durch die ganze Stadt ziehen. Ich war schwer enttäuscht. Von den berühmten Schönheiten Heidelbergs und seiner vielbesungenen Romantik sah ich bei der Plackerei mit dem Gepäck so gut wie gar nichts. Ich erblickte nur zwei Höhen, die eine offenbar südlich, die andere nördlich des Neckar.

Schon in den nächsten Tagen war die Enttäuschung verflogen. Ich eilte zu meinem Lehrer Willy Lüttge, der im Erdgeschoß des »Prinsche-Palais« wohnte. So nannte der Volksmund den würdigen, doch bescheidenen Bau am Karlsplatz, weil dort früher Mitglieder des in Karlsruhe regierenden großherzoglichen Hauses abzusteigen pflegten. Von den hinteren Fenstern blickte man auf den Berg mit der weltberühmten Schloßruine. Das schien mir ein wunderbarer Ort zum Studieren zu sein. Im oberen Stockwerk des alten Palais befanden sich die mehr als bescheidenen Räume der theologischen Seminare, auf der anderen Seite am Treppenvorplatz die Räume der Heidelberger Akademie der Wissenschaften, die nach den Quadratmetern gerechnet ebenfalls bescheiden ausgefallen waren. Diese Sitzungszimmer oder was es sonst noch sein mochte, waren für uns Studenten völlig unzugänglich. Wir ahnten nur die Höhen der hier vollzogenen Riten würdigster Wissenschaft. Da meine zukünftige Braut und ich dem Ehepaar Lüttge beim Einpacken für den Umzug nach Heidelberg fleißig geholfen hatten, war das Wiedersehen besonders gut und erfreuend.

Meine Bindung an W. Lüttge bewirkte, daß ich es ihm schuldig zu sein glaubte, nochmals seine Vorlesungen über Dogmatik I und II sowie anderes zu hören, obwohl ich mich doch mit meinen relativ gut geschriebenen Kollegheften hätte begnügen können. Hier war ein wohl etwas zu hoch getriebenes Verpflichtungsgefühl im Spiel. Vor allem aber kam hinzu, daß ich bei diesem Manne gern promoviert hätte. Ich wagte aber nicht, ihn nach einem für mich geeigneten, nützlich zu bearbeitenden Thema zu fragen. Das schien mir nicht schicklich oder gar zu dreist, obwohl ich in jeder Woche einmal zu einer Mahlzeit bei Lüttge eingeladen wurde. Der Gleichheitsfanatismus späterer Generationen war mir und meinesgleichen fremd, trotz Jugendbewegung, jedenfalls im Verhältnis Universitätslehrer – Student.

Willy Lüttge seinerseits hatte meine Möglichkeiten offenbar etwas überschätzt, als er mich gegen Ende des Wintersemesters 1922/1923 fragte, welches Thema ich denn gewählt hätte. Ich stotterte verlegen, daß ich noch gar keines hätte, keines vor mir sähe. Dies schien meinen Lehrer zu wundern. Er wolle sich aber den Fall überlegen. Ein wenig später nannte er das nunmehr von ihm gewählte Thema: »Die Metaphysik des Idealismus und die Religion des Christentums in der Theologie A. E. Biedermanns.« Lüttge hatte zweifellos das Richtige getroffen, denn der Streit um den Idealismus und sein Verhältnis zum Christentum und zum christlichen Denken in umfassendsten Sinn des Wortes war ein Zentralthema jener Jahre. Ich erlebte bei Lüttge ein höchst bewegtes Seminar über Fichtes »Anweisung zum seligen Leben«, in dem er diese idealistische Mystik mit guten historischen wie systematischen Gründen kritisierte, besonders die eigenartige Auffassung Fichtes von Jesus als dem Eröffner des Zugangs zum seligen und ewigen Leben in seiner Gegenwärtigkeit. Doch »nicht das Historische, sondern allein das Metaphysische macht selig«, so Fichte. Also ist Jesus nicht der Christus, das heißt der Versöhner und Erlöser in historischer Person (»der Logos ist Fleisch geworden«, Joh. 1,14), sondern – in idealistischer Fehlinterpretation des so hochgeschätzten Evangelisten Johannes –: nachdem Jesus einmal den rechten Weg zum seligen Leben geöffnet und das wahre eigentliche Leben erschlossen hat, können *wir* diesen Weg frei und selbständig beschreiten, ohne noch eines Mittlers des Heils zu bedürfen. Teilnehmer am Seminar hingegen verteidigten Fichte leidenschaftlich, einer entpuppte sich sogar als radikaler Fichteaner: Erst Fichte habe Kants Intention zum Ziel und zur Vollendung gebracht, damit sei Kant überwunden durch die Philosophie des »absoluten Ich« und zugleich die wahre Einheit zwischen Mensch und Gott gestiftet.

Ich schwankte zwischen dem Gefühl, theologische Kritik sei am Platze, und meiner Idealismus-Begeisterung hin und her. Hinzu kam, daß ich ja auch Fichte für »überwunden« hielt, nämlich durch Hegel, der im Begriff des absoluten Geistes den Personalismus der Theologie und das »absolute Ich« Fichtes mit dem griechischen Begriff des allein wahren Seins versöhnt habe. So dachte ich im Gefolge damaliger Hegel-Interpreten.

Aber ich fand mich nicht in der Lage, dies im Seminar zu Gehör zu bringen. Fühlte ich, daß Lüttge trotz seiner sehr guten Kenntnis Diltheys, wohl als Schüler Julius Kaftans, nichts mit Hegel im Sinn hatte? Letzterer hatte ja Kant als den Philosophen des Protestantismus hingestellt oder war doch in seiner »Philosophie des Protestantismus« (1917) als von Kant geleitet erwiesen, selbstredend in einer spezifisch »neukantianischen« Ansicht von Kant, die in den letzten drei Jahrzehnten des 19. Jahrhunderts entwickelt worden war. Von Albrecht Ritschl und seinen hervorragendsten Schülern, nicht ohne Anlehnung an die damalige nachidealistische, der »Spekulation« der Metaphysik feindlichen Philosophie, die sich auf die Erkenntniskritik Kants zurückzog, der ja doch gerade die traditionelle Metaphysik erledigt hatte, dieser »alles-Zermalmer«.

Angesichts solchen Widerstreits geriet ich »ins Schwimmen«, in immer größere Unsicherheit. Kein angenehmer Zustand! Mit Genuß hörte ich bei Hans von Schubert kirchengeschichtliche Darstellungen. Es packte mich, wie dieser kleine, im Engagement auf dem Katheder fast hüpfende Mann die Gestalten der großen Kaiser und Päpste mit bewundernswerter Farbigkeit und Fülle des Konkreten darstellte, plastisch von A bis Z. Ich glaube, ich hatte recht, als ich nach meiner Rückkehr nach Heidelberg als Privatdozent (Oktober 1929) zu Freunden sagte: »H. v. Schubert ist ein Vollblut-Historiker.«

In Heidelberg wohnte ich mit einem älteren, hochbegabten Kommilitonen namens Kindermann zusammen, der bereits an seiner Dissertation arbeitete. Er war der Sohn eines Professors an der Landwirtschaftlichen Hochschule Hohenheim bei Stuttgart. Wir hatten ein gemeinsames Wohnzimmer und ein Schlafzimmer, beide höchst bescheiden eingerichtet. Wir waren von den Üppigkeiten des heutigen Überflusses so weit entfernt wie ein Stern vom anderen. Von unseren kleinen Fenstern blickten wir nach rechts auf den Neckar hinunter, nach links auf die Mündung der Großen Mantelgasse in die Hauptstraße, die ich zu überqueren hatte, um in 4 Minuten die Alte Universität zu erreichen. Günstiger konnte man als Student gar nicht wohnen. Mit Entzücken schaute ich bei den ersten Gängen zur Universität, zur Immatrikulation usw. auf die umliegenden Berge, auf die gewaltige Schloßruine und den etwa 580 m hohen, die Stadt und die Rheinebene überragenden Königsstuhl. Jetzt sah ich das wirkliche, das schöne Heidelberg. Auch wenn der Blick sich nach rechts wendete, ging er zu den Bergen empor, zum Heiligenberg und zum Mönchsberg. Zur herrlich geschwungenen Alten Brücke und zu der Stelle, wo man flußaufwärts Ziegelhausen und Schlierbach erblickt, hatte ich gleichfalls nur wenige Schritte zu gehen. Wenn am Morgen in der Großen Mantelgasse die Fenster sich öffneten, erklangen fröhliche Begrüßungen und Zurufe die Gasse hinauf und hinab. Im Wintersemester hatte ich allein gewohnt, danach wurde für das Sommersemester 1923 die erwähnte Wohngemeinschaft zu zweit eingerichtet. Eine »Kommune« war das allerdings noch nicht. Obwohl Freund Kindermann ein sehr eigenwilliger Mensch war, ging alles gut. Ehrlich bewunderte ich seine konstruktive Gedankenkraft, seine eindringende Kenntnis der verschiedenen Wissenschaftslehren Fichtes u. a. Kindermann hatte den Mut, als Dissertation eine ganze eigenständige Religionsphilosophie vorzulegen. Robert Jelke, der »positive« bzw. orthodoxe Dogmatiker und Ludwig Ihmelsschüler (Leipzig) schnaubte Wut. Eine Religionsphilosophie »habe noch nicht einmal ich geschrieben«, soll er ausgerufen haben, »und da kommt dieser junge Kindermann und will uns eine Religionsphilosophie anbieten«! Hinzu kam, daß Kindermann »liberal« war und wie gesagt ein Idealist durch und durch. Trotz dieses Zornesausbruchs promovierte Kindermann natürlich, an der Leistung ließ sich nichts abmarkten. Jelke stand wohl ziemlich oft allein in der Fakultät da, aus guten Gründen isoliert, wie weiter unten noch an einem markanten, mich selbst betreffenden Beispiel verdeutlicht werden soll.

In Heidelberg lebte damals als außerordentlicher Professor der Philosoph Hans Ehrenberg, der eine echte Konversion zum evangelischen Christentum erlebt hatte und dadurch auch zum Urfeind der klassischen, idealistischen deutschen Philosophie geworden war. Seine dreibändige, höchst geistreiche, in Dialogform geschriebene »Disputation« bezeugt dies. Es ist betrüblich, daß dies Werk nicht neben Wilhelm Lütgerts »Die Religion des deutschen Idealismus und ihr Ende« oder den Gegenschriften Emil Brunners gegen den Idealismus stärker wirksam geworden ist. Offenbar stand sich Ehrenberg mit seiner Darstellungsart selbst im Wege. Schließlich verließ er die Universität Heidelberg und wurde Theologe und Pfarrer. Seine Folgerichtigkeit verdient Respekt. Wir sind uns in der zweiten Hälfte der zwanziger und anfangs der dreißiger Jahre noch ein paarmal begegnet.

Kindermann und ich nahmen im Sommersemester 1923 an philosophischen Übungen teil, die Ehrenberg abhielt. Sie waren praktisch ein Zweikampf zwischen Ehrenberg und Kindermann um den Idealismus, wir anderen sieben Teilnahmer folgten diesem Drama mit einer Mischung von Interesse, Bewunderung und der Unfähigkeit, dem Gang der Dinge zu folgen. Ich konnte mich zwar dem radikalen und überspitzten Fichteanismus Kindermanns nicht anschließen, nahm jedoch insofern Partei für ihn, als auch ich den Idealismus gegen den abtrünnigen »Afterphilosophen« (wie Ehrenberg in Heidelberg genannt wurde) nach Kräften verteidigte, insbesondere Hegels Gotteslehre, soweit ich sie verstanden zu haben glaubte. Das Ganze war ein Musterbeispiel für Pascals harte Absage an den «Gott der Philosophen« und seine Entscheidung für den »Gott Abrahams, Isaaks und Jakobs«, den Gott des geschichtlichen Heilsbundes mit den Erzvätern Israels. Ich hatte also im Sommer 1923 gegen Pascal Stellung bezogen, ohne es zu wissen, denn ich kannte ihn damals noch nicht.

Natürlich konnten sich die beiden Gegner nicht einigen. Aber der ungewöhnlich scharfe Disput verletzte die akademischen und menschlichen Formen nicht. Ideologischen Terror und Gewalttätigkeit gab es nicht. Man ging unversöhnt, doch mit Respekt vor der Persönlichkeit und dem Geist des anderen, auseinander.

Dies alles auf dem Hintergrund der rasend fortschreitenden, bis in die Billionen sich steigernden Geldentwertung und des Ruhrkampfes. Es war zu befürchten, daß die Franzosen wieder einmal Mainz und Frankfurt/Main besetzen würden, um nach erprobter Manier den Süden Deutschlands vom Lande nördlich des Main zu trennen. Wie sollte man dann nach Hause fahren?

Das Essen in der Mensa war grausam schlecht, man konnte es wirklich nur als »Fraß« bezeichnen. In der fettlosen Kartoffelsuppe schwammen einige Fäden Sauerkohl. Außer einigen Kartoffelspenden sich erbarmender Bauern und Gutsbesitzer hatte die Mensa nichts, weder Geld noch Lebensmittel. Nur mit harten Fremdwährungen hätte man etwas kaufen können. Es kam vor, daß uns die Tabakspfeife nach dem Essen übel bekam, Magen und Darm streikten. Der Tabak taugte auch nichts, da wir uns ja nur das billigste Zeug leisten konnten. Aber unsere Leidenschaft für Disputationen wurde selbst durch solche Leiden nicht gelähmt.

All diese Hemmnisse hinderten uns nicht, die schönen Sommertage in den herrlichen Anlagen am Schloß oder im Odenwald zu genießen. Zu jenen Zeiten war der Neckar noch nicht kanalisiert, was für Badende und Schwimmer große Vorteile bot. Oberhalb der Alten Brücke, etwa in Höhe einer großen alten Mühle befand sich mitten im Strom der sogenannte »Hackteufel«, eine Felsengruppe. Der Wasserstand war im Hochsommer 1923 sehr niedrig. Schon am Morgen wateten wir zu dieser Gesteinsformation, um zu baden oder uns von der Sonne braten zu lassen. Da es ja in der Mensa doch nichts Reelles zu essen gab, blieben wir des öfteren bis in den Nachmittag hinein auf unseren Steinplatten. Kollegs von 11–12 zu hören, war in der Zeit der großen, in Heidelberg zudem feuchten Hitze physisch fast unmöglich. Erst gegen 17 Uhr rafften wir uns auf, um uns in die 18 00 c. t. beginnenden Seminare zu begeben. Es gab übrigens Norddeutsche, z. B. Hamburger, die schon nach einem Semester Heidelberg fluchtartig verließen, weil ihnen »die Berge in die Buden fielen«. Sie konnten anscheinend den psychischen Druck nicht aushalten, den diese doch wirklich mäßig hohen Erhebungen auf ihre Ebene, Meer und Marschen gewohnten Gemüter ausübten. Ich gehörte nicht zu dieser Schar »landschaftsfühliger« Kommilitonen und belächelte sie. Denn schon hatte mich der Geist Heidelbergs, der alten alma mater (gegründet 1386) und ihrer höchst individuellen Stadtpersönlichkeit gepackt. Ort und Stunde regierten die Studenten, »unsere Herre«, wie die Heidelberger Wirtinnen sagten. Man sah viele Couleur-Bänder und Mützen auf den Straßen, der Mensurbetrieb war in vollem Gange.

Geist und Götter Heidelbergs

Also eine typische deutsche Universitätsstadt alten Stils? Dies stimmt nur zum Teil, es gab auch ganz andere, moderne Elemente. So zum Beispiel die studierenden Mädchen, von uns als »Blaustrümpfe« abgewertet, aber sie waren nun einmal da, und bei Gundolf saßen sehr viele von ihnen. Ferner gab es die »Georginen«, das heißt die Jünger des Dichters Stefan George mit ihren Samtbaretts. Sie waren anders als alle anderen und strichen ihre Haltung als Glieder des von einem Großen gestifteten Männerbundes in Gehabe, Gebärde und Redestil gehörig heraus. Von den meisten wurden sie bespöttelt. Heidelberg war in den zwanziger und dreißiger Jahren eine Stadt, in der man die Götter aller Zeiten und Zonen anbetete. Da konnte man die »verkappten Religionen« (Christian Bry 1925) wie eine Offenbarung an lebhaft sprudelnden Quellen genießen und studieren. Daneben gab es die harte, sozusagen chemisch reine Säkularität, die alle Religionen samt dem Christentum längst in vornehmer Überlegenheit hinter sich gelassen hatte, die Prototypen des »nachchristlichen« Zeitalters, von der in sich geschlossenen und abgeschlossenen Ideologie des Marxisten bis zum radikal aufgeklärten Soziologen, der sich mit absoluter und totaler Skepsis bewaffnete, – jawohl, dies alles und noch viele andere Spielarten der dritten Aufklärung waren vor 50 Jahren in Heidelberg schon vorhanden.

Es gab zahlreiche ausländische Studenten – Engländer, Amerikaner und nicht zuletzt Japaner – in Heidelberg, denen unser Korporationswesen und -unwesen fremd war. Es wurde höchstens als eine romantische, deutsche Eigentümlichkeit von außen bestaunt. Als ich zum ersten Male Heinrich Rickerts Hörsaal im Erdgeschoß der bescheidenen Alten Universität betrat, war ich nicht wenig verwundert, so viele japanische Studenten vor mir zu sehen, die mir mit größter Höflichkeit Platz machten, wenn ich mich in die lange Bank hineinschieben mußte. Wir deutschen Studenten wirkten ihnen gegenüber beinahe wie Rüpel.

Was mochte die Japaner an der deutschen Wertphilosophie so stark interessieren? Gewiß wurde dieses Problem längst durch eine diesbezügliche Untersuchung aufgehellt, ich konnte es mir damals jedenfalls nicht erklären. Sie folgten Rickerts scharfsinnigen Deduktionen zur Logik, zur Erkenntnistheorie, zum System der Philosophie etc. mit der größten Aufmerksamkeit und entsprechendem Fleiß und waren ob winters ob sommers fast immer anwesend.

Was Rickert und den Kreis seiner Schüler und Freunde betrifft, kann ich ihn unmöglich so detailliert und differenziert, so farbig und rundherum konkret darstellen wie Hermann Glockner dies in seinem prachtvollen, erinnerungsreichen »Heidelberger Bilderbuch« getan hat. Weder stehen mir – von Ausnahmen abgesehen – ein Privatarchiv noch Aufzeichnungen von Gesprächen zur Verfügung. Auch habe ich Heinrich Rickert nie persönlich so nahegestanden wie Glockner.

Philosophie in Heidelberg

Gleichwohl, damals habe ich die Hauptwerke Rickerts studiert, angefangen von »der naturwissenschaftlichen Begriffsbildung« bis zum ersten Band des »System der Philosophie«. Auch Rickerts Beiträge zum »Logos«, einer namhaften philosophischen

Zeitschrift, verfolgte ich, so gut ich konnte. Besonders interessierte mich seine messerscharfe Kritik der »Philosophie des Lebens« (in jenen Tagen ein neues Buch, das mit jeder Art Irrationalismus »Schlitten fuhr«). Hatten wir denn nicht als Primaner begeistert Nietzsche gehuldigt und im Literarischen Verein auf dem Gymnasium gemeinsam »Also sprach Zarathustra« oder »Die Geburt der Tragödie« gelesen? Sollte das alles jetzt in Rauch und Asche aufgehen? Hatte Rickert nicht den transzendentalen Idealismus der »Werte« auf die Spitze getrieben? Diese Fragen, auf die ich keine Lösung fand, beunruhigten mich, doch erst als ich in den dreißiger Jahren als Heidelberger Privatdozent noch einmal mit der Sache konfrontiert wurde, gelangte ich zu einer klareren und festeren Auffassung.

Von dem tiefen Gegensatz zwischen Rickert und Karl Jaspers ahnte ich 1922/1923 nicht das mindeste. Ich hörte zwar bei Jaspers »Empirische Psychologie«, doch blieb diese Vorlesung ohne Wirkung auf mich, da ich noch ganz in den Fängen des systembildenden Idealismus hing. Das änderte sich erst in einer langsamen Entwicklung nach Abschluß des Studiums. Von Julius Ebbinghaus, dem damaligen Privatdozenten der Philosophie in Freiburg, war ich ja auch als ein »typischer norddeutscher Spätentwickler« charakterisiert worden. »An Volumen fehlt es Wendland noch, aber das kann ja noch nachkommen«. Diesen offensichtlich treffenden wie erheiternden Ausspruch tat Ebbinghaus, als er mich in der Ortsgruppe Freiburg des Jungnationalen Bundes kennengelernt hatte, dem er seine Gunst zugewandt hatte. Das Gerücht wollte wissen, er habe ein großes Buch über Hegel geschrieben, dies jedoch verbrannt oder anderweitig vernichtet, weil er sich auf dem »Rückwege« zu Kant befinde. So die fama in Freiburg, dem ich von Heidelberg aus einen Besuch abstattete. Zum dortigen »Junabu« gehörten ein paar treffliche Leute, z. B. Hans Duntze, Jurist und späterer Ministerialdirektor, mit dem ich mich vor wenigen Jahren in Hinterzarten wieder getroffen habe. Sodann Walther Kayser, der Geschichte studierte und über Ludwig von Marwitz, den konservativen Erzfeind des Freiherrn vom Stein, seine Dissertation schrieb. Er ist im Zweiten Weltkrieg geblieben.
Solcherlei Ausflüge wirkten belebend und anfeuernd; auch in Freiburg gab es nächtliche Diskussionen, politische, philosophische, auch religiöse, denn in unserem Bunde waren Leute, die sich ernsthaft mit den ihnen von den Elternhäusern und Lehrern übergebenen christlichen Traditionen sowie mit den als abständig und veraltet empfundenen Formen und Gebräuchen der Kirchen auseinandersetzten.

Auch ich stieg eines Tages mit klopfendem Herzen die Straße zu dem oberhalb der Alten Brücke sehr hoch und schön gelegenen Haus Rickerts empor, auf der dem Schloß gegenüberliegenden Seite des Neckar. Ich hatte mich als Hörer für die »Einführung in die Logik und Erkenntnistheorie« einschreiben lassen, die Rickert angekündigt hatte. Sie fand mit einem begrenzten Hörerkreis in der Wohnung des Philosophen statt, in jenen beiden großen Zimmern, aus denen man ein einziges machen konnte (Glockner hat sie des näheren beschrieben). Hier sah ich nun den berühmten Denker aus näch-

81

ster Nähe, nur durch zwei andere Sitzplätze auf meiner Tischseite von ihm getrennt. Schwankenden Schrittes und unruhevoll, so schien mir, war er ins Zimmer getreten und eilte auf den bequemen Sessel am Kopfende des Tisches zu. Erst als er Platz genommen hatte, kam er zur Ruhe und nach den ersten, noch stockenden Sätzen gelangte er zu völliger Sammlung und Konzentration. Es gab jetzt nichts anderes mehr als den streng und scharf geordneten Gang der Gedanken. Ich hatte den Eindruck, die Erkenntnislehre Rickerts sei so fein gesponnen wie Spinnweben. Ich wurde durch diesen Philosophen selbst zur Konzentration gebracht und bemühte mich, in meinem Kollegheft die Hauptgedanken klar zu fassen und zu Papier zu bringen. Ich schrieb immer mit Abkürzungen, doch habe ich niemals stenographiert. Es kam mir in erster Linie darauf an, ein Hörer zu sein, kein Mitschreiber; ein Hörer, der dem lebendigen Fluß der Gedanken folgt und sie mitzudenken versucht. Auch hatte ich zum Teil Bücher von Rickert in eigenem Besitz, die mir helfen konnten, das Gehörte nachzudenken und mir zu eigen zu machen. So blickte ich denn gespannt auf Rickerts Denkerhaupt, dessen vergeistigter, vom jahrzehntelangen Denken durchgearbeiteter Ausdruck mich fesselte. Zuweilen blitzten seine Brillengläser im Lichteinfall auf, und ich hatte das Empfinden, als funkelten sie von der durchsichtigen Klarheit und dem Schliff der Gedanken. Darüber konnte ich zuweilen den Ort und die Zeit völlig vergessen. Nach der Vorlesung bemerkte ich wieder das unsichere Schwanken beim Hinausgehen. Von den Kommilitonen hörte ich, der Philosoph litte an der »Platzangst«. Vor dem nächsten Kolleg in der Alten Universität sah ich ihn mit Hilfe seiner Frau aus der Droschke steigen und einem Fliehenden gleich durchs Portal stürzen. Auch in der dortigen großen Vorlesung stürzte er durch den Mittelgang auf das Katheder zu und kam erst zur Ruhe, wenn er sich auf dem »Lehrstuhl« – der Ausdruck ist hier wörtlich zu nehmen – Platz genommen und eingerichtet hatte. Er brauchte eine gewissen Zeit, bis er sich ganz an die Sache und den Gedankengang hingegeben hatte.

Daß Rickert nicht als reiner Erkenntnistheoretiker und Systematiker mißverstanden werden durfte, entnahm ich aus Erzählungen und Berichten von seiner Vorlesung über Goethes Faust, die ich leider nicht gehört habe. Es bekümmerte mich, daß ein so großer Geist von einer solchen Leibes- und Seelen-Schwäche angefochten war. Die Frage nach dem Sinn des Leibes, welche die Jugendbewegung lebendig und unausweichlich gestellt hatte, tauchte bei diesem Anblick wieder in mir empor. Wilhelm Stählin hat sie aufgenommen und in seinem, in 4. Auflage vorliegenden Buch über den »Sinn des Leibes« für die Zeitgenossen eindringlich beantwortet, wobei er auch die feine Grenze gegen die jugendliche Leibesvergottung sichtbar machte, die es nicht ganz selten gab. Die Versuchung zum Pan-Erotizismus lag sowieso schon lange in der Luft. Schließlich und endlich aber konnte der Anblick dieses Leidens meine Verehrung für Heinrich Rickert nur vertiefen: »Uns bleibt ein Erdenrest, zu tragen peinlich . . .« Mit Fug und Recht zähle ich ihn zu meinen Lehrern.

Auch im kleinen Einzelleben läßt sich die große, menschheitliche Dialektik von Schicksal und Freiheit in ihrer tiefen, unauflöslichen Verflechtung erblicken. Wie anders wäre wohl mein Weg und meine geistige Entwicklung verlaufen, wenn ich nach Marburg statt nach Heidelberg geraten wäre! Sicherlich wäre ich dann in den Einflußbereich von Rudolf Bultmann und Martin Heidegger geraten; ich wäre in diesem Fall weder zu Heinrich Rickert noch zu Martin Dibelius gekommen. Meine »Bestimmung« führte mich aber nach Heidelberg, obschon es andererseits meine freie Entscheidung war, dorthin zu gehen, wo nunmehr – seit 1922 – mein Berliner Lehrer Willy Lüttge wirkte.

So blieb denn auch der Marburger Neukantianismus Cohens und Natorps ohne wesentlichen Einfluß auf mich, obwohl ich des letzteren Alterswerk »Praktische Philosophie« wegen Natorps Rückkehr zu einer von mir als tiefsinnig empfundenen Metaphysik mit großem Respekt gelesen habe. Ein Marburger Wingolfbruder und Natorp-Schüler hatte mich auf diese seine Alters-Philosophie hingewiesen.

In der Berliner Theologischen Fakultät der Jahre 1921/1922 wurde von Rudolf Bultmann, wenn ich mich recht erinnere, kaum bzw. noch nicht gesprochen. Sein Buch über die Geschichte der synoptischen Tradition begann ja auch gerade erst seinen Lauf und seine Wirkung zu tun. So wurde mir auch von dieser Seite der neutestamentlichen Forschung her in Berlin kein Blick nach Marburg eröffnet. Statt zu Martin Heidegger trat ich durch Lektüre zu Karl Jaspers in Beziehung, aber dies geschah erst nach dem Abschluß meines Studiums. Während desselben hatte ich es in Heidelberg mit Heinrich Rickerts »Wert«-Philosophie zu tun. Unbefriedigt ließ mich der Dualismus zwischen den »geltenden« Werten auf der einen und den empirisch vorfindlichen Gegenständen auf der anderen Seite. Der zweite Band des »Systems der Philosophie« ist – ich meinte später: bezeichnenderweise – nie erschienen.

Über die Prinzipien hinaus, ins Reich des Konkreten, in die Fülle geschichtlicher Gehalte gelangte Rickert nicht. Ihm fehlte das, was mich an Hegel so mächtig anzog. Auch schien mir der wirkliche Mensch in dieser Philosophie auf das reine Subjekt des Erkennens zusammengeschrumpft. Um so mehr Eindruck machte mir daher Friedrich Brunstäds Synthese von Kant und Hegel, zumal er ja auch den Ertrag der Wertphilosophie selbstständig verarbeitet hatte und in seiner Religionsphilosophie mit einer bewegten, ja leidenschaftlichen Darstellung des Wert-Widerstreites einsetzte. Die Versöhnung aller Gegensätze fand Brunstäd im christlichen Glauben. Den Mut zu dieser Entscheidung in der philosophischen Situation von 1922 bewunderte ich. Das war doch etwas ganz anderes als die Aufnahme der Kategorie des Heiligen in die Tafel der Werte, welche Heinrich Rickert unter dem Einfluß von Rudolf Otto vorgenommen hatte. Dessen Buch über das »Heilige« tat damals seine weltweite Wirkung, auch unter den deutschen Theologiestudenten jener Jahre.

Mein Schicksal also führte mich nach Heidelberg, und ich habe nie einen Grund gefunden, mich darüber zu beklagen. Man kann nicht an allen bedeutenden Orten gleichzeitig Wurzel schlagen. Man kann nicht an Philosophie und Theologie in gleich starker Weise partizipieren, und man soll nicht »Hans Dampf in allen Gassen« sein, eine Gefahr, die junge Menschen mit vielen Interessen und Neigungen immer und kräftig genug bedroht.

Entdeckung der russischen Literatur

Im Wintersemester 1922/1923 entdeckte ich Dostojewski. Mit kaum zu stillender Begier und Leidenschaft las ich »Die Brüder Karamasow« und was ich sonst bei meinem Studienfreund Kindermann oder bei anderen erwischen konnte. Durch diese Lektüre wurde in mir für das ganze Leben die große Liebe zur russischen Literatur begründet. Im Laufe der Jahre las ich alles, was ich von Puschkin an bis zu Isaac Babel in deutschen Übersetzungen erlangen konnte. Ich muß für die letzten Jahre hinzufügen: bis zu Alexander Solschenyzin, dem jetzt aus guten Gründen meine Liebe und Bewunderung gehört, nachdem ich das Leben in russischen Gefangenenlagern unter »Väterchen« Stalin – von einigen Abwandlungen abgesehen – in derselben Art kennengelernt hatte (1945–49) wie dieser große Erzähler. Die bitteren Erfahrungen in Rußland und mit dem dortigen Bolschewismus haben diese Liebe zur russischen Literatur und zum russischen Menschen jedoch nie auslöschen oder abtöten können.

Die langen Winterabende waren mit der Lektüre berühmter Werke der Weltliteratur und selbstverständlich auch theologischer und philosophischer Bücher vollkommen ausgefüllt. Eine solche Konzentration kam meiner wissenschaftlichen Bildung sehr zustatten. Wegen der nun überall hochsteigenden Flut der Idealismus-Kritik las ich Fichtes »Grundzüge des gegenwärtigen Zeitalters« und seine von Lüttge im Seminar behandelte »Anweisung zum seligen Leben«. Auch befaßte ich mich mit der in der Fichte-Forschung jener Zeit viel erörterten Frage, ob Fichtes »Mystik« in der zweiten Hälfte seines Wirkens eine grundsätzliche Abkehr von der früheren radikalen Ich-Philosophie und den ersten Entwürfen über die »Wissenschaftslehre« darstelle oder nicht. Ich gelangte zu der Auffassung, daß die Vorstellung eines »Bruches« in Fichtes Entwicklung zwar abwegig sei, daß es aber trotz aller Kontinuität gleichwohl eine neue Phase im Denken Fichtes gegeben habe. Als ich mich zu Anfang der dreißiger Jahre mit den Problemen einer protestantischen Staatslehre alias Theologie des Staates zu befassen hatte, kehrte ich noch einmal zu Fichte zurück und beschäftigte mich mit seiner Staatslehre von 1813 sowie mit seiner Utopie des Reiches der »Vernunftkunst«, das heißt der vollendeten Humanität. Ich erwog in diesem Zusammenhang die Frage der eigenartigen Mischung von Transzendenz und Immanenz in den idealistischen Reich-Gottes Vorstellungen, – ein Thema, das mit meinen Studien zur Eschatologie eng verbunden war. Hinzu kam der Entwurf der Eschatologie von Paul Althaus (»Die letzten Dinge«, 1922), den ich bereits gelesen hatte, als ich in Heidelberg studierte, wobei mich der Begriff einer »axiologischen« Eschatologie an idealistische Vorstellungen erinnerte. Es hat zweifellos sein Gutes, wenn ein großer Problemzusammenhang das Denken in immer neuen Abwandlungen das ganze Leben hindurch beschäftigt.

Ich wäre mit Sicherheit in Heidelberg an den Folgen des Hungerdaseins erkrankt, wenn mich nicht Margarete und Willy Lüttge aufrecht erhalten hätten, indem sie mich ein- oder zweimal in der Woche zu einer stärkenden Mahlzeit einluden, bei der es z. B., welch Wunder! in Fett gebratene Kartoffeln gab, wie ich sie aus besseren Zeiten der Kindheit kannte, zuweilen sogar etwas Fleisch oder Wurst. So geriet auch ich in den Genuß der holländischen Gulden, die Lüttge auf Vortragsreisen in den Niederlanden erworben hatte. Und ein Gulden dieser harten, nicht an Inflation erkrankten Währung, der mir geschenkt wurde, reichte in dem Deutschland des Jahres 1923 auf lange Zeit, mein Leben zu fristen. Ein hungernder Student von damals ist für die heutigen jungen Menschen an den Universitäten womöglich gar nicht mehr zu verstehen. Es gab weder einen Staat noch eine Überfluß-Gesellschaft, an die man die Forderung hätte richten können, das Studium von A bis Z von den öffentlichen Institutionen zu finanzieren. Die wohltätige Hilfe, die mir widerfuhr, wurde auch nicht von Bedingungen oder Gegenleistungen abhängig gemacht.

Unkenntnis des Proletariats

Es liegt nahe, daß ein Student, der eben gerade über Wasser gehalten wird, mit anderen Notleidenden sympathisiert. Weit schlechter als mir ging es 1923 Millionen von Fabrikarbeitern und Arbeitslosen – bereits 6 Jahre vor dem Ausbruch der Weltwirtschaftskrise und dem großen Bankkrach in den USA –, denen kein rettender Gulden zur Verfügung stand. Doch mein Mitgefühl mit ihnen war keine echte Solidarität, sondern eben nur Mitleid, kein Mit-leiden.

Weder in der Berliner noch in der Heidelberger Studienzeit habe ich die historisch-sozialen Bedingungen meines individuellen Daseins erfaßt, daß es die *bürgerliche* Welt war, aus welcher ich kam, in der ich lebte und dachte. Glücklicherweise sollte sich dies in den Jahren nach 1925 ändern, doch auch in diesem Punkt verlief meine Entwicklung recht langsam. Ich war »der typische norddeutsche Spätentwickler«. In der eben genannten Periode erst kamen mir die in Form und Ausstattung höchst bescheidenen, auf holzhaltigem Inflations-Papier gedruckten »Grundlinien des religiösen Sozialismus« von Paul Tillich in die Hände, die halfen, einen zunächst für andere wie für mich selbst ganz unmerklichen Wandel herbeizuführen.

Was das ist, das Proletariat, diese zweite Nation inmitten der unsrigen, von dessen Hände Arbeit wir alle doch lebten, hatte ich trotz meiner schon angedeuteten großen Annäherung an die Jungsozialisten noch keineswegs voll begriffen. Die Reflexion auf die *eigene* gesellschaftliche Bedingtheit, Begrenztheit und Historizität lag der damaligen Theologie und Philosophie, in deren Gedanken ich mich doch bewegte, meilenfern. An der Leidenschaftlichkeit, ja Heftigkeit der Aussagen, die seit dem Zweiten Weltkrieg hierüber von Theologen, Sozialwissenschaftlern, Psychologen u. a. gemacht werden, spürt man, daß sich ein gewaltiger, unaufgearbeiteter, undurchdachter Stau angesammelt hatte, der schließlich die Dämme der Traditionen und Vorurteile durchbrach oder überflutete. Ein historisch notwendiger, nicht aufzuhaltender Prozeß. Nur wer dies bedenkt, kann verstehen, daß ein junger Akademiker und Theologe in den zwanziger und dreißiger Jahren große Mühsal hatte und schwere Arbeit nicht scheuen durfte, um sich Schritt für Schritt durch den Riesenwust der Traditionen und Denkformen hindurchzuwühlen. Mit radikalen Deklamationen statt der »Arbeit des Gedankens« wäre gar nichts auszurichten gewesen. Ich war also der Herkunftsgeschichte nach bürgerlich, und es dauerte sehr lange, bis ich die Scheuklappen vom Gesicht entfernt und die zahlreichen bürgerlich-nationalen Ressentiments und Abwehrhaltungen gegenüber dem mir fremden Volk des Proletariats abgelegt bzw. überwunden hatte. So tief und radikal Dostojewskis Analysen des Atheismus, des Nihilismus, der Sinnlosigkeitsverzweiflung in der zeitgenössischen, russischen Intelligenz auch waren, die mich aufs tiefste erschütterten, weil sie mir geistige Welten *jenseits* des deutschen Idealismus enthüllten – an diesem Punkt (Proletariat) konnte er mir nicht helfen. Seine Kritik des russischen Sozialismus seiner Zeit und dessen Abhängigkeit von »westlichen« Ideen konnte mir die wirklichen Verhältnisse nur weiterhin verbergen.

Dies sah ich auch erst ein, als ich begann, den Marxismus an den Quellen und nicht nur aus der bürgerlich-national-ökonomischen Widerlegungsliteratur zu studieren, die seit dem Erscheinen des ersten Bandes von Karl Marx' »Kapital« üppig in die Blüte geschossen war. Da alle liberalen und nationalen Parteien der Zeit, dazu noch die christlichen Gewerkschaften und der von Adolf Stoecker gegründete »Kirchlich-soziale Bund« – mit durchaus konservativer Grundtendenz wie sein Stifter – mehr oder weniger radikal »antimarxistisch« eingestellt waren (eine oftmals gar nicht mehr reflektierte Selbstverständlichkeit), wuchs ich in einem Klima auf, das sozusagen von allen Seiten mit anti-marxistischen Vorurteilen durchsättigt war.

Aus einem solchen Klima in ein anderes zu reisen, war für den jugendlichen einzelnen enorm schwierig. Geriet man doch bei Versuchen in dieser Richtung sofort in den Verdacht, nicht mehr vaterlandsliebend und national zuverlässig zu sein, ein Pazifist, der dem Internationalismus der Sozialdemokratie, womöglich gar dem Völkerbund huldigt und zu alledem die »Zersetzung« der »deutschen Kultur« durch Marxisten und Pazifisten wo nicht beistimmt doch duldet. Eine hübsche Reihe von Anklagepunkten! Sie ließe sich übrigens noch verlängern. Es konnte mir also wirklich nicht leicht fallen, die von Paul Tillich mit so viel konstruktiver Kraft und einer so kühnen Synthese aus Theologie, Philosophie und Neo-Marxismus aufgebaute Gegenposition, »religiöser Sozialismus« genannt, zu verstehen. Ich gebrauche dieses Wort jetzt nicht im Sinne des bloß rationalen Verstehens der Begriffe und des gedanklichen Aufbaus, sondern im Sinne einer inneren Aneignung, die den Leser vorwärts bringt und es ihm ermöglicht, die ererbten Vorurteile und Dressate abzubauen. Bis dahin mußte noch eine lange Zeit vergehen und in der Welt der europäischen und deutschen Geschichte einiges passieren.

Die Dominanz der Philosophie und der Systematischen Theologie war in meinen Heidelberger Semestern so stark, daß nichts anderes dagegen aufkommen konnte. Wie viele Umwege muß der Mensch doch machen, bis er halbwegs vernünftig wird! Auf vielen Holzwegen, die sich ins Gestrüpp verliefen, mußte ich umkehren, um einen gangbaren Weg zu einem näheren oder ferneren Ziel zu finden. Schon früh machte ich die Erfahrung, daß im Leben alles bar bezahlt werden muß: unsere Irrtümer und Torheiten, unsere privaten und politischen Fehlentscheidungen, unsere Engstirnigkeit, unsere falschen Ressentiments, unsere verlogene oder doch fehlgeleitete Selbsteinschätzung.

Höhepunkte der Jugendbewegung

Auch in Heidelberg verlor ich den Zusammenhang mit der Jugendbewegung und dem Jungnationalen Bund nicht. Ins Sommersemester 1923 fiel der Jungnationale Bundestag in Marburg/Lahn. Nur zwei Dinge sind mir erinnerlich: das »Kriegsspiel« auf den Lahnhöhen östlich des Flusses, zum Teil in den Wäldern sich abspielend, eine Art Geländeübung, bei der es darauf ankam, den »Feind« auszuspüren und zu stellen. Der richtige Gebrauch der Generalstabskarte war wichtig für die Orientierung im fremden Gelände. Diese überaus zuverlässigen Karten kannten wir natürlich von unseren »Fahrten« her, die mit »fahren« nichts zu tun hatten, abgesehen von der Benutzung der Berliner oder Hamburger Vorortbahn oder jener Personenzüge, die man unbedingt benötigte, um den Ort eines Bundestages oder Gautages zu erreichen. Alles, was sich erlaufen und erwandern ließ, wurde per pedes apostolorum erreicht.

Der Marburger Bundestag war – trotz St. Elisabeth und anderer Schönheiten der liebenswerten alten Stadt – leider von Streitigkeiten in der Führerschaft, besonders der Bundesleitung überschattet, die hier zu erzählen bedeuten würde, sich bei Lappalien aufzuhalten.

Von Marburg reiste meine zukünftige Braut mit mir nach Heidelberg, um diesen meinen nunmehr schon sehr geliebten Studienort kennenzulernen. Die treffliche Witwe Beiler brachte sie in dem unserem Häuschen gegenüberliegenden Gebäude in der Großen Mantelgasse unter, und wir schweiften ein paar Tage in den grünen Neckarwäldern und bei den alten Burgen umher, die den Strom bewachen. Die Schönheiten des Neckartals waren gottlob von der Inflation nicht betroffen, sie waren und sind wertbeständig bis auf diesen Tag, wenn man nur die lärmende, schmutzige Stadt mit ihren Touristenströmen, ihren Kitsch- und Drogenhöhlen weit genug hinter sich läßt.

Besonders schön war eine Wanderung nach Dilsberg, dem winzigen, ummauerten Städtchen auf seiner das Neckartal gleichsam sperrenden Höhe, die im Dreißigjährigen Krieg von dem berühmt-berüchtigten kaiserlichen General Tilly belagert wurde. Hier tauchte man in ferne Vergangenheiten bis ins Mittelalter und zurück. Die Zeit stand still, die Burgruinen am anderen Ufer wuchsen empor und zusammen zum alten lebensvollen Bau, der Atem der Geschichte wehte uns an, – doch welcher Geschichte? Des Elends des grauenvollen Konfessionskrieges zwischen Völkern und Fürstenstaaten, die angeblich christlich sein wollten, – des Elends deutscher Zersplitterung und blutiger, haßerfüllter Bruderkämpfe? Da war plötzlich der Sprung in die Gegenwart geschehen. Auch wir im Jahre 1923 lebten in einem von schier sinnlosen Parteikämpfen, konfessionellen und sozialen Gegensätzen, ja Klassenkämpfen zerrütteten Reich. Nahm das deutsche Unheil, die deutsche Tragödie nie ein Ende?

Und die deutsche Jugendbewegung, aus der Sehnsucht nach einem »neuen« Menschentum und Menschenbild geboren – einer Sehnsucht nach unvergänglichem Leben, die allezeit das Beste an ihr gewesen ist-, war andererseits das allergetreueste Abbild des deutschen Elends: zahllose, oft winzig kleine Bünde, fortgesetzte Spaltungen bis ins Sektiererische hinein, mit all dem Realitätsverlust und dem starr fixierten Fanatismus, der dazu zu gehören scheint wie der Rauch zur Flamme. Einheit der Jugendbewegung? Ein Gott hätte erscheinen müssen, um sie herzustellen. Nach dem Ersten Weltkrieg kam zum Nationallaster der Deutschen, der Spaltungssucht und Zerrissenheit, der verschiedenen Interpretation der Grunderlebnisse des Vorkriegs-Wandervogels, der Konkurrenz von Führern, von denen einige eine Zeitlang wie Halbgötter verehrt wurden, nun auf dem Boden der unbekannten und ungewohnten Demokratie auch noch die verschiedenartige politische Orientierung hinzu: sozialistische, jungdeutsche, jungnationale Vorstellungen von Volk und Staat, in je verschiedenem Verhältnis zu den Traditionen des 18. bis 20. Jahrhunderts, nicht zu vergessen die evangelische und katholische Jugendbewegung, z. B. der lange von Wilhelm Stählin geführte »Bund deutscher Jugendvereine«, ursprünglich aus der liberalen Kirchenecke stammend, oder der »Quickborn«, der seinen Mittelpunkt auf der Burg Rothenfels am Main hatte. Von »Quickbornern« hörte ich zum ersten Mal von Romano Guardini, dem Theologen und Philosophen, der in meiner Lebenszeit mit Recht durch sein wahrhaft progressives Denken und seine tiefgründigen Interpretationen großer Dichter berühmt geworden ist. Mir eröffneten die Schriften des jungen Guardini zum allerersten Mal den inneren Zugang zum »eigentlichen« Sinn der römischen Messe. Schon damals (1923/1924) fiel mir an den Quickborn-Leuten die lebendige Verbindung der katholischen Tradition mit dem Geist und den Impulsen der Jugendbewegung als sympathisch, ja als ungemein anziehend auf. Später gewann ich aus solchen Begegnungen und Beobachtungen die wohl naheliegende Frage: Sollte eine solche

Synthese von Alt und Neu, Vergangenheit und Gegenwart nicht auch im evangelischen Christentum möglich sein? Männer wie Wilhelm Stählin und ihm Gleichgesinnte, besonders von der Jugendbewegung berührte Jugendpfarrer beantworteten diese Frage im Denken und Handeln offenkundig mit Ja.

Am Ende des Sommersemesters 1923 fuhren drei jungnationale Kameraden mit mir zum Grenzlandfeuer der deutschen Jugendbewegung ins Fichtelgebirge, eine mir bis dahin völlig unbekannte Grenz- und Berglandschaft. Es ist mir ein Rätsel, wovon und wie wir diese Reise überhaupt bezahlen konnten, von Heidelberg quer durchs Reich bis an die böhmische Grenze, nur vierter Klasse mit Personenzügen, langsam und schier unendlich. Wir kampierten in Zelten und sonstigen spartanischen Unterkünften, aber alle uns schon gewohnten Entbehrungen beachteten wir kaum. Würden sich unsere Bünde mit ihren oft lächerlichen Rivalitäten und gegenseitigen Aburteilungen einander näherkommen, wenigstens bis zu der Bereitschaft, gemeinsame Fragen, die es doch in Hülle und Fülle gab, gemeinsam anzugehen, wenigstens in unseren uns alle bedrohenden nationalen Bedrängnissen, – im Jahr der Besetzung des Ruhrgebiets durch die Franzosen, im Jahr des »passiven Widerstands«!? Es gab viele Beratungen der Bundesführer und ihrer Begleiter, es gab viel guten Willen, aber die Zerfahrenheit im ganzen war ebenso groß wie die Verliebtheit in Ideen und Lebensformen der zahlreichen Bünde im einzelnen. Als nach 1933 die »Hitlerjugend« alle unsere Bünde mit Zwangsgewalt »gleichschaltete«, war es längst zu spät, frei und freiwillig für Einheit zu sorgen. Es gab sogar viele, die aufatmeten, als das ersehnte »starke Regiment« über die zersplitterte Jugend kam, die Autonomie und Freiheit bis zur höchsten Spitze emporgetrieben hatte: endlich *Einheit*, Ende der sinnlosen Streitereien und Grüppchen-Rivalitäten, – und dies unter dem nationalen Vorzeichen! Alles in bester Ordnung. Es gab nicht wenige Jungnationale, die den Weg in die Hitlerjugend und zum Nationalsozialismus mit Begeisterung beschritten. Ich kam etwa von 1934 an mit alten Freunden in Konflikt, weil ich wie von einem guten Engel beschützt und gewarnt, vor der Hingabe und dem »restlosen Einsatz«, den die Nationalsozialisten auf *allen* Lebensgebieten einschließlich Kirche und Christentum forderten, zurückscheute. Meine Lehrer hatten mir rechtzeitig die falschen Absolutsetzungen und trügenden »Ersatzreligionen« aufgewiesen, von denen die moderne Welt erfüllt war. Ihnen gilt mein Dank.

Am Grenzlandfeuer für die Heimat und das Vaterland vereint, die Deutschen jenseits der Reichsgrenzen in Böhmen und anderswo grüßend, hatten wir viele gute Gespräche, die dem gegenseitigen Verstehen dienten. Das Zusammentreffen so vieler Bünde war keineswegs nur ein Schattenspiel. Man lernte manches und manchen achten und begreifen, den man aus der Ferne mißachtet hatte.

Im Rückblick auf diese ferne Zeit vor 50 Jahren betrübt es mich, daß ich Helmut Kittel, der eine führende Rolle bei den Neupfadfindern spielte, nicht schon damals im eigentlichen, personalen Sinne begegnet bin. Er hat seine Erlebnisse in und mit der Jugendbewegung und den Menschen, mit denen sie ihn zusammenführte und die sein eigenes Leben mit geprägt haben, in seinen schönen und lebendigen Memoiren plastisch dargestellt, besser, als ich es vermöchte. Wer wirklich wissen will, was die deutsche Jugendbewegung gewesen ist, muß zu solchen Erinnerungen greifen.

Trotz allem, ich kehrte zufrieden nach Heidelberg zurück, müde und halb verhungert. Als ich auf dem alten Hauptbahnhof anlangte, hatte ich noch ganze vier Pfennig in der Tasche. Jetzt begannen für mich einige schwierige Wochen. Alle Freunde hatten Heidelberg verlassen. Isoliert und einsam versuchte ich mich an Vorarbeiten für die Dissertation und befaßte mich mit der Theologie und Philosophie des Spätidealismus der vierziger und fünfziger Jahre des vorigen Jahrhunderts. Ich las A. E. Biedermanns »Christliche Dogmatik« und seine kleineren Schriften sowie die dazugehörige Sekundärliteratur. Biedermanns scharfsinnige Synthese Schleiermachers und Hegels konnte ich nur bewundern, doch fehlte mir der rechte Ansatz zur Darstellung und zur Kritik. Es war auch wirklich nicht einfach, in diesem geschlossenen System das Verhältnis von Christentum und idealistischer Metaphysik zu bestimmen. Wo anfangen? Eine solche Arbeitslage drückte mich nieder. W. Lüttge sagte kein Wort, zu fragen wagte ich nicht, dies um so weniger, als er und seine Frau mich immer weiter über Wasser hielten. Er war offenbar der Meinung, ich könne ganz selbständig arbeiten oder müsse mich allein durchwursteln.

Im September wurde die Lage eines Studenten in Heidelberg hoffnungslos, war es doch völlig widersinnig, einen Monatswechsel von Berlin nach Heidelberg zu überweisen, der sich bei seiner Ankunft in nichts aufgelöst hatte. Wir waren mit der galoppierenden Schwindsucht dieser Inflation schon in die Billionen gekommen. Mein Vater rief mich zurück. Traurig nahm ich Abschied von Heidelberg. Ich hatte mir das Ende meines dortigen Studiums ganz anders, wo nicht glanzvoll, so doch schön und befriedigend vorgestellt. Noch nicht einmal eine Disposition für die Doktorarbeit war vorhanden. Nicht gerade angenehm, so zu den Eltern zurückzukehren.

Doktorprüfung in Heidelberg
Abschluß in Berlin

In Berlin nun hatte ich das Glück, auf die von Carl Stange, dem lutherischen Dogmatiker in Göttingen, neu herausgegebene »Zeitschrift für systematische Theologie« zu stoßen, an welcher u. a. auch Paul Althaus und Emanuel Hirsch mitarbeiteten. Aufs Ganze gesehen diente diese Zeitschrift der neulutherischen Theologie. Dort fand ich Hirschs Vorlesungen über »die idealistische Philosophie und das Christentum«, die ich mit großer Begier gleich zweimal las, um sie mir gründlich einzuverleiben. Und plötzlich ging mir ein Licht auf: ich hatte den Ansatz gefunden, um A. E. Biedermann zu Leibe zu rücken. Ich war befreit von meiner Last. Im wesentlichen schloß ich mich an Hirschs maßvolle Idealismus-Kritik, die ganz anders als Lütgert die großen Einsichten und Leistungen der klassischen deutschen Philosophie würdigte. Hirschs Vorliebe für Fichte konnte ich nicht teilen, doch war diese Frage für mein Thema ohne Belang. Hirschs messerscharfe Kritik am ersten Band von Lütgerts »Die Religion des deutschen Idealismus und ihr Ende« entzückte mich geradezu. Seine Fehlinterpretation Kants erhielt m. E. die verdiente Abfuhr. Als total abwegig erschien es mir, aus Kant, Fichte, Schelling und Hegel eine Art von Religionsstiftern zu machen. Hierbei übersah ich 1923/1924 freilich, daß die »Geheimreligion der Gebildeten« im 19. und beginnenden 20. Jahrhundert viel Nahrung aus der idealistischen Religionsphilosophie gezogen hatte.

Doch genug davon. Ich konnte jetzt meine Dissertation schreiben, wobei ich besonderes Gewicht auf die Abgrenzung der christlichen Eschatologie von der idealistischen und die Umbildung der ersteren durch die letztere legte. Meine Reich-Gottes-Thematik trat also wieder in Erscheinung, und es darf ohne jede Übertreibung gesagt werden, daß ich an dieser mein ganzes Leben hindurch gearbeitet und festgehalten habe, wie mein Beitrag zur Festschrift für Walter Künneth 1971 beweist: »Eschaton und Futurum.«

Die Promotion

Im Sommer 1924 schloß ich meine Dissertation ab und im Dezember des gleichen Jahres reiste ich zum zweiten Male in banger Erwartung des Kommenden nach Heidelberg. Am 13. Dezember fand in den Räumen der Theologischen Fakultät im »Prinzenpalais« das Rigorosum statt. Ergebnis: summa cum laude für die Dissertation, cum laude in der mündlichen Prüfung, denn meine Leistungen im Fach Altes Testament waren nicht eben begeisternd gewesen, und auch im Neuen Testament hatte ich mir einen Schnitzer erlaubt, da ich nichts über jene Macht zu sagen wußte, die nach Paulus das Kommen des Antichrists noch aufhält. Also ausgerechnet in der Eschatologie eine Fehlleistung! Als der großzügige Martin Dibelius merkte, daß ich festsaß und auch die freundliche Zurede nichts half, ging er sogleich zu einem anderen Thema über. Um das magna cum laude war es also geschehen, und ich bin gerecht beurteilt worden. Immerhin, das Ziel war erreicht, und ich telegraphierte das Ergebnis sofort nach der Prüfung befreit und glücklich nach Hause. Zur selben Zeit wurde auch Julius Wagenmann, ein Schüler von Hans von Schubert, geprüft; diesem sollte ich später in Kiel wieder begegnen. Willy Lüttge hatte von der mündlichen Prüfung zweifellos mehr erwartet, jedenfalls hatte ich dieses Gefühl, als ich zum Abendessen bei Lüttges erschien. Später, als mein Freund, der Historiker Rudolf Craemer, trotz seiner außerordentlichen Belesenheit in Berlin beim Rigorosum auch nur »cum laude« erzielte (er promovierte bei Erich Marcks), tröstete ich mich so, wie kein Geringerer als Eduard Spranger meinen Freund getröstet hatte: »Ich habe im Rigorosum auch nur cum laude gehabt, und in einem halben Jahr fragt sie kein Mensch mehr danach!« In der Tat, des öfteren besagen derartige Prüfungen wenig über die wissenschaftlichen Fähigkeiten des Kandidaten. Was mich betrifft, so bin ich nie ein »Examensmensch« gewesen. Nur wo ich mich frei und spontan bewegen und entfalten konnte, habe ich etwas geleistet.

Am Tage nach diesem Examen fuhr ich nach Baden-Baden zu meinem Freunde Kindermann, der dort Vikar bei dem Dichter-Pfarrer Hesselbacher war, einem literarisch hochgebildeten Mann. Von diesem hörte ich dort auch einen trefflichen Vortrag, soviel ich mich erinnere über Rainer Maria Rilke, der ja sowohl in der Jugendbewegung wie in der literarisch interessierten Welt der zwanziger Jahre stark wirkte und sozusagen seine Hochblüte hatte. Hesselbacher war ein feinsinniger Interpret und eine durchaus originelle Persönlichkeit, der es an Humor nicht mangelte. Humor und Sinn für Humor, dies ist für mich ein Kriterium der Menschenbeurteilung. Wer Humor hat, kann sich von sich selbst distanzieren, eine gute Gabe und bedeutungsvolle Fähigkeit. Auch kann der humorvolle Mensch nicht jenem »tierischen Ernst« verfallen, der viele Deutsche für viele Ausländer so schwer erträglich macht. Wir führten zu zweit und zu dritt gute theologisch-philosophische Gespräche, abgeneigt jeglicher Art von theologischer oder kirchenpolitischer Enge oder Parteilichkeit. Der Stadtpfarrer und sein Vikar waren die richtigen Leute für diesen großen Kurort und wußten anspruchsvolle Hörer zu befriedigen. Nach einigen Tagen eilte dann der neugebackene Dr. theol. nach Hause, um dort die Glückwünsche der Familie und der Freunde in Empfang zu nehmen.

Erste Berufsarbeit

Repetent am Neutestamentlichen Seminar

Anfang Januar 1925 begleitete ich meinen Vater zu einer Versammlung der Volks-kirchlichen Vereinigung, der damaligen kirchlichen Mittelpartei. Dort trafen wir Adolf Deissmann, der gleich meinem Vater den kirchlichen Extremen zur Rechten und Linken ganz und gar abgeneigt war. Ich hatte Sorge, Deissmann könne mir gram sein, da ich nicht bei ihm promoviert hatte, sondern zur Systematischen Theologie »übergelaufen« war. Nichts von alledem. Vielmehr forderte er mich auf, die Stelle ei-nes Repetenten am Neutestamentlichen Seminar in Berlin einzunehmen, mit dem Auftrag, zwei Wochenstunden »kursorische Lektüre des Griechischen Neuen Testa-ments« im Semester zu halten. Keine Exegese – dies sei nicht meines Amtes –, sondern nur grammatikalische Erläuterungen zum Satzbau, Vokabular etc., für fließendes Le-sen der neutestamentlichen Texte sei besonders Sorge zu tragen. Ich nahm mit Freu-den an und bestieg so die unterste Sprosse der akademischen Leiter.

Doch was sollte nun weiter werden? Nach der damals durchweg bürgerlich geprägten Tradition des evangelischen Pfarrhauses genügte der Doktor keineswegs zur Begrün-dung einer Existenz (geschweige denn einer Familie). Sollte ich daher den Weg zum Berliner Konsistorium der Provinz Brandenburg antreten, den Weg zu den landes-kirchlichen Prüfungen? Ich konnte mich auch jetzt nicht dazu entschließen, so gern es meine Eltern gesehen hätten. In dieser Situation fragte mich Pastor Dr. Carl Gunther Schweitzer, Direktor der »Apologetischen Centrale« bzw. Abteilung im »Central-ausschuß für die Innere Mission der Deutschen Evangelischen Kirche«, ob ich als wis-senschaftlicher Assistent in die von ihm geleitete Abteilung eintreten wollte. Schweit-zer war wie K. B. Ritter Schüler von Fr. Brunstäd und zugleich Wingolfs-»Philister« (= Alter Herr). Die Verbindung kam also auf doppeltem Wege zustande. Am 15. Ja-nuar 1925 begann ich mit meiner Arbeit. Die Apologetische Centrale befaßte sich mit den religiösen Strömungen der Zeit, den Sekten, den christlichen Häresien usw. Sie suchte eine neue Form der Apologetik, nicht im Sinne einer lendenlahmen Verteidigung des christlichen Glaubens, keine mühseligen Rückzugsgefechte auf längst verlorengegangene Positionen, sondern die »Antwort des Glaubens« auf die tiefsten Fragen der Zeit, zugleich den Angriff des Glaubens auf alle falschen Absolutsetzungen, auf die »verkappten Religionen« (über die Christian Bry 1925 ein gescheites Buch schrieb) oder die sogenannten Ersatzreligionen, die Tillich später als die »Quasi-Religionen« bezeichnete. Einen ähnlichen Weg betrat Emil Brunner mit seiner »Eristik«, derentwegen er von Karl Barth verdonnert wurde. Wegleitend war für C. G. Schweitzer die Begrifflichkeit Brunstäds. Er schrieb auch ein Handbuch dieser »neuen« Apologetik, die »Antwort des Glaubens«. Ich fand freilich in meiner kritischen Gestimmtheit, Schweitzer läge das Schreiben nicht und sein Stil sei ungelenk. Eines war sicher richtig, seine eigentliche Stärke lag im Dialog und in der Diskussion, wohl auch in der seelsorgerlichen Unterredung.

Ich sah ein weites Feld vor mir und fing nun erst recht an zu schreiben, eher zuviel als zuwenig. Das Organ der Apologetischen Centrale war die kleine Zeitschrift »Wort und Tat«, die sich jedoch allmählich recht gut entwickelte, weil die hier behandelten Fragen vielen Pfarrern und noch mehr den Laien auf den Nägeln brannten, und weil es gelang, einige tüchtige Mitarbeiter zu gewinnen und gleichartige Bemühungen in einzelnen Landeskirchen mit unserer Berliner Arbeit zu verbinden.

Ich half mit bei der Organisation evangelischer »Weltanschauungswochen«, die in Berlin infolge des erdrückenden Angebots von Veranstaltungen aller Art mit unterschiedlichem Niveau und für die verschiedenartigsten Gruppen, Zirkel, Bewegungen usw. einen schweren Stand hatten. Ich lernte die von Rittelmeyer in engem Anschluß an die Anthroposophie Rudolf Steiners gegründete »Christengemeinschaft« kennen und berichtete über deren »Menschenweihehandlung«. Wir befaßten uns auch mit dem Vordringen des Buddhismus, der indischen Mystik und des Islam in Europa. Es war äußerst schwierig, zu all diesen kunterbunten Phänomenen die rechte Einstellung zu gewinnen und überall die »echten« Fragen herauszubringen. Ich jedenfalls habe aus solchen Beobachtungsstreifzügen viel gelernt. Wurde ich doch aus der abstrakten Systematik herausgeholt und auf Kontakte mit der Wirklichkeit verwiesen.

Besondere Aufmerksamkeit wandte ich der Arbeitsgemeinschaft »Arzt und Seelsorger« zu, die in Berlin von C. G. Schweitzer mit Ärzten und anderen dafür interessierten Leuten neu begründet worden war. Sie breitete sich von Berlin ziemlich rasch in andere Teile des Reiches aus. Mir fiel öfter die Aufgabe zu, Berichte über die Tagungen zu verfassen, einige sind in »Wort und Tat« erschienen.

In dem recht lebendigen Berliner Kreis von »Artz und Seelsorger« lernte ich den Nervenarzt Dr. Fritz Künkel kennen, der in Berlin-Wilmersdorf praktizierte. Er gehörte der »zweiten Wiener Schule« an, das heißt der von Adler geschaffenen sogenannten Individualpsychologie, die dieser scharfsichtige Mann aber in höchst selbständiger Weise fortentwickelte. Künkel war in höchstem Maße theologisch interessiert. Ich besuchte ihn des öfteren in den Jahren 1925–1929 und denke mit Freude und Dankbarkeit an unsere intensiven Gespräche zurück, in denen es vor allem um das Verhältnis von Psychotherapie und Theologie bzw. der theologisch zu begründenden

»Seelsorge« der Kirche bzw. ihrer Amtsträger ging. Künkel legte großen Wert auf klare Unterscheidung, in seiner »Nonik« beschrieb er die Grenzen der Psychotherapie, forderte aber zugleich ein positives Verhältnis der christlichen Seelsorge zur Psychotherapie in Theorie und Praxis. Dabei ging er mit Geschick und Kunst von Fällen seiner Praxis aus. Er schrieb in jenen Jahren mehrere sehr klar gefaßte Bücher, die wir gleichfalls diskutierten. Selbstverständlich besprachen wir auch die praktische Arbeit von »Arzt und Seelsorger«.

Künkel war Jude, er konnte sich vor den Nationalsozialisten retten und ging in die USA. Ich hörte viele Jahre danach, daß er dort Theologie studiert habe und Geistlicher geworden sei. Zweifellos eine klare Folge und Folgerung aus dem, was er schon in den zwanziger Jahren gedacht und getan hatte, und sie nötigte mir angesichts dieser Entscheidung großen Respekt und Hochachtung ab.

Man war in der Apologetischen Centrale genötigt, sich mit vielfältig verschiedenen Gegenständen und Problemen zu befassen. Das kam meiner Veranlagung und meinen Neigungen entgegen. Abermals drohte – wie in den Studienjahren – die Zersplitterung. Würde ich auf solchen Wegen nicht ein »Hans Dampf in allen Gassen« werden? An Warnungen wohlmeinender Lehrer und älterer Freunde fehlte es nicht: konzentriere dich! Richte deine Kräfte auf *ein* einziges Ziel! So und ähnlich lautete der Zuspruch, der mir zuteil wurde, und seine Berechtigung ist gar nicht zu verkennen. Zwei Jahre später (1927) – ich war da schon an der Evangelisch-Sozialen Schule im Johannesstift mit tätig – grollte Brunstäd: »Müssen Sie denn immerfort die Finger am Puls der Zeit haben?« Die Frage traf ins Schwarze. Kleinlaut erwiderte ich, man müsse doch die Strömungen der Zeit und ihre Fragen kennen, desgleichen die theologischen Neuerscheinungen. »Sie können sich in alldem verlieren. Geben Sie acht«, war Brunstäds Antwort. Hatte er nicht recht?

An der Zeitschrift »Wort und Tat« lernte ich die redaktionelle Arbeit kennen, die Kümmernisse und Schwierigkeiten des Schriftleiters mit Verlag und Druckerei, vor allem aber mit den Artikelschreibern und Rezensenten, die ihre Beiträge nicht termingerecht und manchmal überhaupt nicht ablieferten, – und doch soll das nächste Heft pünktlich in die Hand der Bezieher und Leser gelangen. Auch ist es oft schwierig, eine Zeitschrift Jahre hindurch auf der Höhe des erstrebten oder einmal erreichten Niveaus zu halten. Wir erlebten dies z. B. mit der als evangelische »Kulturzeitschrift« neu gegründeten »Zeitwende«, die von den Herausgebern als Gegenstück zum katholischen »Hochland« gedacht war, das von Karl Muth so hervorragend gut redigiert wurde, einem Mann, der seiner Kirche und seiner Zeit in vielen Dingen weit voraus war. Auch ich habe – besonders in der zweiten Hälfte der zwanziger Jahre – für die »Zeitwende« geschrieben, wie ich lange Jahre hindurch ein dankbarer Leser des »Hochland« gewesen bin. Wir mußten in der Apologetischen Centrale mancherlei Zeitschriften verfolgen. Solche Arbeiten waren für mich eine gute Vorschule für die Zukunft. Schulungslehrgänge für Pfarrer und andere kirchliche Mitarbeiter fanden meist im Ev. Johannesstift in Berlin-Spandau statt, denn im Bürogebäude des »CA« (= Centralausschuss für die Innere Mission) war hierfür kein Platz.

Praktische Gründe dieser Art waren wohl ausschlaggebend dafür, daß 1926 die Apologetische Centrale ganz ins Johannesstift verlegt wurde. Schweitzer zog dahin um, ich desgleichen – und verließ damit endgültig das elterliche Pfarrhaus an der Markuskirche in Berlin-Steglitz.

Der Ortswechsel war höchst bedeutungsvoll für mich und meine Zukunft, wenngleich zunächst das im Vordergrund Stehende den Blick auf sich lenkte: die guten Möglichkeiten, die gewünschten Lehrgänge und Schulungskurse abzuhalten, die oft stark besucht und gefragt waren, war doch der Kreis der Themen weit, eine geschickte Mischung von Interessantem, noch Unbekanntem mit Methodenfragen der Apologetik tat das übrige. Diskussionen und Einzelgespräche waren selbstverständlich, wenn auch psychologisch und soziologisch noch nicht so durchdacht und abgesichert wie heute. Der gute Instinkt für das Richtige und das Menschenmögliche war uns nicht fremd. Wir erwarteten trotz größten Interesses für die Tiefenpsychologie nicht alles von Rückführungen auf Kindheitserlebnisse oder überhaupt vom Bewußtmachen des Unbewußten.

»Placet experiri« – dies Motiv aus Thomas Manns »Zauberberg« – bald leidenschaftlich diskutiert – könnte man ganz gut auch über unsere Arbeit im Johannesstift setzen. Die apologetischen Kurse und Lehrgänge sowie die »Evangelischen Weltanschauungenswochen« können ohne Übertreibung als Vorläufer der Ev. Akademien nach dem Zweiten Weltkrieg angesehen werden. Unsere Teilnehmer wohnten in den gut und solide gebauten Häusern des Ev. Johannesstiftes, das 1925 noch ganz im Grünen am äußersten Stadtrand von Berlin-Spandau lag. Aus den Fenstern blickte man auf Wiese, Feld und Wald. Das Stift betrieb damals noch Landwirtschaft und eine große Gärtnerei. Ein schöner Spaziergang führte durch märkischen Sand und Kiefernwald zur Havel gegenüber von Tegel. Dort konnte man sitzen und ausruhen und den großen Atem der wasser- und seenreichen märkischen Landschaft durch sich hindurchgehen lassen. Das brachte den Wandervogel von 1913 wieder in Einklang mit der Natur und mit der Heimat.

In jenen Jahren hatte das Johannesstift noch sein offenes, weites Umland und Hinterland, praktisch ganz Großberlin und die Mark Brandenburg, somit auch einen riesengroßen Kreis von Freunden und opferwilligen Helfern und Spendern. (Der Bau der Mauer 1961 und die Abschließung des Johannesstiftes von der DDR war das Ende einer großen Epoche im Wirken des Johannesstiftes.) Im Jahre 1958, beim hundertjährigen Jubiläum der von Johann Hinrich Wichern gegründeten Anstalt, hielt ich mit großer Freude einen Festvortrag, bei dem ich nach 30 Jahren alten Schülern und Hörern aus dem Diakonenseminar und der ehemaligen Evangelisch-sozialen Schule der zwanziger Jahre aufs neue begegnete. Es war ein gutes und erfreuendes Wiedersehen mit dem mir ans Herz gewachsenen alten Johannesstift. Doch war der kranke Helmuth Schreiner, zu »meiner Zeit«, das heißt von 1926 bis Oktober 1929 dort ein unglaublich aktiver, ausgreifender und schöpferischer Stiftsvorsteher, 1958 nicht unter uns. So fehlte auch der Schatten auf jenen schönen Festtagen nicht.

Neue Aufgaben im Johannesstift

Unsere »Mannschaft« im Johannesstift war jung, erstaunlich jung, keiner über 40 Jahre alt. Unser »Tabakskollegium« schäumte über von Lebenskraft, von Plänen, von leidenschaftlichen theologischen Diskussionen, für und wider Karl Barth oder Emil Brunner, für und wider den Idealismus, besonders den von Friedrich Brunstäd vertretenen, für neue Konzeptionen der heil- und sozialpädagogischen Arbeit, für und wider die neuesten Richtungen und Schriften der Psychotherapie, ebenso selbstverständlich über innere Arbeits- und Werkpläne unserer Anstalt.

Die Fichtegesellschaft kam mit ihrer »völkischen« Volksbildungsarbeit ins Johannesstift. Die nationale Grundrichtung war uns gemeinsam, aber über die verschiedenen Strömungen der »völkischen Bewegung«, vor allem darüber, wie weit denn der Christ, der Theologe »mitgehen« könne, gab es ganz verschiedene Meinungen. 1926 erschien in den »Werkschriften der Berneuchener Konferenz« meine erste kleine selbständige Schrift »Volk und Gott«, in der ich versuchte, mich mit der Religiösität und Metaphysik der völkischen Bewegung und ihrer Dichtung auseinanderzusetzen. Ein Kritiker schrieb: »zu eklektisch«, und er hatte recht; meine Zitate zeigten meine Abhängigkeiten und Anlehnungen sehr deutlich. Wilhelm Stapel fand, einige prägnante Formulierungen seien zu loben; dabei hob er den Satz hervor: »Die Wertgebung kommt nicht von unten, sondern von oben«, der natürlich frei nach Brunstäd gefaßt war. Ich solle so fortfahren, ermutigte mich Stapel.

Ich wurde auch zur Mitarbeit in der Ev.-sozialen Schule herangezogen. Wir hatten u. a. evangelische Arbeitersekretäre für den Dienst in den Christlichen Gewerkschaften und Evangelischen Arbeitervereinen auszubilden. Zum ersten Mal in meinem Leben lernte ich junge Arbeiter und Arbeitersöhne kennen, »richtige«, keine Angestellten oder Söhne von Beamten oder anderen Leuten des sogenannten Mittelstandes. Ich bewunderte den elementaren Wissens- und Bildungsdrang der jungen Arbeiter und sah zugleich an den alten, gereiften und z. T. in erheblicher politischer Verantwortung stehenden Arbeitersekretären, unter denen sich Reichstags- und Landtagsabgeordnete befanden, welchen hohen Grad von Bildung sich diese Männer als Autodidakten angeeignet hatten. Nach der Fabrikarbeit bis tief in die Nacht über den Büchern gesessen, Nationalökonomie, Marxismus, Geschichte der Arbeiterbewegung des 19./20. Jahrhunderts, die christlich-sozialen Bewegungen von V. A. Huber und Joh. H. Wichern bis zur Gegenwart von 1926, deutsche Geschichte und Literatur – das waren die geistigen Bereiche, in denen diese Männer sich durch eiserne Arbeit geschult und ein imponierendes Wissen erworben hatten – *ohne* Gymnasium, *ohne* Universität, *ohne* ein Elternhaus mit generationenalter Bildungstradition! Bei einem dieser Männer traf ich eine überaus genaue Kenntnis der Romane bzw. Erzählungen von Theodor Fontane und Wilhelm Raabe an, und wir unterhielten uns des öfteren über die Literatur des 19. und 20. Jahrhunderts.

Die Folge war u. a., daß ich Gerhart Hauptmanns »Weber« jetzt mit ganz anderen Augen las und mich mit der Arbeiterdichtung sowie mit den sozialen Problemen in der Dichtung überhaupt, besonders bei Dickens und den großen Franzosen Balzac, Zola, Flaubert und Stendhal zu befassen begann. Ich meine, diese Lektüre habe später in meinem sozialethischen Vorlesungen und Seminaren Früchte getragen.

Eben hier und jetzt begann ich Sozialethik zu unterrichten, noch anfänger- und schülerhaft, in Anlehnung an Brunstäd's Ethik-Vorlesung, die ich in einem Schreibmaschinen-Exemplar zu lesen bekam, sowie an sein Buch »Deutschland und der Sozialismus« (Berlin 1924, 2. Aufl. 1927), das damals viel und leidenschaftlich diskutiert wurde. 1925 hatte ich bereits einen einführenden Aufsatz über dieses Buch geschrieben, der mich noch ganz im Bann von Brunstäds System zeigt. Auch dieses Werk war mit ungewöhnlicher, systematisch-konstruktiver Kraft geschrieben, jeder einzelne Stein in dem großen Gebäude saß an seinem Platz. Der Sozialismus wurde in einer universalen Kultur- und Geschichtsphilosophie interpretiert, in der Hegels »Aufhebung« der Aufklärung sehr stark wirksam war: Sozialismus ist ein Aufklärungs-Vorgang und -phänomen, das kritisch »zurechtgebracht«, überwunden und darin zugleich erfüllt werden muß. In nationalökonomischer Hinsicht hatte Brunstäd die zu seiner Zeit neuesten Wirtschaftstheorien verarbeitet (und dies imponierte mir ungeheuer), die sich mit seiner personal-transzendentalen Wertphilosophie organisch verbinden ließen, sofern sie nämlich verwandte Denkansätze zeigten. Bei Liefmann, Böhm-Bawerk u. a. »bürgerlichen« Nationalökonomen zwischen 1890 und 1924 war dies zweifellos der Fall. Die Wirtschaft ist das Reich der Mittel des Lebens, – Leben der unterste, aber auch fundierende Wert. Zugleich müssen wieder alle Absolutsetzungen, sei es des produzierenden Kapitals, sei es der Arbeit aufgehoben werden. Das Erwerbsstreben der modernen Kapitalwirtschaft wird philosophisch, moralisch und religiös legitimiert und gerechtfertigt. Der »Mammonismus« (vgl. Matthäus 6) ist hingegen eine abgeleitende Absolutsetzung von Erwerb und Profit und als solche abzuweisen bzw. aufzuheben im dreifachen Sinne des Hegelschen Begriffs.

Später, unter Einwirkung von Tillichs »Religiöse Verwirklichung« (Berlin 1930) wurde mir vieles an der geschlossenen Systematik Brunstäd's zweifelhaft und fragwürdig, ohne daß ich zu klaren Lösungen und Entscheidungen hätte durchdringen können. Es war und ist eine schwierige Materie, vor allem dann, wenn man sozialethische, sozialtheologische Kriterien sucht, über die ja die Diskussion noch heute nach 50 Jahren fortgeht.

Hatte Brunstäd nicht doch den »Hochkapitalismus« in Bausch und Bogen gerechtfertigt? Spürte ich nicht bei meinen Arbeitersekretärsfreunden eine geheime Sorge und Unruhe über solche Lehren des wissenschaftlichen Leiters der Ev.-sozialen Schule? Blieb hier noch Raum für eine durchgreifende Wirtschafts-*Kritik* aus christlich-sozialer Tradition? Brunstäd wußte sich als den Erben des Hofpredigers Adolf Stoecker, dem er später (1937) eine Darstellung der theologischen und sozialen Intentionen widmete. Doch dessen hochkonservative Grundrichtung war unverkennbar, sie war der Grund des Scheiterns der gesamten christlich-sozialen Politik Stoeckers, trotz einiger guter und progressiver Forderungen im Programm der »Christlich-sozialen Arbeiterpartei«. Ließ sich der Kampf der Gewerkschaften (z. B. um den Acht-Stunden-Arbeitstag) von einer *solchen* Tradition aus überhaupt noch begründen? Wie sah denn in der *Praxis* der Großindustrie der Unterschied von legitimen Erwerbsstreben und »Mammonismus« aus? Brunstäd hatte für alles und jedes einen wohldefinierten Platz im System. Auch der »religiöse Sozialismus« war darin untergebracht, und zwar als eine kulturreligiöse Verbildung und Entstellung von Religion, Kultur und Sozialismus, auch er ein synthetisches Produkt von Aufklärung.

Bei Tillich las man's ganz anders, schon in seinen frühesten Schriften zum religiösen Sozialismus von 1919–1923, z. B. in »Masse und Geist« (1922) oder in den bereits erwähnten »Grundlinien des religiösen Sozialismus« von 1923. Dieser Dissens Brunstäd–Tillich versetzte mich besonders seit 1930 in einen höchst unerfreulichen und peinlichen Zustand stiller theoretischer Verzagtheit bis zur Verzweiflung. Dankbarkeit und Loyalität lagen im Streit mit den aufkommenden kritischen Rückfragen an Brunstäd's Kultur- und Sozialphilosophie. Waren denn diese ewigen »Widerlegungen« Karl Marxens von seiten der bürgerlichen Nationalökonomie überhaupt noch sinnvoll oder effektiv? Manche Prognosen von Marx waren ohne Zweifel leicht zu widerlegen und haben sich bis heute nicht erfüllt, oft ist das gerade Gegenteil eingetreten. Die Länder des reifen Hochkapitalismus, die USA, England und Westeuropa haben gerade *nicht* den Sozialismus geboren, sondern vielmehr industriell *unterentwickelte* Länder wie Rußland und China, ohne die Massen des Industrie-Proletariats, auf dem Wege der sogenannten Bauernrevolution, – usw. bis ins Unendliche. Aber all die schönen und einsehbaren Widerlegungen trafen offenbar gar nicht den *Kern* der Sache, die Phänomene anti-humaner *Entfremdung* des Menschen von seinem Mensch- und Mitmensch-Sein, von seiner Arbeit wie von der Natur . . .

Gewiß, erst 1932 erschienen erstmalig die »Frühschriften« von Karl Marx in zwei Bänden, welche die Entstehungsgeschichte seines Denkens geradezu blitzartig erhellten und beleuchteten. Das mag manche Irrtümer der Widersacher von Marx entschuldigen. Aber keineswegs alle. Die Tillich-Schriften von 1919–1930 waren ja auch ohne Kenntnis des 1932 veröffentlichten Materials der »Pariser Dokumente« geschrieben worden, und sie hatten dennoch die Tiefe der proletarischen Bewegung und deren tiefste Motivationen voll erfaßt. Anhand des II. Bandes der Gesammelten Werke sowie im »Protestantismus«-Band haben wir dies alles heute voll vor Augen. Die Wirkungsgeschichte dieser Schriften ist noch immer nicht abgeschlossen. Von Brunstäds Buch spricht heute niemand mehr. Kann dies auf Zufällen oder auf dem frühen Tod Brunstäds (1944) beruhen? Fragen, die ganz verschieden beantwortet werden können, je nach der Geschichtsauffassung oder Geschichtstheologie des Beurteilers. Da ja tragischerweise auch die Neugestaltung der »Idee der Religion« nie erschienen ist, bleibt man auf vage Vermutungen oder aufs Rätselraten angewiesen.

In den Christlichen Gewerkschaften – eine Einheitsgewerkschaft gab es nicht, was sich beim Starkwerden des Nationalsozialismus verhängnisvoll auswirken sollte – spielte naturgemäß die katholische Soziallehre die entscheidende Rolle, wenn auch in

Umformungen, die dem politischen Willen zur Autonomie der Gewerkschaften ausdrückten; man war ja kein kirchlicher Verband. Doch hatte die katholische Arbeiterschaft die überwiegende Mehrheit, die evangelischen Arbeiter eine Minderheit, die
mühsam um ihr Recht kämpfte, denn sie konnte nicht mit großen Zahlen imponieren.
Die protestantistischen Arbeitnehmer waren größtenteils in den sozialistischen Freien
Gewerkschaften, doch in der Form und Prägung kirchenfremder Säkularität. Die
Evangelischen Arbeitervereine sind niemals über den Status kleinbürgerlicher Vereine
mit Beerdigungskassen hinausgekommen. Der konservative »kirchlich-soziale« Ansatz der Stoecker-Tradition erwies sich auch bei den Evangelischen Arbeitervereinen
als verfehlt und praktisch wirkungslos. Mit derartigen Phänomenen und Problemen
hatte ich mich seit 1926 auseinanderzusetzen, und zwar weit über die Zeit im Johannesstift hinaus. Mit den Ev. Arbeitervereinen, in denen die echten Fabrikarbeiter gar
nicht den Ton angaben, weil viel zu wenige davon Mitglieder waren, konnte ich mich
schon 1926–1929 nicht befreunden, und im Laufe der Jahrzehnte wurde meine Kritik
immer schärfer.

Irre ich mich nicht, so verlegte auch der »Kirchlich-soziale Bund« seine Geschäftsstelle eines Tages ins Johannesstift. Mit dessen Geschäftsführern gab es Spannungen
und Widrigkeiten, weil sie m. E. zu sehr auf die deutschnationalkonservative Linie
festgelegt waren. Ein kritischer Jungnationaler fühlte sich zu ständigem Widerspruch
gereizt, für die erforderliche Zusammenarbeit nicht gerade förderlich. Das Unheil
war die schon in den 90er Jahren des vorigen Jahrhunderts eingetretene Aufspaltung
nach Kirchenparteien in den »Kirchlich-sozialen Bund« Stoeckers und den Evangelisch-sozialen Kongreß. Die Christlich-Sozialen in der preußischen konservativen
Partei und nach 1918 in der Deutschnationalen Partei waren eine winzige Minderheit
ohne jede politische Durchschlagskraft. Eine die Zukunft sozialer Neugestaltung in
Deutschland eröffnende und bestimmende großräumige Konzeption hatten sie nie
besessen, weder in den drei letzten Jahrzehnten des 19. noch im 20. Jahrhundert.
Hingebungsvolle Arbeit an sozialpolitischen Einzelfragen, wie sie z. B. von dem
deutschnationalen Reichstagsabgeordneten R. Mumm geleistet worden ist, konnte
und kann auch heute noch – man denke an die notorische Schwäche der Christlich-
Sozialen in der CDU – an der fatalen und von vornherein verfahrenen Grundsituation
überhaupt nichts ändern.

Ich lernte den Evangelisch-Sozialen Kongreß selbst besser kennen, als ich einmal
seine Jahrestagung in Hamburg als Vertreter der Ev.-Sozialen Schule miterlebte. Die
wissenschaftliche Diskussion hatte das Niveau, das ich bei den Kirchlich-Sozialen mit
Ausnahme von Brunstäd bis zu seinen Schülern wie Helmuth Schreiner vermißte.
Wenn später einmal auf einem kirchlich-sozialen Kongreß in Düsseldorf Werner
Sombart sprach, so war dieser zwar zu jener Zeit Anti-Marxist comme il faut, aber mit
den Christlich-Sozialen hatte er wirklich nichts zu schaffen; an ihm konnte man also
unmöglich deren Niveau ablesen. Sombarts großes und ungemein materialreiches
Werk »Der proletarische Sozialismus« kam auch im Johannesstift zum ersten Mal in
meine Hände. In Aufbau, Methode und Geisteshaltung von Brunstäds Buch völlig

verschieden, trafen sich beide in so manchen Punkten der direkten und indirekten, nämlich in Vor-Entscheidungen liegenden Marxismus-Kritik. Es gab damals eine Art von »Bekehrungen« zum Marxismus hin und von ihm fort, ein empirisch-psychologisches Signal für den quasireligiösen Charakter des orthodoxen Marxismus damals wie heute.

Kurz, der Evangelisch-Soziale Kongreß imponierte mir durch die freie, sachliche wissenschaftliche Diskussion. Später, in Baden, in Heidelberg kamen neue bedeutsame Erfahrungen hinzu, die mir die Liberalen, insonderheit die »Kirchlich-Liberalen« in ganz neuem Licht erscheinen ließen.

Auf den großen »sozialen« Pastorenkursen der Ev.-sozialen Schule, die Brunstäd leitete und mit der Wucht seiner Persönlichkeit beherrschte, kamen auch Paul Althaus, Emanuel Hirsch und einmal sogar dessen Lehrer Karl Holl zu Worte. Letzterer wurde von Brunstäd so respektvoll begrüßt, daß ich aufhorchte. Die Auseinandersetzung mit dem religiösen Sozialismus spielte dort zwischen 1927 und 1930 eine beträchtliche Rolle. Günther Dehn vertrat die Sache des religiösen Sozialismus gegen Brunstäd mit existentiellem Ernst und sachlicher wie rhetorischer Schärfe. Man bedenke, daß die überwiegende Mehrheit der evangelischen Pastoren damals durchweg politisch und vor allem sozialpolitisch konservativ dachten, mit wenigen liberalen Ausnahmen wählten sie alle deutschnational. Dehn und seine wenigen Freunde hatten also einen schweren Stand. Sie mußten gegen eine wahre Flut von Vorurteilen ankämpfen, was ihre Zuhörer betraf. Dehn war besonders durch sein Buch über die »proletarische Jugend« bekannt geworden, das aus seinen Erfahrungen als Berliner Gemeindepfarrer erwachsen war. Schwer hatte er mit der kleinbürgerlichen Verständnislosigkeit (z. B. im Gemeindekirchenrat) gegenüber den Berliner Fabrikarbeitern und Proletariern zu ringen. »Diese Sozis sind Rot und damit fertig!« So und ähnlich die bei Klein-, Mittel- und Großbürgern umlaufenden diffamierenden, die anderen als Vaterlandsfeinde, Pazifisten und Internationalisten »erledigenden« Schlagworte. Als »rot« werden noch in evangelischen Landeskirchen und Pastorenkreisen diejenigen verschrien und diffamiert, die – wie der Verfasser und seine Freunde – für eine wirklichkeits-, mensch- und geschichtsgerechte Sozialethik eintreten, die das Prinzip der Modernität (H. Ringeling) zugleich als die gebotene und mögliche schöpferische *Vergegenwärtigung* der großen ethischen und sozialethischen Tradition von 1900 Jahren versteht, – einer wahrhaft *ökumenischen* Tradition.

Wie aber soll ich nur meinen oft kummervollen damaligen Geistes- und Gemütszustand beschreiben? Fabelhaft, großartig fand ich die Kraft in den Gegenreden Brunstäds. Andererseits fühlte ich, daß er die Probleme, vor die sich Dehn gestellt sah, einfach fortspülte oder souverän ignorierte, indem er auch den religiösen Sozialismus als eine Abgleitung ansah, für die in seinem System der richtige Platz bereits vorgegeben, sozusagen prädestiniert war. Wieder war ich hin- und hergerissen. An den von Dehn erbrachten Daten über die Realität des proletarischen Lebens in den grauenvollen Berliner Hinterhöfen (Zille! Käthe Kollwitz!) war doch gar nicht zu zweifeln. War also nicht auch der Klassenkampf eine Realität, die durch kein System der Philosophie weggeschafft werden konnte, – eine Realität zudem, die alle Christlich-Sozialen, den einzigen Friedrich Naumann ausgenommen – noch immer nicht in seiner Tiefe und Schärfe, in seiner Brutalität und Unausweichlichkeit begriffen hatten?

Kein Zweifel, Friedrich Brunstäd war es Ernst mit der von ihm selbst beschriebenen »sozialen Aufgabe der Kirche«, mit der Bewahrung und zugleich Neubegründung der besten christlich-sozialen Traditionen, mit ihrer Verlebendigung für die Gegenwart. Er hat in dieser Hinsicht mehr geleistet als alle sonstigen Erben, Nachfolger und Freunde Adolf Stoeckers zusammengenommen, deren theologische wie sozialwissenschaftliche Schwächen evident waren. So gesehen hatten alle Brunstäd-Schüler Grund genug, ihr Haupt zu erheben und das Werk des Meisters fortzusetzen. Daß das freilich nicht ohne Umbildungen geschehen konnte, läßt sich wohl am besten an den frühen Büchern Helmuth Schreiners ablesen. Das System Brunstäds konnte von seinen Schülern doch wahrhaftig nicht bloß reproduziert oder auch nur auf neue Gegenstände angewendet werden.

Unterricht im Neuen Testament

Glücklicherweise blieb ich mit dem Neuen Testament in lebensvoller Verbindung. Helmuth Schreiner, der Vorsteher der Diakonenschule, vertraute mir den neutestamentlichen Unterricht in der Unterstufe an. Auch gab ich den zukünftigen Arbeitersekretären »Bibelkunde«, eine allererste Einführung in die Bibel (sie mußten ja den Kollegen in der Freien Gewerkschaft gewachsen sein, ebenso den atheistischen Freidenkern, deren Verband mehrere Hunderttausende umfaßte).

Ich stand sachlich und methodisch vor, besser in einer großen Verlegenheit. Lietzmanns berühmtes »Handbuch zum Neuen Testament« ließ mich *theologisch* vollkommen im Stich, wegen seiner Beschränkung auf die historisch-kritische Methode. Die alten Bände in Meyers Krit.-exegetischem Kommentar versagten wiederum, weil sie historisch nicht auf der Höhe der Zeit waren. Neugestaltungen wie Johannes Weiss klassischer Kommentar zum 1. Korintherbrief waren aufs Ganze gesehen in zu langsamen Anmarsch. Ich mußte aber den Diakonenschülern Woche für Woche die Frage beantworten: »Welche theologischen Entscheidungen haben Paulus, Johannes, die Synoptiker etc. gefällt? Sind ihre Hauptideen *wahr*, richtig, und in welchem Sinne? Können *wir heute* (1926 usw.) glauben, was Apostelschüler gesagt und geschrieben haben?« Da gab es freilich kein Ausweichen. Diese jungen Leute hatten zumindest eine Handwerks- oder eine dieser entsprechende Lehre hinter sich, einige von ihnen sogar mehrere Jahre Berufspraxis. Sie kannten den Alltag harter Arbeit in Industrie, Handel, Handwerk und Gewerbe, – also ein ganz anderer Menschenschlag als die Studenten des 1. bis 3. Semesters, die ich auf der Universität vor mir hatte. Die

Diakonenschüler stellten einfache, harte Fragen, ihre Haltung war realistisch und abhold aller frommen Phrase, auch dann, wenn sie selbst aus »gut christlichem Hause« kamen, z. T. aus der pietistischen Tradition. Manche hatten die Um- und Abwege des schmerzhaften Glaubensverlustes kennengelernt und waren durch Beruf, Alltag und Kollegen in die totale »religiös keimfreie« Profanität abgerutscht. All dies kam im Unterricht zur Sprache, und meine »Schüler« waren mir gutenteils an Lebenserfahrung weit überlegen.

Kein leichter Stand für mich. Durch irgendeinen der vielen »glücklichen Zufälle« in meinem Leben geriet mir im rechten Augenblick ein Band von Adolf Schlatters »Erläuterungen zum Neuen Testament« in die Hand. Ich fühlte mich gerettet. Das mag übertrieben klingen, ist aber der meiner damaligen Situation durchaus angemessene Ausdruck.

Ich fand Schlatters Stil schwierig und oft sonderbar bis zum abseitig Originellen hin. Ich las seine Texte zwei-, dreimal, bis ich die harte Nuß geknackt hatte. Ich verdanke dem großen Bibelausleger sehr viel. Leider begann die Reihe seiner großen Kommentare, beginnend mit dem Evangelisten Matthäus, erst 1929 zu erscheinen, als ich meine Habilitationsschrift schrieb und mich auf den Abschied vom Johannesstift rüstete. Nachdem ich die »Schlatter-Sprache« erlernt hatte, habe ich diese Kommentare fleißig und mit dem größten Gewinn studiert. Ich hatte Freunde, die ihn gar nicht lesen, gar nicht »verknusen« konnten. Aber er brachte überall den *sachlichen, christlichen Gehalt* der neutestamentlichen Aussagen zur Sprache. Die Wahrheitsfrage war immer schon immanent und gestellt und beantwortet. Es gab hier keinen alles verschlingenden und letztlich alles – wie interessant auch immer – gleichgültig machenden Strom der Geschichte.

Jedenfalls faßte ich Mut und bekam allmählich Boden unter die Füße. Ein fertiger Lehrer mit autoritären Attitüden konnte ich gottlob nach der Lage der Dinge und Personen weder sein noch werden. Vielleicht hat mir gerade dies, daß ich ein junger, lernender Mensch war wie sie, das Vertrauen der Diakonenschüler verschafft, das mich Jahrzehnte hindurch begleiten sollte. Zwei Einschränkungen muß ich allerdings in bezug auf Schlatter machen. Seine eigenartige Schöpfungs- und Natur-Theologie beeinflußt seine Auslegungen oft in merkwürdiger Weise. Ich konnte mir dies zunächst nicht erklären, besonders wenn es sich um paulinische oder johanneische Texte handelte. Dann las ich »Das christliche Dogma«, und schon wurde der Sachverhalt klarer. Schlatters entschiedene Absage an die Kantianisch-Ritschlsche Theologie, welche die Natur vollkommen ausklammerte und das Gespräch der Theologie mit den Naturwissenschaften nicht nur völlig abreißen, sondern methodisch wie prinzipiell unmöglich gemacht hatte, gefiel mir ungemein. Hier gähnte ein Riesenloch in der Theologie. Aber auch Schlatter konnte es nicht ausfüllen. Er kann tiefe Gedanken über den Schöpfer und seine Schöpfung äußern, aber er reflektiert die Methoden und Ergebnisse der modernen Naturwissenschaften nicht bis dato. Ich meinte, daß er nicht einmal deren ideologischen Umfälschern zur »Weltanschauung« (siehe Haeckels »Welträtsel«) theoretisch-kritisch in ausreichendem Maße gewachsen war. In den dreißiger

Jahren schien mir sein Kommentar zum Römerbrief wie auch der zu den beiden Korintherbriefen des Paulus mein Endurteil zu bestätigen, obwohl Schlatter gewiß manche Einseitigkeiten und Extremismen der Exegese Luthers richtig »aufgespießt« hatte. Trotzdem, es bleibt dabei, Schlatter wurde mir ein unentbehrlicher Helfer.

Allerdings hatte ich – dies die zweite Einschränkung – zwiespältige Gefühle hinsichtlich seiner historischen Ansichten und Hypothesen. 1927 erschien Schlatters »Geschichte der ersten Christenheit«, eine Rekonstruktion mangels ausreichender Quellen auch sie, wie die der »liberalen« Kritiker und religionsgeschichtlichen Konstrukteure, an denen er vorbeiging, ohne sie eines Blickes zu würdigen. Beiderseits wußte man allzu genau, wie es denn wirklich gewesen wäre, hier wie dort füllt man die leeren Gräben des faktischen Nicht-wissens mit fast von Jahr zu Jahr wechselnden Hypothesen und überbaute sie mit kühnen Rekonstruktionen von Geschichtsprozessen, wie sie möglicherweise gewesen sein könnten. Schlatter war der Meinung, mit dem »Akt des Sehens« bei den Quellen und den Geschehnissen zu sein, näher und dichter als seine historisch-kritischen Gegenspieler. Ich las jedoch – freilich erst 1929 – viele Kapitel dieses Buches mit Befremden und Verständnislosigkeit. Obgleich radikalen historischen Enttrümmerungs-Thesen abgeneigt – diese konnte man in den bekannten und beliebten »Religionsgeschichtlichen Volksbüchern« mit ihren zahlreichen Ableitungsexperimenten reichlich genießen –, war ich nun doch aufs gesamt gesehen in der historisch-kritischen Quellenanalyse und Darstellung der »Zeitgeschichte« und des »Apostolischen Zeitalters« aufgewachsen. Daher erschienen mir viele der von Schlatter hergestellten Verknüpfungen als unmöglich und absurd. Ich bot daher den Diakonenschülern nur das in allgemeinverständlicher Form, was ich als gesichert ansah.

Man mußte jedoch damit rechnen, daß mancherlei Theorien, ausgenützt von den Freidenkern und anderen modischen Kritikern der Bibel und des Christentums, eine Art »abgesunkenes Kulturgut« bildeten und bei den damaligen »Halbgebildeten« herumgeisterten. So kamen ja auch halb oder gar nicht verstandene Teilstücke der Marx-Engels'schen Religionskritik in den Gesprächen mit den Arbeitern in der Ev.-sozialen Schule vor. Die revolutionären Thesen, die Jesus und Paulus für nichtexistent erklärten und als Phantasiefiguren des religiösen Bewußtseins um die »Zeitwende« herum verstanden wissen wollten, lagen in der Luft und wurden allerorten nachgebetet. Auch das war eine Art »Volksbildung«. Sie erregte Entsetzen und Abscheu bei den Frommen aller Schattierungen. Man mußte schon historisch auf dem Posten sein, um mit diesen verderblichen und durchaus falschen Alternativen fertig zu werden.
Schon in den zwanziger Jahren gab es frisch nach dem Strich der jüngsten Aufklärungswelle gebürstete Jesus-Bücher von Schriftstellern und Journalisten wie Emil Ludwig u. a. (Augstein hat viele Vorfahren, von denen heutige Rezensenten nicht zu wissen scheinen). Man mußte sich also die jenseits der wissenschaftlichen »Fach-Theologie« geschriebenen Bücher ansehen, wollte man für einen solchen Unterricht gerüstet sein.

Ich merkte sehr bald, daß ich mich für das Diakonenseminar noch weit besser vorbereiten mußte als für die Erstsemester bei der »Kursorischen Lektüre des Griechischen NT«. Mit den zeitraubenden Fahrten bis ins Zentrum des alten Berlin ging ein halber Tag von 4 ¹/₂ bis 5 Stunden drauf. War ich einmal im Neutestamentlichen Seminar, so wollte ich doch auch aus dessen Bibliothek Nutzen ziehen. Mich ärgerte des öfteren, daß ich auftragsgemäß keine Ausflüge in die Exegese unternehmen durfte – denn diese stand nur Habilitierten zu. Einige Male tat ich es trotzdem, denn naturgemäß fragten die Studenten nach dem *Sinn* des Gelesenen, wie man sich dies und jenes zu erklären habe, *wie* denn Matthäus oder Paulus zu ihren Aussagen gelangt seien? Durfte man da »kneifen«? Ich meinte: nein! und nahm mir die Freiheit, die gezogenen Grenzen auch einmal zu überschreiten.

Besonders erstaunlich fand ich es, daß einige sehr begabte Jungdiakonen fleißig theologische Bücher lasen, die Fremdworte im Lexikon suchend oder bei uns Lehrern nachfragend. Sie stellten manchen meiner früheren Kommilitonen und Theologiestudenten in den Schatten, die mit der theologischen Literatur überhaupt nicht umgehen konnten. Aber *wo* und *wie* hätten sie das auch lernen sollen? Niemand eilte ihnen zu Hilfe, und sie waren doch – Gott sei Dank – nicht samt und sonders Pfarrerssöhne, die ja von ihren Vätern eine gewissen Anleitung haben konnten.

Es gab z. B. Leute in der Diakonenschule, die den eschatologischen Entwurf von Paul Althaus (»Die letzten Dinge«, 1922, 1926 in 2. Auflage) lasen und verstanden, oder wie ich selbst Schlatters »Erläuterungen zum NT« benutzten oder irgendeine »Laien-Dogmatik« sich zu eigen machten. Wir waren im Johannesstift eifrig bemüht, Gutes und Brauchbares in die rechten Hände zu geben, mußten freilich auch viel gutgemeinte, aber völlig falsch angelegte, »zu kurz schießende« Apologetik zurückweisen. Bei den Jahrgängen alter und älterer Theologen stießen wir oft auf das Mißtrauen, wir Theologen im Johannesstift wußten wohl *alles* besser. Aber mit der Apologetik von 1870–1914 war nun wirklich nichts mehr anzufangen.

Also mußten wir doch mit einer Fragen hörenden und aufnehmenden, einer »antwortenden Theologie« (Tillich) fortfahren und diese noch besser auszubilden versuchen, wobei uns Helmuth Schreiner vortreffliche Dienste leistete. Er kannte den praktischen Frontkampf mit Freidenkern, Kommunisten, Sektierern, Aufklärern und säkularen Ideologen aufs beste. Jederzeit war er bereit, sich ihnen mit ungewöhnlichem Mut und großer Kraft zu stellen. Zudem erwies er sich als ein weit besserer Theologe als etwa Stoecker in ähnlichen Situationen, dem eine gründliche Schulung in Systematischer Theologie abging. Mit Mut und Charakterstärke allein ist es eben auch nicht getan, selbst wenn ehrlicher, auf die Bibel gegründeter Zeugniswille dahintersteht. Jedenfalls nicht in den hochgehenden Wogen der dritten Aufklärung, seit dem Naturalismus der Jahrhundertwende um 1900. Gemeint ist hier vor allem »Geist und Gestalt« (1926) von Helmuth Schreiner. Wer spricht heute noch davon, wer nimmt ein solches Buch noch zur Hand? Für uns waren sie Leben, ein Ringen um die neue Gestalt des Glaubens und der Verkündigung, dazu ein Kampfmittel, Ermutigung und Denkhilfe zugleich. Schreiner war viel elastischer als sein Lehrer Brunstäd, viel selbständiger und kraftvoller, um zu kopieren, und doch den letzten Intentionen Brunstäds treu, die sich in Sachen der Theologie erst seit 1925 allmählich herausbildeten, als der Erlanger Philosoph systematischer Theologe in Rostock geworden war.

Dialektische Theologie?

Selbstverständlich hatten wir inzwischen Karl Barths »Römerbrief« in der völligen Neugestaltung von 1922 gelesen. Über diesen radikalen Dualismus urteilte Emanuel Hirsch, hier würde die ganze Welt zu Asche und Rauch verbrannt. Schon waren liberale wie orthodoxe Gegner, nicht nur aus dem Luthertum, sondern auch aus dem traditionellen Calvinismus gegen Karl Barth in die Schranken getreten. Nicht gerade mit viel Glück und treffenden Gegenargumenten, vielmehr bestand die Gegenwehr gutenteils nur aus dem entrüsteten Geschrei derer, die Barth seinerseits gut getroffen hatte. Dieses Spektakel war nicht geeignet, junge Menschen auf die Seite der Gegner Barths zu ziehen. Mir imponierte die Rücksichtslosigkeit Barths, die mit allen alten Zöpfen und leer gewordenen Traditionen in allen Bereichen protestantischer Theologie und in allen Konfessionen aufräumte. Daß alle seine Exegesen stichhaltig wären, war nicht anzunehmen, und die Widersprüche der Neutestamentler machten mir z. T. Eindruck, soweit sie sich auf rein Historisches bezogen, die eigentliche theologische Intention Barths hatten sie außer Rudolf Bultmann gar nicht begriffen.

Brunstäd äußerte sich nicht zu exegetischen Fragen, sie lagen in der Tat außerhalb seiner Kompetenz. In solchen war er für jede Mitteilung offen, auch wenn sie von einem so »jungen Marschierer« wie mir kam. Der radikale Dualismus des »Römerbriefs« von 1922 war ihm gänzlich contre coeur, er widersprach seinen philosophischen Prinzipien und sah es nicht gern, wenn seine jungen Schüler sich allzu nahe bzw. zu tief mit Barth und Gogarten einließen.

Eines Tages, bei einem der großen Pastorenkurse, stand ich in der Pause im Saal an dem von der Buchhandlung des Johannesstiftes eingerichteten Büchertisch. Soeben war Gogartens Buch über den Glauben an den dreieinigen Gott erschienen. Novarum rerum cupidus – mindestens in den Wissenschaften – erstand ich es mir ohne lange zu fackeln. Auch Brunstäd war herangetreten und sah das neue Buch in meiner Hand: »Müssen Sie all dies Zeug lesen?« grollte er und witzelte über die unmögliche Terminologie Gogartens. Könne ein philosophisch gebildeter Mensch diese Diktion, diese ungehobelten Begriffe, die gar keine seien, überhaupt ertragen?! Ich erwiderte betreten, man müsse doch informiert sein über das, was in der Theologie passiere.

»Aber Sie sind immer gleich von dem eingenommen, was Sie gerade lesen! Sie sind zu leicht geneigt, das Neue mit dem Wahren zu verwechseln und alle möglichen neuen Gedanken und Wendungen zu übernehmen!« Das saß. Brunstäd hatte meinen schwächsten Punkt getroffen. Da blieb nur noch Schweigen.

Sicher war Brunstäd Gogarten wegen seines »Abfalls« vom Idealismus nicht »grün«, wenn er aber letzteren in seiner Schrift über Reformation und Idealismus als die sachgemäße Begrifflichkeit verstand, um das von der Reformation Luthers verkündigte Evangelium auszusprechen, mußten dann nicht die idealistischen Begriffe von Person, Gemeinschaft, Religion, Gott ewigem Leben usw. eine viel schärfere, eingreifendere Umbildung erfahren, als es bei ihm geschah? Zweifellos hatte Brunstäd mit Hilfe von Kant die Hegelsche Ontologie und Gotteslehre von aller supranatural objektivierenden Metaphysik gereinigt. Schon die »Idee der Religion« zeigte, daß ihr Verfasser auf eine Neufassung der altkirchlichen Christologie unter Bewahrung des ganzen dogmatischen Gehaltes hinauswollte, – dennoch blieben für mich ungelöste Fragen offen, und für Walther Künneth, der gleichfalls seine Laufbahn im Johannesstift und in der apologetischen Arbeit begann, wohl ebenso. Höchst charakteristisch sein Erlebnis mit Reinhold Seeberg. Künneth wollte für seine Habilitation in Berlin über die Theologie der Auferstehung arbeiten, mit der Auferstehung Christi im Mittelpunkt. Seeberg wünschte nun, daß letztere als Sonderfall (diesen Ausdruck wähle *ich*) der »allgemeinen Idee des Lebens« verstanden werden sollte. Künneth konnte *so* weder denken noch verfahren, also konnte er sich auch mit diesem Thema nicht in Berlin bei Seeberg habilitieren. »Fast ein Anlaß, Barthianer zu werden!« So sagten wir, nicht nur einmal – in jenen theologisch so wild bewegten Jahren.

Es ist und bleibt mehr als ein theologischer »Betriebsunfall«, daß die radikal-dualistische Theologie der Anfänge Barths von irgendwelchen unklaren Köpfen ausgerechnet »dialektisch« genannt wurde. Welch ein Unsinn, wenn man von dem philosophischen Begriff der Dialektik ausgeht. Dieser hat gewiß viele Gestalten und Möglichkeiten, doch die Theologie des »jungen« Barth dürfte wohl kaum darunterfallen. Denn es kam ihr weder auf Vermittlungen noch auf Synthesen an, auch nicht auf sich dialektisch bewegende Manifestationen des letzten, göttlichen Seins wie in der klassischen und nachklassischen griechischen Philosophie. Vielmehr haargenau aufs Gegenteil. Und auch nicht auf die Gegenwart des Unendlichen im Endlichen, wie wir es bei Schleiermacher lasen. Wiederum: »Gott ist im Himmel und der Mensch auf Erden«, – so Karl Barth. Wie gut konnten wir Johannesstiftler Paul Tillich verstehen, der sich seit der zweiten Hälfte der zwanziger Jahre mit zunehmender Deutlichkeit gegen Barths Restauration einer »supranaturalistischen« Orthodoxie wandte. Allerdings machten wir Zweifel geltend, ob der Terminus »Supranaturalismus«, den Tillich schon um 1930 gebrauchen konnte, wirklich zutreffend sei. Die Krisis alles Bedingten durch das Unbedingte als Gericht und Gnade – war das nicht der *gemeinsame* Ansatz und Ausgangspunkt?

Da war es heilsam, daß wir in dem für die Diakone zuständigen Pfarrer Gaul einen Mann unter uns hatten, der ganz und gar nicht von Brunstäd oder von Tillich herkam, sondern für eine andere, biblisch gegründete Theologie plädierte und daher in unseren theologischen »Tabakskollegien« auch für Barth Partei ergreifen konnte. Und schließlich gab es ja auch noch den weisen alten Schlatter und den Karl Heim. Man war also nicht in der traurigen Lage, das jurare in verba magistri (= schwören auf die Worte des Lehrers) auf *einen* Lehrer zu beziehen.

Die falsche »Firmenbezeichnung«, die nur der Philosophie unkundige Theologen erfunden haben können, *verschleiert* den eigentlichen und wahren Tatbestand. Man sollte, was ja in den *theologisch* goldenen Jahren auch vorkam – von der Theologie der »Diastase« (dem Gegenteil von »dialektisch«) oder »des radikalen Dualismus« sprechen.

Selbstverständlich paßt dies gar nicht mehr zu dem Verfasser der »Kirchlichen Dogmatik«. Es ist weder bzgl. der Christologie noch der Ethik, und vollends nicht auf Band IV 1 ff. anwendbar. Emil Brunner hat sogar von einer Großen Wendung Barths zum Menschen, zur Humanität etc. gesprochen, freilich blieb m. E. auch diese Umschaltung oder Neu-Akzentuierung ganz im Kontext des gewaltigen Hallenbaus der »Kirchlichen Dogmatik«.

Weihnachten 1927 schenkte mir mein noch immer um meine theologische Fortbildung bemühter Vater Band I des Erstentwurfs der im gleichen Jahr erschienenen Barthschen Dogmatik. Ich lernte daraus vor allem, daß die Theologie eine Funktion der Kirche sei, und ich bin gern so altmodisch, dies auch 1976 noch für eine große Wahrheit zu halten. Hatte nicht einige Jahre später auch der Philosoph, Logistiker und Mathematiker Heinrich Scholz (»Mathesis universalis«), der in Münster Barths Freund geworden war, den Wissenschaftscharakter der Theologie auf Grund der von ihm aufgestellten strengen logischen und mathematischen Kriterien verneint? Ich habe nicht die Absicht, mich hier über Wissenschaftstheorie und Theologie zu äußern und auf diese Weise meine Zuständigkeit zu überschreiten. Es ist aber auf alle Fälle orientierend und hilfreich, sich der alten Diskussionen und Streitfragen zu erinnern, die so übel nicht waren. Auch überholte Fragestellungen behalten ihren Wert. »Dialektisch«? Nein! Weder die theologischen Intentionen Barths noch die ungewöhnliche Kraft seines Angriffs auf eine Theologie und Kirche, die ihr »Thema« und ihre Aufgabe vergessen hatten und entleerte Traditionen fortwälzten, waren auf diese Weise zu erfassen und zu bezeichnen.

So trat Barth auch in unseren Johannesstift-Kreis, leidenschaftlich umstritten wie allenthalben. Und das war gut so. »Zwischen den Zeiten« sorgte für Stoff in unseren theologischen Gesprächen, und der erste Dogmatik-Entwurf erst recht. Es gab Leute, die es sehr bedauerten, daß Barth seine Dogmatik nicht in dieser auch literarisch überschaubaren und lesbaren Form fortsetzte, und ich gehörte zu ihnen. Als der Riesenbau der neuen Fassung begann, war ich schon nicht mehr im Johannesstift.

Karl Heim schien mir Barth durch die Abweisung jeder Art von philosophischer Begründung des Glaubens und der »Glaubensgewißheit« vorangegangen zu sein, während Brunstäd den bei Heim entstandenen »garstigen Graben« auszufüllen trachtete. Mich fesselte an Heim schon in den zwanziger Jahren sein Engagement in der christlichen Welt-Studentenbewegung und in der Mission sowie die damit verbundene Art, die anderen Weltreligionen ständig als ein Gegenüber zu sehen und ins eigene Denken einzubeziehen. Seine Gradlinigkeit, der Ernst seiner schlichten Frömmigkeit, ohne den die Frommen so oft anfechtenden Pharisäismus, imponierten mir. So hatte ich einen Meister-Theologen mehr, von dem ich lernen konnte und wollte. Doch wie viele würden es wohl noch werden? Und wie sich hindurchwinden durch das Werk so vieler bedeutender Lehrer? Sollte ich einmal als trauriger Eklektiker enden, angefüllt mit Zitaten verschiedenster Art, nicht Fisch noch Fleisch? Kummervolle, immer wieder auftauchende bedrängende Fragen. Aber sie konnten meine Arbeitsfreude und Aufnahmefähigkeit nicht zerstören. Resignation auf Dauer ist nicht Sache der Jugend.

Karl Heim sah in der vergangenen, gegenwärtigen und zukünftigen Welt und Geistesgeschichte die Entscheidungen gegen und für Christus gefallen. Darum hatte er ein feines Gespür für die Eschatologie des Neuen Testaments und holte sie aus den apokalyptischen Symbolen und Mythologien heraus. Das zog mich an, denn das war ja im neutestamentlichen Bereich auch mein eigenes Thema geworden. Besonders sein Aufsatz über Zeit und Ewigkeit in der »Zeitschrift für Theologie und Kirche« 1927 ist lange mit mir gegangen. Die scharfe Abgrenzung des neutestamentlichen Zeitbegriffs von der griechisch-philosophischen Gleichsetzung der Ewigkeit mit der Zeitlosigkeit, der Nicht-Zeitlichkeit machte mir tiefen Eindruck. Ewigkeit im Sinne des Neuen Testaments aber ist Vollzeit, Erfüllung der Zeit, Fülle des Reiches Gottes. Infinitum capax finiti auch hier, bezogen auf die Zeitvorstellungen. Die bloße Negation der Zeit als Vergänglichkeitsstruktur, Hinschwinden, Zeit zum Tode hin – das war nicht die Botschaft des Neuen Testaments. Sie meint die anbrechende und zukünftige Vollzeit, die Zeitenfülle des »ewigen« Gottesreiches.

So erfuhr ich durch Heim neue Hilfe bei dem Bemühen um das rechte Verständnis des Neuen Testaments, angefangen von der Reich-Gottes-Verkündigung Jesu bis zu den apokalyptischen Vollendungsvisionen (Offenbarung 21 und 22).

Ein wenig Theologiegeschichte

Nicht nur den Neuerscheinungen heute und gestern, auch der Geschichte der Theologie gehörte nach der Berufsarbeit, doch in engstem Zusammenhang mit ihr, mein Interesse.

Es war für einen Doktoranden in der Systematischen Theologie selbstverständlich, von Schleiermacher wenigstens die »Reden über die Religion«, die »Glaubenslehre«, möglichst auch die »Christliche Sitte« und nicht zuletzt die »Kurze Darstellung des Theologischen Studiums« zu lesen. Von Albrecht Ritschl waren es »Rechtfertigung und Versöhnung« und der »Unterricht in der christlichen Religion«, von Ernst Troeltsch die wichtigsten Abhandlungen, so vor allem »Die Absolutheit des Christentums und die Religionsgeschichte«, »Über das Verhältnis des Protestantismus zur modernen Welt« u. ä. Ebenso mußte ich über die »Vermittlungstheologie«

und die kirchlich-theologische Reaktion gegen Schleiermacher und seine Schüler wenigstens in den Grundzügen Bescheid wissen.

W. Lüttge begann im Rigorosum mit Kant und Schleiermacher und fragte sich und mich durchs ganze 19. Jahrhundert hindurch bis hin zu Troeltsch einschließlich. Daß ich all dies und noch mehr gelesen und kapiert hatte, setzte Lüttge als selbstverständlich voraus. Da er theologiegeschichtlich hervorragend gut beschlagen war, dankte ich es meinem Schöpfer, als die volle Stunde der Hauptfach-Prüfung vorbei war. Eine Kleinigkeit war das nicht, denn Romantik, Idealismus, Kants Ethik und Religionsphilosophie usw. – waren ja samt und sonders weitschichtige, diffizile Größen mit einer Unsumme geistes-, philosophie- und dogmengeschichtlicher Beziehungen rückwärts und seitwärts.

Fehlstellen

Merkwürdig war, daß ich weder als Student noch in den Jahren meiner Arbeit im Johannesstift einen inneren Zugang zu Schleiermacher fand. Offenbar hatten nur Hegel und die Hegel-Renaissance den Blick verstellt. Der positivistische Zug in seiner »Glaubenslehre« befremdete mich, und ich konnte den Verdacht des christlichen Subjektivismus nicht loswerden. Warum »Glaubenslehre« statt Dogmatik? Den Nutzen dieser Wandlung konnte ich nicht einsehen, trotz A. E. Biedermanns glorreicher Vereinigung Schleiermachers mit Hegel.

Noch weniger konnte ich mit der Kant-Ritschlschen Theologie anfangen, die bis in den Ersten Weltkrieg zahlreiche Lehrstühle besetzt hielt. Weder Wilhelm Herrmann noch Julius Kaftan noch andere Ritschlianer konnten mich überzeugen und mir das (theologische) Herz abgewinnen.

Den bürgerlichen Ethizismus Ritschls fand ich unerträglich. Daß er das Reich Gottes in die sittliche Gemeinschaft der Gewissen umstilisierte, empfand ich als Verrat an der eschatologischen Botschaft Jesu. Es erquickte mich geradezu, wie Johannes Weiss mit diesen grundfalschen »Ideen« vom Reich Gottes aufräumte. Natürlich war bei mir die zornige Ungerechtigkeit der Jugend mit im Spiel. Ich sollte besser sein als meine Zeit- und Jugendgenossen, ich konnte es aber nicht. An der Eschatologie brach ich zur Kritik am Idealismus durch. Heim und Barth waren meine Helfer, sofern sie das Erbe von Johannes Weiss vollstreckten.

Bei Julius Kaftan war mir sympathisch, daß bei ihm das Motiv der »Erlösung von der Welt« eine Rolle spielte, die es bei den anderen Ritschlianern nicht gab. Bei ihnen schien sittliche Bewährung im Beruf der einzige – moralische – Modus des Welt-Verhältnisses zu sein. Kam man hier nicht wieder der »Ent-Eschatologisierung« auf die Spur?

Kaftan, ein kleiner, doch ehrwürdiger Mann, war »Geistlicher Vizepräsident« des –

ehedem Königlich-Preußischen Oberkirchenrats zu Berlin (der Präsident war Jurist). Er war schon emeritiert, als ich gegen Ende meiner Berliner Studienjahre auch bei ihm noch eine Dogmatik-Vorlesung hörte. Der alte Mann tat mir leid. Da saßen acht Studenten – ich der neunte – in dem viel zu großen Hörsaal. Ein untergehendes Gestirn, – schon waren andere mit großer Leuchtkraft am Himmel aufgezogen. Kaftan wohnte auf dem Fichteberg in Berlin-Steglitz, einer ruhig-vornehmen, verkehrsarmen Villengegend. Da mein Vater Pfarrer an der Markuskirche in Berlin-Steglitz war und Kaftan ihn kannte, wurde mir eines Tages die Ehre zuteil, zu Kaftan eingeladen zu werden, mitsamt einigen anderen älteren Semestern und Kandidaten der Theologie. Ein eigenartiger Abend. Kaftans ziemlich steife und verschlossene Natur – er war Schleswig-Holsteiner – wirkte hemmend auf das Gespräch, so gut er es auch mit uns meinte. Die Worte tropften wie ein dünnes Rinnsal, mein lebhaftes Naturell konnte sich nicht entfalten, da ich befürchten mußte, die in diesem Hause üblichen guten Sitten zu verletzen. Als der Gastgeber kurz nach 22.30 Uhr die Zigarrenkiste herumgereicht hatte, erhoben sich die Gäste wie auf Kommando und nahmen höflichst Abschied. Ich war vorher instruiert worden, daß man sich so zu verhalten habe. Die Zigarren konnten wir uns frühestens im Vorgarten anzünden. Seltsame Bräuche! Dabei war an Kaftans Wohlwollen und Güte gar nicht zu zweifeln, doch sie konnte sich unter dem Druck der scharf ausgeprägten Umgangsformen nicht entfalten.

Auch Kaftan war ein überzeugter Kantianer, der weder mit Fichte noch Schelling noch Hegel das geringste im Sinn hatte: die ergingen sich in unhaltbaren metaphysischen Spekulationen und waren große Irrlichter, allein bei dem »Alleszermalmer« Kant konnte die Theologie angesiedelt werden. Eine derartige Position konnte ich nur historisch zur Kenntnis nehmen, so sehr ich den Ernst des Vortrags und des Gedankens an Kaftan respektierte. Erst als Dozent in Heidelberg lernte ich Theodor Häring den Älteren und seine kleinen Kommentare zum Neuen Testament kennen, einen Ritschlianer, der eine Verbindung dieser Theologie mit dem schwäbischen Pietismus und dessen »angeborener« Nähe zur Bibel herstellte.

Ein großer Mangel in meiner philosophischen Bildung und Ausbildung war, daß ich Schelling nicht recht kennenlernte. Von der »Philosophie der Offenbarung« hörte ich bei Tillich, aber ich las sie nicht, ebensowenig Tillichs Schelling-Arbeiten. Mir fehlte einfach die Einsicht, daß die Entdeckung des Unbewußten schon durch Schelling erfolgt ist, wie mir später Tillich eröffnete. Er hatte ja bereits in »Religiöse Verwirklichung« (1930) auf den »zweiten« großen Strom der Philosophie der Mystik, des Unbewußten und Nicht-Rationalen, des Lebens usw. hingewiesen, der die Bewußtseinsphilosophie korrigiert, während meine durch Windelband bestimmte philosphiegeschichtliche Schulbildung ganz einseitig nur die von Descartes zu Kant führende Linie sah. Als mir eine Auswahl aus den Schriften Jakob Böhmes in die Hände kam, ging mir endlich ein Licht auf.

Trotz aller Lücken und Fehlstellen blieb ich ganz im Banne der Vorstellung von einer »Allgemeinbildung«, der vorab vor allem anderen der *Theologe* bedürfe. Daran ist gewiß etwas Wahres, an dem ich festgehalten habe. Eine »Ausfall-Erscheinung« war auch diese: *Husserl* blieb mir unbekannt – natürlich nicht der Name, nicht die Existenz der Freiburger Schule der »Phänomenologie« –, aber der Einfluß, den Heinrich Rickert in Heidelberg auf mich ausübte, war so stark, daß ich gar keine Neigung verspürte, mich mit Husserl zu befassen. Erst in den fünfziger Jahren führte mich eine gute Begegnung mit Ludwig Landgrebe in Kiel zum Wandel. Er öffnete mir die Augen für die Bedeutung Edmund Husserls, besonders für dessen Spätwerk. Selbstverständlich konnte ich nur aufnehmen, was – z. B. für die Entfaltung meines sozialethischen Denkens – von Wichtigkeit war. Jedenfalls habe ich Grund zur Dankbarkeit für die Schließung dieser »Lücke« und für Landgrebens schöne und bedeutsame Studien über »Phänomenologie und Geschichte«.

Ein junger Mensch wird von bestimmten geistigen Einflüssen, von großen oder doch wirkungskräftigen Lehrern auf diese und jene Bahn gebracht. Das bedeutet aber auch, daß er *andere* Wege nicht sieht, die u. U. ebensogut und zielstrebig gewesen wären. Das ist Schicksal und Entscheidung über Person in Einheit, unzerstörbar für die Dauer eines Lebens. Vita nostra brevis est, breve finietur (kurz ist unsres Lebens Zeit, bald ist sie beschlossen), heißt es in einem alten Studentenlied. In dieser lebenszeitlichen Kürze sind Fügungen aller Art letzlich philosophisch wie theologisch undurchschaubar, wohl zu unserem Heil . . . Wollte ich in sie eindringen, müßte ich angesichts gähnender Tiefen erstarren. Es sind die Abgründe des »Deus absconditus«, des verborgenen Gottes, in die hinabschauend uns zu verlieren Martin Luther uns mit guten Gründen gewarnt hat.

Emil Brunner

Zu diesem Dritten im Bunde der törichterweise sogenannten dialektischen Theologie gewann ich nähere Beziehungen in den dreißiger Jahren, wovon weiter unten noch die Rede sein wird. Hier ist vorerst so viel zu sagen, daß ich auch Brunners frühe Schriften »Erlebnis, Erkenntnis, Glaube« sowie den leidenschaftlichen, bis zur schreienden Ungerechtigkeit gehende Angriff auf Schleiermacher »Die Mystik und das Wort«, wie bei mir üblich, verschlang. Des Temperaments wegen gefiel er mir zwar, obgleich ich gar keine Neigung zur radikalen Verfemung der Mystik hatte. Aber ich ging gegen Ende der hochgelobten zwanziger Jahre immer mehr auf anti-idealistischen Kurs, und da kam mir Brunner trefflich zu Hilfe. Sein Buch »Der Mittler«, meines Wissens das letzte große Werk, das ich von Brunner im Johannesstift las, schien mir die ewige Wahrheit und Tiefe der altkirchlichen Christologie wieder in ihrem echten Glanz aufleuchten zu lassen. Sogar auf Spaziergängen im Johannesstift und an die Havel schleppte ich den voluminösen Band mit, die Mühe erschien mir gering im Verhältnis zu dem Wert, den er für mich besaß. Ich wollte dem Verfasser einen glühenden Dankesbrief schreiben, unterließ es aber – wie dumm! –, weil das Gefühl des allzu großen Abstandes zwischen diesem Autor und diesem Leser mich abkühlte. Auch wollte ich abwarten, bis ich ein äußeres Zeichen meines Dankes schicken konnte. Die Zeit hierfür sollte bald kommen. Die kleine Schrift »Volk und Gott« schien mir nicht zuzureichen, was zweifellos richtig war. Mochten die Altliberalen aufschreien über diese entsetzliche Neu-Orthodoxie und die Pietisten nicht minder, die immer ihre Bekehrungs- und Erfahrungssprache mit dem Evangelium, ja mit Christus selbst gleichzusetzen beliebten, für mich war dieses Buch Brunners existentiell der Durchbruch zu Jesus Christus als Gott und Mensch im Sinne des altkirchlichen Dogmas. Dies mußte mit neuen Worten und Begriffen gesagt werden, damit es jetzt – 1927, 1928 – wieder verstanden und angeeignet werden konnte.

Heute (1976) sind Barth und Brunner unter demselben großen Dach des Theologischen Verlags in Zürich mit ihren Werken vereinigt. Streit und Auseinandersetzung gehören der abgeschlossenen Vergangenheit an, auch das diktatorisch-polemische »Nein!« Barths gegen Brunners angeblichen Hauptsündenfall in die »natürliche Theologie«. Daß Barth Schleiermacher zu Recht an wichtigen Punkten gegen Brunners Attacke in Schutz genommen hat, dürfte heute feststehen. Es ist doch eine eigene und sonderbare Sache mit Recht und Unrecht in der Geschichte der Theologie. Die beiden Genannten hatten Recht widereinander und gleichzeitig Unrecht gegeneinander. So will's mir heute scheinen, bessere Belehrung vorbehalten.

Damals hatten wir diesen Streit wie den Streit Barth contra Gogarten und das Aufplatzen des erregend guten Blattes »Zwischen den Zeiten« vor uns. Ich meinesteils ahnte absolut nichts von all dem Kommenden, doch in 3–4 Jahren konnte dazumal unglaublich *viel* in der Theologie passieren, als trügen uns Sturmwinde hierhin und dorthin. Nicht leicht, sich angesichts solcher tempi zu orientieren und auf den Beinen zu bleiben. Mit vielen anderen zusammen stand ich im vierten Glied und nicht als Bataillonskommandeur vor der Front. Als einfacher »Landser« weiß man oft gar nicht, was die großen Strategen vorhaben und welches Spiel da eigentlich gespielt wird.

Die Schreibweise Brunners sowie die Art seiner Gedankenbildung war mir ungemein sympathisch. Sie ging leicht in mich ein, obwohl ja in der Christologie Dauer-Probleme bis zum »lieben jüngsten Tag« zu bewältigen sind und doch nie ganz bewältigt werden können, welchen philosophisch-theologischen Ansatz man auch wählen mag von Athanasius und Augustinus über Luther und Calvin bis hin zu Barth. M. E. ist es das Mysterium der Menschwerdung und eben damit das mysterium trinitatis, in dem immer ein starker Rest des nicht mehr Theologisierbaren, geschweige denn Rationalisierbaren bleibt, allem »Propheten« der absoluten Rationalität und Mathematisierung der Wissenschaften zum Trotz. Die Theologie erreicht hier den Punkt, wo sie in Anbetung übergeht, und wenn dies in den modernsten Konzeptionen von Theologie ortlos und stimmlos bleibt, so kann ich für mein Teil hierin nur eine tödliche Selbstberaubung und Selbstverstümmelung der Theologie erblicken. Ich glaube – der Klasse der Pessimisten in keinem Sinn des Wortes zugehörig – nicht, daß wir schon am

Ende der Geschichte des christlichen Denkens stehen, weit gefehlt. Das Auftreten jeder neuen Generation zeigt an, daß wir immer neue, ungeahnte Möglichkeiten zu neuen Konzeptionen haben. Während die einen mit Hilfe einer bestimmten Geschichtsphilosophie den armen Karl Barth scheinbar endgültig theologisch begraben, zeigen sich am anderen Ende Chancen einer Barth-Renaissance, natürlich einer kritischen, denn das jurare in verba magistri ist auch in diesem Falle zu verwerfen.

Ein möglicher Abweg

Übrigens hätte es auch anders kommen können. Denn eines Tages beschied mich der damalige Generalsuperintendent der Kurmark, D. Otto Dibelius – der spätere Bischof von Berlin – zu sich. Er suchte jüngere bzw. junge evangelische Theologen für das Fach der Religionspädagogik an den neuen Pädagogischen Akademien, die der fortschrittliche preußische Kultusminister C. H. Becker zu jener Zeit begründet hatte. Mein Verehrter Münsteraner Kollege Helmuth Kittel hat die Konzeption (nicht Lehrerseminar, nicht Universität) und die ersten Anfänge dieser neuen Institution der Lehrerbildung in seinen Erinnerungen aus eigener Anschauung und Erfahrung ausgezeichnet beschrieben.

Wer Dibelius meinen Namen genannt hatte, weiß ich nicht. Jedenfalls erging es mir bei diesem wie dem Dichter: »Und eine Würde, eine Höhe entfernte die Vertraulichkeit . . .« Eine Kluft schien zwischen uns befestigt zu sein. Ein wirklicher Kontakt kam nicht zustande, womit nicht gesagt sein soll, daß es den beiden damaligen Partnern an Kontaktfähigkeit fehlte. Ich schlug das Angebot aus, zu meinem Glück. Hätte ich es angenommen, – ich hätte mich nie in Heidelberg habilitieren können, der ganze Lebenslauf hätte eine andere Richtung genommen. Auch hatte ich das Gefühl, zum Religionspädagogen nicht geschaffen zu sein. Es blieb also bei der Richtung auf die Habilitation, und zwar – wie schon erwähnt – in Heidelberg und nicht in Berlin.

Ein schönes Erlebnis aus den Johannesstiftjahren will ich noch festhalten. 1926 fand in Amsterdam ein »Internationaler Kongreß für Innere Mission und Diakonie« statt. Ich durfte bei der großen deutschen Delegation dabei sein und erhielt den Auftrag, Berichte für die deutsche Presse zu schreiben. Auf diese Weise kam ich zum ersten Mal ins Ausland. Den Hauptvortrag hielt kein Geringerer als Karl Barth über das Thema »Kirche und Kultur«, wobei er mit der idealistischen Theologie der Kultur scharf ins Gericht ging. Dies nun ärgerte mich und, zu Hause angekommen, schrieb ich über Barths Thema einen Gegenartikel als »ungehaltene Diskussionsrede«, keck, wie die Jugend nun einmal ist. Der Aufsatz wurde tatsächlich in der Zeitschrift »Wort und Tat« veröffentlicht.

Im Herbst 1929 mußte ich in Berlin u. a. auch Reinhold Seeberg einen Abschiedsbesuch machen. Er war damals Präsident des Centralausschusses für die Innere Mission.

Ich bestaunte das große Studierzimmer mit den mächtigen, bis zur Decke reichenden Bücherregalen. Seeberg entließ mich sehr gnädig, gab mir jedoch zwei für ihn sehr charakteristische Ratschläge mit auf den Weg: »Erstens: Kümmern Sie sich nicht um die kirchliche Arbeit noch um die Gemeinde. Schreiben Sie vielmehr ein dickes, gelehrtes Buch. Zweitens: Kämpfen Sie gegen Barth, wo Sie gehen und stehen.«

Dem konnte ich unmöglich Folge leisten. Eine unkirchliche und unpraktische Theologie erschien mir als ein Unding. Und gegen Karl Barth kämpfen, das kam gleichfalls nicht in Frage. Was mich auch damals von ihm trennen mochte, ich spürte sehr wohl, daß hier eine neue gewichtige Theologie aufkam.

Ein Mann, der dicke Bücher schreibt, bin ich auch nicht geworden. Und sobald ich in Heidelberg festen Fuß gefaßt hatte, beteiligte ich mich auch wieder an der Arbeit der Badischen Kirche und besonders an deren sozialer »Front«.

Predige mit Freuden!

Es war selbstverständlich, daß ich im Stift in den Predigtdienst eingereiht wurde, und zwar nicht nur für die Sonntagsgottesdienste, sondern auch für die für alle Stiftsinsassen veranstalteten Abendandachten, die im Gefüge einer knapp gefaßten Liturgie eine gleichfalls kurze Textauslegung vorsahen. Hier lernte ich es, in 5–7 Minuten den »Scopus« des Textes zu erfragen und in straffer Disziplin auszulegen. So wurde ich früh von dem Wahn befreit, nur eine Predigt von 20 bis 30 Minuten Dauer könne eine zureichende Auslegung des Predigttextes bieten. Diese Erfahrung kam mir später als Kriegspfarrer sehr zustatten, ebenso bei den Morgenandachten des Norddeutschen Rundfunks in Hamburg, die ich in der ersten Hälfte der fünfziger Jahre des öfteren zu halten hatte: Dauer der Ansprache genau 4,5 Minuten; was darüber war, fiel dem Schnitt zum Opfer.

Die Sonntagspredigten hingegen waren mir eine schwere Last. Die Verantwortung, einer stattlichen Gemeinde textgemäß und sachgerecht in einer gegebenen Situation das Evangelium zu verkünden, schien mir allzu groß und schier untragbar.

Obwohl mir die freie Rede lag und das Leben in der Jugendbewegung reichlich Gelegenheit bot, mich in dieser Kunst zu üben, betrat ich die Kanzel mit Angst und Beklemmung und in Unfreiheit und Freudlosigkeit. In dieser seelischen Verfassung konnte ich mit meiner Predigt niemanden aufrichten und trösten und den zahlreichen jugendlichen Hörern keine Hilfestellung und Wegführung bieten. Mit der dogmatischen »Richtigkeit« der Gedanken und noch so gründlicher Exegese allein war und ist es eben *nicht* getan. Etwas Entscheidendes fehlte, ich fühlte es, und das bedrückte mich noch mehr.

Eines Tages klagte ich Helmuth Schreiner, unserem Stiftsvorsteher, mein Leid. Dieser Mann war ein Prediger von Gottes Gnaden – ich weiß, was ich sage –, voll unerhörter Kraft und Wucht, der viele Hunderte, ja Tausende in den Bann seines Wortes schlug. Daher denn auch der geborene »Volksmissionar«, der Atheisten, Kommunisten und allen, die in der Anbetung der Profanität ersoffen waren, die Stirn bot, – ohne jede Spur von Menschenfurcht. Er war in jedem Satz ein Meister echter Vergegenwärtigung der biblischen Texte, ohne falsche Anpassung, aber auch fern von der sturen, unmenschlichen, in alten Formeln erstarrten Orthodoxie. Der theologische Hörer von Schreiners Predigten hatte viel zu lernen und konnte ungemein viel lernen.

Auf meine Klagen sagte Schreiner, ohne sich in Einzelheiten oder pastoralen, salbungsvollen Ergüssen zu ergehen, nur dies: »Wendland, du kannst und du darfst das Evangelium *mit Freuden* verkündigen. Mit Freude im Herzen über diesen Auftrag verkündigst du das Evangelium recht.« Nichts, sonst nichts mehr. Ich ging. Dies Wort hatte – sans phrase – mitten ins Herz getroffen.

Seitdem habe ich fast fünf Jahrzehnte hindurch viel und oft gepredigt. Dieser Dienst erreichte in zehn Jahren Kriegspfarrerleben und der langen Gefangenschaft in Rußland seine Höhepunkte. Mit Menschen aller Volks- und Gesellschaftsschichten, mit Soldaten und Offizieren aller Dienstgrade hatte ich mich *praktisch* in Begegnung und Dialog ganz den Aufgaben der Verkündigung in stets wechselnden und oft höchst schwierigen Situationen hinzugeben.

Schreiners Wort ging mit mir in die hoffnungslose Lage der Kriegsgefangenen hinein. Noch heute klingt es mir im Ohr, obwohl der Freund, der es einst gesprochen, schon lange nicht mehr unter den Lebenden ist. Die Macht des rechten Wortes zur rechten Stunde ist wunderbar groß – jedenfalls in *dieser* Sache. Ich gewann die Freiheit, freudig, ja mit Leidenschaft zu predigen.

Noch etwas über das Berneuchener Buch

Über das »Berneuchener Buch« habe ich schon einiges gesagt, ich erwähne es nochmals, weil sein Erscheinen in meine Jahre beim Johannesstift fällt und es in unserer theologischen Kumpanei hin und her erörtert wurde. Helmuth Schreiner und C. G. Schweitzer hatten es mit unterzeichnet, ich selbst war wohl der jüngste der etwa 70 Mitunterzeichner. Ich rechne es mir zur Ehre an, so früh in diese kirchenkritische Reformbewegung einbezogen worden zu sein. Auch hatte ich das große Glück, schon als junger Mensch die ökumenische Bewegung kennenzulernen, ebenso die soziale und sozialethische Bewegung, die der Kirche ein neues Verhältnis zu allen sozialen Problemen in Gesellschaft, Staat und Wirtschaft eröffnen wollte. Dieser Intention und Tendenz meiner Jugendjahre glaube ich treu geblieben zu sein: den Reformbewegungen in Kirche und Gesellschaft nach Maßgabe meiner Kräfte zu dienen, auf allen Feldern, die mir durch Lehrer und ältere Freunde erschlossen wurden. Dies alles hat sich gut gefügt, und ich habe vielen guten Begleitern und »Wegweisern« zu danken. Es ist nicht möglich, sie hier alle zu nennen. Bis zum Ende der Berneuchener Konferenz nahm ich an allen Tagungen seit 1925 teil. Aus ihrem Kreise muß ich zweier Männer gedenken, die mir einen besonders starken Eindruck gemacht haben. Der erste ist der religiös-soziale Hermann Schafft aus dem Neuwerk-Kreis, einem der besten und lebendigsten, die es damals gab, – ein Mann voll von Lebensenergie und großer Entschiedenheit, Verfechter eines ideologisch nicht eingefrorenen religiösen Sozialismus, weit offen für alle neuen Problemstellungen, vor allem aber mit einem Herzen für die Elenden, Armen und Entrechteten, für die er mit heißer Leidenschaft eintrat. Schafft war Pfarrer, Pädagoge und »Volkserzieher« in einer Person, seine Wirkung auf junge Menschen beträchtlich. Dagegen fehlte ihm völlig der Zug zum Kultisch-Liturgischen, daher sein Gegensatz gegen Karl Bernhard Ritter und Wilhelm Stählin. So ist er denn auch den weiteren Weg, der 1931 zur Gründung der Evangelischen Michaelsbruderschaft führte, nicht mitgegangen. Eben diese Tatsache wurde später für mich bedeutsam, denn sie signalisierte eine Verengung, die m. E. der Evangelischen Michaelsbruderschaft bis auf diesen Tag nicht gut bekommen ist. Die Religiös-Sozialen hatten kaum Raum und Stimme in ihr außer Alfred Dedo Müller, dem praktischen Theologen in Leipzig. Dessen Buch »Religion und Alltag« las ich ebenfalls gegen Ende meiner Zeit im Johannesstift. Müllers kritischer Reformwille zog mich natürlich an, mochte man über Einzelfragen wie die des Alkoholismus auch anders denken als er. Nach 1933 sah ich dann, daß Müller frei war vom Nationalsozialismus, der Massenerkrankung jener Jahre. Und es gehörte eine große Kraft dazu, sich von dieser Massen beherrschenden Seuche frei zu halten.

Zu den führenden Männern der Berneuchener Konferenz gehörte der Hamburger Pastor Ludwig Heitmann, ein sehr eigenwüchsiger Theologe, ein Mann der Besinnung, der Meditation. Wenn ich nach Hamburg kam, besuchte ich ihn, und wir stellten der Kirche und ihrer Zeit die Diagnose. Er durchschaute früh den Nationalsozialismus, hatte er doch die Gabe, die Geister zu unterscheiden, das Echte und Wahre scharf vom Unechten und der Lüge zu trennen. Auch ihm verdanke ich ein kritisches Wort, das zeigt, wie dieser Seelsorger die Menschen erfaßte: »Dir fehlt die innere Ruhelage«. Eine Erwiderung war ganz unmöglich, – diese Diagnose konnte ich nur schweigend annehmen.

Heitmann hatte vor dem Ersten Weltkrieg das große zweibändige Werk »Großstadt und Religion«, ein ungewöhnliches Buch mit einer ungewöhnlichen Fragestellung im Horizont jener Epoche, geschrieben. Nur Friedrich Naumanns Einsichten in die technische Industriegesellschaft, die moderne Profanität, die historische Rolle der Arbeiterbewegung und der Sozialdemokratie kann man Heitmanns Werk an die Seite stellen. Mögen seine begrifflichen Mittel nach etwa 60 Jahren veraltet sein, sein Werk ist und bleibt eine Pioniertat ersten Ranges, die weder mit der Schablone »sozialer Liberalismus« noch mit einer anderen abgetan werden kann. Die Entdeckung des neuartigen, Geschichte machenden Phänomens der Großstadt war der diagnostischen Gabe und Kunst Heitmanns zu verdanken, seiner feinen Witterung des Werdenden, Kommenden, Schicksalhaften für den einzelnen, die Gruppen, die Kirchen, die *prinzipiell* neuartige Situation, welche die Großstadt für die Religion heraufgebracht hatte. Die säkulare »Stadt ohne Gott« ist keineswegs erst von Harvey Cox entdeckt worden. Das haben *vor* dem Ersten Weltkrieg erstmals Naumann und Heitmann getan. Heitmann blieb allem »Liturgismus« d. h. der Absonderung des Kultus von der Wirklichkeit gegenüber stets wachsam – kritisch, ja sehr empfindlich. Als er den Weg zur Evangelischen Michaelsbruderschaft mitgegangen war, führte dies zu tiefgehenden Gegensätzen zwischen ihm und Karl Bernhard Ritter, vor allem aber Wilhelm Stählin. Sie endeten – was ich noch heute beklage – mit seinem Ausscheiden aus der Bruderschaft. Unsere Freundschaft aber wurde von diesem Konflikt nicht berührt. Er blieb für mich der kluge Warner, der vor wie nach seinem Hinscheiden mit vielen Prognosen recht behalten sollte. Wer einmal die Geschichte der Evangelischen Michaelsbruderschaft schreiben wird, möge das hier Gesagte wohl und reiflich bedenken.

Soziologisch gesehen stimmt es, daß es sich bei der Berneuchener Konferenz um eine Elite von Männern gehandelt hat, die, von der Jugendbewegung und ihrem gesellschaftskritischen Geist aufs tiefste beeinflußt, die Erneuerung der evangelischen Kirchen aus dem Evangelium anstrebten, nicht der bloßen Anpassung erlagen, sondern die Kirche von der göttlichen Wahrheit gerichtet und aufgerichtet sahen. Die Grenze der Konfessionen wurde schon hier bewußt überschritten, mochten auch noch so viele von uns aus lutherischen Traditionen kommen. Die Welt der Arbeit, der Wirtschaft wurde expressis verbis einbezogen. Dieser Realismus und diese Weite sind der Evangelischen Michaelsbruderschaft seit 1931 mehr und mehr abhanden gekommen. Erst seit einigen Jahren ist in ihr das Bestreben fühlbar, den ursprünglichen Universalismus wieder herzustellen. Spötter und Witzbolde fielen darüber her, daß wir eingangs Barth, Brunstäd und Tillich zusammen als unsere Lehrmeister zu nennen uns erkühnt hatten. Welch frevelhafte Zusammenstellung. Welch ein mixtum compositum mußte sich daraus ergeben. Es erschien unseren Kritikern als abscheulich und verantwortungslos zugleich.

Trotzdem: es war historisch einfach richtig, von diesen Lehrern kamen wir her. Schulpatriarchate hingegen wollten wir nicht anerkennen, noch weniger die lutherischen, unierten oder reformierten Überlieferungen in ihrer historisch fixierten und vielfältig entarteten und verdorbenen Art. Dies schuf uns allenthalben Feinde. Die unvollkommenen, fragmentarischen, aber zugleich fruchtbaren Gedanken des »Berneuchener Buches« wurden verdrängt und der Vergessenheit anheimgegeben. Taube Ohren hörten die Signale nicht.

Paul Tillich in Pätzig

Das Ende der zwanziger Jahre brachte mir eine neue Begegnung mit Paul Tillich. Dieser sprach 1929 auf der Berneuchener Konferenz auf dem Rittergut Pätzig der den »Berneuchenern« befreundeten Familie von Wedemeyer. Hier empfing uns dieselbe großartige und herzliche Gastfreundschaft wie in Berneuchen, vertieft noch durch die intensive sachliche Anteilnahme des Ehepaares von Wedemeyer. Diesmal saß ich Tillich an ein- und demselben Tisch gegenüber und nicht mehr auf der studentischen Kollegbank. Er hielt uns den Vortrag »Natur und Sakrament«, der so ungewöhnliche Einsichten und Ansichten zutage förderte, daß ich nur mit atemloser Spannung zu folgen vermochte. Tillich brach mit dem System der naturlosen Theologie fast des gesamten derzeitigen Protestantismus und seiner Vorgeschichte im 18. und 19. Jahrhundert. Sein leidenschaftlicher Angriff auf die Verdinglichung und Objektivierung der Natur machte mich sprachlos, dergleichen hatte ich noch nie gehört. Ich war bestenfalls in der Lage, Verstehensfragen zu stellen. Das Naturerlebnis der Jugendbewegung öffnete mir einen Zugang zu den schöpferischen Gedanken Tillichs, welche die sogenannten Elemente des Sakraments aus ihrer merkwürdigen und verfehlten Isolierung erretteten, gleich als ob diese nichts mehr mit der übrigen »Schöpfung«, mit der Natur zu tun hätten. Der Gegensatz Tillichs gegen *jede* Art von altem oder neuem Supranaturalismus schien mir an diesem bedeutsamen Problem besonders scharf hervorzutreten. Doch war ich weit davon entfernt, die Tragweite der Tillichschen Ideen zu ermessen. Die zeitgenössische Theologie der folgenden Jahrzehnte hat sich als unfähig oder unwillig erwiesen, Tillichs neue Vision des Zusammenhanges von Natur und Sakrament zu verstehen oder kritisch weiterzubilden. Die Theologie des Sakraments im damaligen Protestantismus – ob »liberal« oder »orthodox« oder »modernpositiv« litt an »Dystrophie«, an Mangelkrankheit. Die Berneuchener Konferenz und die aus ihr hervorgegangene Evangelische Michaelsbruderschaft haben versucht, in der Gestaltung der »Evangelischen Messe« und ihrer Auffassung von den Sakramenten und sakramentalen Handlungen der Konzeption Tillichs Rechnung zu tragen. Tillich hat aber später – m. E. mit Recht – gesagt, das sei eine Einengung auf das Kultisch-Liturgische.

Natürlich fiel man mit den üblichen, theologischen Klassifizierungen und Diffamierungs-Begriffen wie »Naturmystik«, »idealistische Natur-Metaphysik« u. dgl. über Tillich her, statt mit ihm an die Rückeroberung eines wahrhaft christlichen Naturbegriffs zu gehen und die außerordentliche Bedeutung seines Vorstoßes gegen das abstrakte, objektivierende »Ding«-Denken zu erkennen. Eine neue Begrifflichkeit war allerdings dafür erforderlich, mit dem längst gleichfalls abstrakt gemachten Begriff der »Schöpfung« und den traditionellen Auslegungen des 1. Glaubensartikels war das ganz und gar nicht zu leisten.

In den sechziger Jahren wurde Tillichs revolutionäre Fragestellung wieder aufgegriffen, als im Anschluß an die bedeutungsreichen Anregungen und Gedanken Günter Howes ein Kreis junger Naturwissenschaftler und Theologen die Frage nach dem Sinn des Sakraments in der Situation des modernsten naturwissenschaftlichen und technologischen Denkens in Angriff nahm. So tauchten gottlob verschüttete und vergessene Problemstellungen und Einsichten nach Jahrzehnten in neuen Fassungen wieder auf. Oft gehört dies zu den Glücksfällen in der Geschichte der Wissenschaften und des christlichen Denkens. Im Kreis meiner Freunde war es nächst Howe vor allem Otto Heinrich von der Gablentz, der sein ganzes Leben hindurch die Frage nach einem neuen christlichen Welt- und Natur-Bild verfolgte.

In den dreißiger und vierziger Jahren war Karl Heim der einzige, der dieser Fehlentwicklung in den Weg trat und einen neuen Dialog mit der zu seiner Zeit modernen Physik eröffnete, der nicht vergessen werden sollte. Denn auch »geschichtslos« denkende und fühlende Generationen haben ein Woher und eine Herkunftsgeschichte. Auch für sie kommt einmal die Zeit der Erkenntnis, daß der Nullpunkt der Geschichtslosigkeit eine trügerische Illusion ist, nirgends auffindbar und nicht zu realisieren. Tillichs Emigration im Jahre 1933 hat für die Entwicklung der ev. Theologie in Europa große negative Folgen gehabt. Von nun an fehlte der Kontrapunkt gegen Karl Barth, der eben nur von einem gleichbedeutenden Mann mit großer Ausstrahlungskraft gesetzt werden konnte. Was Tillich in Amerika dachte und schrieb, blieb uns unbekannt. Die Übersetzung seines universalen Denkens in den Raum englisch-amerikanischer Denk- und Sprachtraditionen hätte viele Theologen zumal in Deutschland vor die schwierige Aufgabe der *Rückübersetzung* gestellt. Die Gewaltherrschaft Hitlers verhinderte jedoch jede offene und breite Kommunikation. Erst von etwa 1950 an begann die neue Wirkungsgeschichte Tillichs in Deutschland und Europa.

Vorbereitungen auf die Habilitation

Nachdem ich einige Semester lang mein kleines Amt als Repetent am Neutestamentlichen Seminar versehen hatte, ließ mich eines Tages Adolf Deissmann zu sich kommen und fragte mich, ob ich mich bei ihm im Fach Neues Testament habilitieren wollte. Überraschung, Freude und Bestürzung mischten sich in meinen Gefühlen. Ich war mir keineswegs sicher, ob ich den sehr strengen Anforderungen der Berliner Fakultät würde genügen können, in der so bedeutende Gelehrte saßen, die den Habilitanden auf Herz und Nieren prüften. Konnte ich schaffen, was Karl Ludwig Schmidt und Wilhelm Michaelis gelungen war? Andererseits schien es mir völlig unmöglich, das großartige Angebot Deissmanns auszuschlagen. Ich erbat mir Bedenkzeit und besprach die Angelegenheit mit meinem Vater, der begreiflicherweise gleichfalls hocherfreut war über die Möglichkeit, die sich da unverhofft vor mir auftat.

Um Privatdozent zu sein und das Risiko des Wartens auf eine Berufung aushalten zu können, müsse man begütert sein oder die Tochter seines Lehrers und Meisters heiraten, hieß es damals. Assistentenstellen gab es nur ganz wenige, von dem sogenannten Mittelbau an den Hochschulen war noch nicht die Rede. Kein Zweifel, das Risiko war sehr groß. Den Lebensunterhalt mußte man sich anderweitig verdienen. Wer etwa Pfarrer war und daneben Privatdozent der Theologie, geriet unausweichlich in einen Pflichtenkonflikt zwischen den Ansprüchen der Gemeinde und der theologischen Wissenschaft. Das hieß zwei Herren dienen. Was man dem einen gab, entzog man dem anderen. Nur das Glück der Berufung auf eine Professur konnte dies schwierige Problem lösen. Manch einer hatte sich genötigt gesehen, auf seine wissenschaftliche Laufbahn ganz zu verzichten, oder er lebte als unbesoldeter »außerordentlicher« Professor von irgendwelchen Nebeneinnahmen, etwa als Lehrer an anderen Bildungsinstituten mehr schlecht als recht dahin und wurde schließlich vergessen, ohne auf die Vorschlagsliste einer Fakultät zu gelangen oder doch nur auf den wenig aussichtsreichen dritten Platz. Es sei denn, es gelang dem einen oder anderen, mit einer bemerkenswerten Arbeit oder sogar durchschlagenden Veröffentlichung hervorzutreten und so die Aufmerksamkeit der Fachgenossen und anderer Fakultäten auf sich zu ziehen.

Irrationale Faktoren spielten bei diesem Wagnis eine sehr große Rolle. So war es z. B. von erheblicher Bedeutung, bei *wem* man sich habilitierte. Die Schüler von Karl Holl oder Rudolf Bultmann, auf die der Glanz und die Geltung großer Gelehrter fiel, hatten von vornherein bessere Chancen als andere Leute. Durfte man nicht Tüchtiges von ihnen erwarten? Merkwürdige Glücksfälle wie das Freiwerden mehrerer Lehrstühle in einer Disziplin konnten hinzukommen. So sind einige Schüler von Karl Holl schon in jungen Jahren Ordinarien geworden. Welch ein Glück, der richtigen »Schule« anzugehören, die mit Hilfe geschickter Politik eine ganze Reihe von Lehrstühlen besetzte. So beherrschten z. B. die Schüler von Rudolf Bultmann jahrzehntelang das Feld der neutestamentlichen Wissenschaft. Es ist kein Zweifel an den guten, zum Teil ganz hervorragenden wissenschaftlichen Leistungen der »Bultmannianer« erlaubt oder derer, die in den Sog dieser Schule gerieten. Und doch, es tat das Seinige, zu der herrschenden Schule zu gehören, einem großen Schul-Patriarchen mindestens nahezustehen bzw. von diesem wohlwollend beurteilt zu werden. »Wohl dem, der im richtigen Moment das richtige Gesangbuch hat«, sagten die Spötter, und sie hatten wahrlich so unrecht nicht. Wir werden noch sehen, welche Erfahrungen ich später in Sachen des »richtigen Gesangbuchs« gemacht habe.

Meine Ausgangslage war insofern nicht schlecht, als ich hoffen durfte, durch meine Arbeit im Johannesstift auf einige Zeit mein Brot zu finden. Günstig war auch, daß die Tätigkeit an der Evangelisch-Sozialen Schule und am Diakonenseminar ständige wissenschaftliche Arbeit erforderte, so daß der Zwei-Herren-Dienst in meinem Fall gelindere Formen haben würde als bei manchem anderen. Ich gab jedenfalls Deissmann mein Ja und begann 1928 mit den Vorbereitungsarbeiten zur Habilitation in Berlin. Das Thema nahm bald die für mich passende Form an: ich wollte dem Zusammenhang der eschatologischen Reich-Gottes-Verkündigung Jesu mit der »Ethik« und dem »Kirchenproblem«, d. h. dem Verhältnis von Reich Gottes und Jüngerschaft nachgehen. Diese Aufgabenstellung barg viele Schwierigkeiten in sich. Alle Hauptfragen, die sie enthielt, waren heiß umstritten. So z. B. die Frage, ob und wie die »sittlichen Weisungen« Jesu mit seiner Predigt der nahenden Gottesherrschaft in Verbindung stünden, oder die Frage, ob es einen Anfang der Kirche *vor* Ostern gegeben habe oder nicht, wobei natürlich auch der jeweils verwendete Begriff »Kirche« vieldeutig und kontrovers war. Zu den begrifflichen Schwierigkeiten kamen noch diejenigen der historischen Phänome und der Quellenbeurteilung.

Es gehört wohl der Mut der Jugend dazu, einen so großen, im Ganzen wie im einzelnen umstrittenen Problemkreis in Angriff zu nehmen. Zudem bestand bei mir die Gefahr, zu stark zu systematisieren und da u. U. sogar dogmatischen Vorurteilen zu erliegen. Das Problem »Theologie und Geschichtswissenschaft« meldete sich in allen Einzelfragen zu Wort.

Trotz solcher und anderer Schwierigkeiten ging ich frisch ans Werk, und der Zettelkasten füllte sich zusehends. Im Johannesstift war man großzügig, meine Freunde standen meiner Absicht mit verständnisvoller Anteilnahme gegenüber. Dies war eine große Entlastung für mich, ich gewann dadurch zusätzliche Zeit für die wissenschaftliche Arbeit und hoffte, die Habilitationsschrift bis Ende 1929 oder Anfang 1930 fertigzustellen.

Ein Brief aus Heidelberg

Am Ostersonntag des Jahres 1929 ereignete sich etwas völlig Unvorhergesehenes und Unerwartetes, das alle bisherigen Pläne und Absichten veränderte. Ich erhielt nämlich einen Brief von Martin Dibelius, der mit seinen Folgen meinem Leben eine völlig neue Wendung gab. Dibelius fragte mich, ob ich bereit sei, mich statt in Berlin in Heidelberg zu habilitieren. Die Heidelberger Fakultät suche einen Mann, der gleichzeitig das Neue Testament und die christliche Sozialethik vertreten könne. Es seien zwei besoldete Lehraufträge hierfür vorgesehen, so daß ich mit Familie würde existieren können. Dieses in meiner Situation geradezu großartige Angebot war aber mit der kirchenpolitischen Frage verknüpft, ob ich es mir zutrauen würde, in Baden das Vertrauen der »positiven« kirchlichen Kreise zu gewinnen. Dort war der traditionelle Gegensatz der »Positiven« und der »Liberalen« noch sehr scharf ausgeprägt. Die Heidelberger Theologische Fakultät galt als liberal. Im Fach der systematischen Theologie gab es zwei Professuren, von denen die eine mit einem »liberalen«, die andere mit einem »positiven« besetzt zu werden pflegte. Erstere hatte kein Geringerer als Ernst Troeltsch innegehabt, bis er dem Ruf nach Berlin gefolgt war. Nach G. Wobbermin hatte mein Lehrer Willy Lüttge diese erhalten, den ich jedoch zu meinem großen Kummer in Heidelberg nicht mehr vorfinden sollte. Er war im Alter von 46 Jahren an den Folgen einer Operation gestorben.

Freudestrahlend eilte ich mit dem Heidelberger Schicksalsbrief zu den Freunden, um ihren Rat einzuholen, der ganz eindeutig ausfiel. Es gab keinen einzigen gewichtigen Gegengrund. Als ich mit Helmuth Schreiner sprach, merkte ich sofort, daß er genauestens Bescheid wußte. Es stellte sich heraus, daß Deissmann, Seeberg, Brunstäd und Schreiner um Gutachten zu meiner Person gebeten worden waren, R. Seeberg wohl deswegen, weil er damals Präsident des Centralausschusses für die Innere Mission der Deutschen Evangelischen Kirche war und insofern mein höchster Vorgesetzter. Als ich zu Adolf Deissmann kam, riet auch er mir, das Heidelberger Angebot ohne Umschweife anzunehmen. Ein besoldeter Lehrauftrag war in Berlin nicht in Aussicht und die Stelle des einzigen Assistenten am neutestamentlichen Seminar in Berlin war besetzt. Der Ton des Briefes von Martin Dibelius verriet, daß die bei der Heidelberger Fakultät eingegangenen Gutachten über mich positiv ausgefallen sein mußten. Der neue Weg war offen. Die Antwort konnte nur »Ja« lauten. Meine damalige theologische Position und kirchliche Haltung rechtfertigte auch das Ja auf die oben genannte kirchenpolitische Frage.

Heidelberger Dozentenjahre

Die Habilitation

Im Oktober 1929 reiste ich zum zweiten Mal nach Heidelberg, und zwar diesmal – der soziale Aufstieg ist unverkennbar – in der 3. Klasse. Vorher hatte mich noch der Hochschulreferent der Badischen Regierung im Johannesstift aufgesucht, um sich einen persönlichen Eindruck von dem jungen Mann zu verschaffen, der *zwei* bezahlte Lehraufträge auf einmal erhalten sollte, was damals ein völliges Novum war und noch lange blieb. Wir bekamen schnell Kontakt miteinander, so daß auch auf seiten des Ministeriums keinerlei Schwierigkeiten mehr bestanden.

Obwohl ich im Mai 1929 durch eine Blinddarmentzündung gehemmt und aufgehalten wurde, hatte ich dennoch meine Habilitationsschrift »Die Eschatologie des Reiches Gottes bei Jesus« rechtzeitig der Heidelberger Fakultät vorlegen können. Am 26. Oktober 1929 fand die Probevorlesung vor der Fakultät sowie das Colloquium statt. Letzteres hatte keine Schwierigkeiten, zumal ich mich mit Martin Dibelius, meinem eigentlichen Habilitations-»Vater«, gut verständigen konnte. In der Probevorlesung sprach ich über das Thema »Eschatologie und Ethik in der Theologie des Paulus«. Mein Verhältnis zu Dibelius wurde im Laufe der Jahre immer enger und freundschaftlicher. Mit großer Güte ebnete er mir meinen Weg, wo er nur konnte. Ich gedenke seiner stets in Verehrung und Liebe. Wie kann ein junger Mensch *ohne* solche Lehrer und guten Begleiter seinen Weg machen? Gott hat sie mir in reicher Zahl gegeben, und sie nahmen sich meiner alle gütig an.

Am 2. November des gleichen Jahres folgte die öffentliche Antrittsvorlesung unter dem Vorsitz des Dekans, des Kirchenhistorikers und Zwingli-Forschers Walther Köhler. Hierfür hatte ich das sozial-ethische Thema gewählt »Der christliche Begriff der Gemeinschaft«. Die beiden von mir gewählten Themen aus dem Neuen Testament und der Sozialethik läuteten also meine akademische Doppeltätigkeit ein, womit zugleich schon die schwierige Doppelbelastung meiner wissenschaftlichen Existenz beleuchtet ist. Zwei Disziplinen zu dienen, in beiden mit einigem Erfolg zu arbeiten, ist schon damals keine Kleinigkeit gewesen. Hinzu kam noch, daß es in der Sozialethik relativ wenig Vorarbeiten gab. Um so mehr mußte ich mich mit den Haupttypen und Hauptproblemen der theologischen Ethik seit Ernst Troeltsch und Wilhelm Herrmann vertraut machen. Das ergab ein gewaltiges Arbeitspensum.

In meinem ersten Semester (Wintersemester 1929/1930) las ich eine »Erklärung der kleinen Paulusbriefe« 3-stündig sowie »Grundprobleme der christlichen Sozialethik« 2-stündig. An der ersten Vorlesung nahmen 14, an der zweiten 8 Hörer teil. Als ich Dibelius hiervon berichtete, fand er es gar nicht schlecht für den Anfang in einer kleinen Fakultät von 200–250 Studenten.

Als es sich darum handelte, die neutestamentlichen Vorlesungen für das Sommersemester 1930 festzulegen, sagte Dibelius: »Lesen Sie 4-stündig die Erklärung der Korintherbriefe!« Ich erschrak ganz gewaltig und brachte stotternd hervor, einer so großen und komplizierten Aufgabe fühlte ich mich in keiner Weise gewachsen, schließlich hätte ich ja erst eine einzige exegetische Vorlesung gehalten. Dibelius ließ jedoch diesen Einwand nicht gelten. »Überlassen Sie jetzt das Urteil darüber, was Sie können, ganz mir und tun Sie, wie ich sage. Sie werden sehen, Sie können es leisten.« Ich konnte dieser Mahnung nur folgen. Es war damals üblich, daß die Privatdozenten ihre geplanten Vorlesungen und Übungen *nach* den Ordinarien in das Ankündigungsblatt eintrugen und sich dabei nach den Wünschen der Lehrstuhlinhaber richteten, eine allgemeine Gepflogenheit in der alten »Ordinarien-Universität«, an der niemand etwas auszusetzen fand. Daß wir jungen Dozenten trotz solcher Sitten viel, ja zum Teil sehr viel Freiheit hatten, dafür sind u. a. auch meine Heidelberger Dozentenjahre ein typisches Beispiel. Konnte ich doch forschen und schreiben, was ich wollte. Wenn ich hinsichtlich der Vorlesungen den klugen Ratschlägen von Dibelius folgte, so hatte ja ich selbst den Vorteil davon, was sich im Falle der Korintherbriefe alsbald zeigen sollte.

Ich las also tatsächlich in meinem zweiten Dozentensemester über die Korintherbriefe. Das wäre an anderen Fakultäten unmöglich gewesen. Jungen Leuten soll man große Aufgaben stellen, – nach dieser geheimen Maxime verfuhr Martin Dibelius, ich glaube, nicht ohne Erfolg. Köstlich und voll von reichen Anregungen waren auch die Spaziergänge, zu denen ich je und dann Dibelius abholen durfte. Auf ihnen wurden viele Einzelfragen der neutestamentlichen Wissenschaft diskutiert, und ich hatte viel nachzuholen, besonders hinsichtlich der Literatur- und Form-Geschichte des Neuen Testaments, in welcher Dibelius Meister war. Da er zugleich ein literarisch und musikalisch hochgebildeter Mann war, auf dessen Tisch stets die besten Neuerscheinungen zu sehen waren, profitierte ich in unseren Dialogen auch in diesen Bereichen ungemein viel.

Diese großartige Form akademischer, wissenschaftlicher Gemeinschaft gehört für mich zum Glanz und zur unvergeßlichen Größe der »alten« Universität, die eine solche Gemeinschaft, eine solche Partnerschaft ermöglichte, und wahrlich nicht nur in meinem speziellen Fall. Man kann den freien Dialog auf den alten deutschen Universitäten nicht oft und nicht rühmend genug hervorheben, weil sonst – wie leider heute oft üblich – das Bild der alten Universität gröblich und ungerecht verzeichnet würde. Die »neue« Universität sollte erst einmal ein solches Maß von Freiheit und hervorragenden Wissenschaftlern in allen Fakultäten hervorbringen wie die alte, dann wäre darüber zu reden, was die heutigen Reformen der Universität eigentlich gebracht haben.

Das Stichwort »Korintherbriefe« sei noch einmal aufgegriffen. 1931 besuchte mich zu meinem Erstaunen Gustav Ruprecht von dem bedeutenden Verlag Vandenhoek & Ruprecht in Göttingen. Dibelius habe ihn zu mir geschickt und ihm gesagt, der junge Wendland sei der richtige Mann für die Bearbeitung der Korintherbriefe in der neugeplanten Reihe »Das Neue Testament Deutsch« (NTD), die es ja noch heute gibt und sich bald durch immer neue Auflagen als ein großer Bucherfolg bewährte. Schon 1932 erschien die erste, freilich noch magere Auflage. Jetzt erwies es sich als ein wahres Glück, daß ich den großen Stoff wenigstens einmal in der Vorlesung behandelt hatte. Fortan blieb ich ein Leben lang mit der Arbeit an den Korintherbriefen verbunden. Der Hinweis von Dibelius für den Verleger hatte also bedeutende Folgen für mich. Es ergab sich in der Folgezeit, daß auch andere Veröffentlichungen aus meiner Feder bei Vandenhoek & Ruprecht das Licht der Welt erblickten, so z. B. »Die Mitte der paulinischen Botschaft« (1935) und »Geschichtsanschauung und Geschichtsbewußtsein im Neuen Testament« (1938).

Die Vorlesung

Vorlesungen zu halten, hat mir bis auf diesen Tag immer große Freude bereitet, und von meinen zahllosen Vorträgen gilt das gleiche. Bis die wichtigsten Vorlesungen auf dem Papier standen, vergingen allerdings Jahre, zudem mußten sie ständig verbessert, ergänzt und außerdem eine wachsende Menge von Literatur in zwei Disziplinen neu verarbeitet werden.

Wir jungen Heidelberger Dozenten waren froh, den Text für zwei Stunden in der Mappe zu haben. Im allgemeinen las ich eine exegetische Vorlesung von 4 Stunden wöchentlich, dazu kam eine 2-stündige Vorlesung über ein sozial-ethisches Thema sowie das neutestamentliche Proseminar, das Dibelius ganz mir überlassen hatte, während er das Hauptseminar allein hielt. Nach einigen Semestern richtete er noch ein Mittelseminar ein, das wir gemeinsam hielten. Hier wurden besonders Texte der hellenistischen Kultur und Religion gelesen. Da Dibelius ein hervorragender Kenner des gesamten Hellenismus war – wie besonders seine Abhandlungen in »Botschaft und Geschichte« zeigen –, profitierte ich in diesen Seminarsitzungen ungemein viel, besonders auch von seiner durchsichtig klaren Methodik und seinem pädagogischen Können.

Meine Vorträge, die sich in erster Linie auf die Badische Landeskirche erstreckten, betrafen sowohl neutestamentliche als auch sozialethische Themen. Als der Badische Oberkirchenrat in Karlsruhe eines Tages einen Sozialreferenten berief, begann dieser mit sozialethischer Schulungsarbeit für Pfarrer und andere Glieder der Kirche. Die Kurse fanden zumeist auf der schön gelegenen Falkenburg in Herrenalb (Nordschwarzwald) statt. Jahrelang beteiligte ich mich an dieser Arbeit. Dadurch lernte man mich in der Badischen Kirche kennen, und die Einladungen zu Vorträgen mehrten sich. Ich konnte meine Erfahrungen aus dem Johannesstift erweitern und vertiefen. Methodisch verfolgte ich das Ziel, so klar und verständlich wie möglich zu sprechen und doch zugleich in die Tiefe des Gegenstandes vorzudringen.

In der Diskussion war ich ein engagierter, oft hitziger und leidenschaftlicher Redner, was mir zuweilen berechtigte Kritik einbrachte. Ärgerte sie mich, so war sie doch auch heilsam für mich. Als ich einmal die empirische Kirche heftig attackiert hatte, warf mir ein älterer Pfarrer mangelnde Liebe zur Kirche vor. Das machte mich betroffen, wollte ich doch gerade der Kirche mit all meinem Reden dienen. Ich fühlte mich jedenfalls veranlaßt, mein Verhältnis zur Kirche und meinen Kirchenbegriff theologisch zu überprüfen. Und doch bin ich bis heute ein entschiedener Vertreter der *Kirchenreform* auf allen Ebenen dieser Institution geblieben. Das »Berneuchener Buch« hatte ich nicht vergessen, noch in meiner Schrift über die Krisis der Volkskirche war es mir voll gegenwärtig. Außerdem war ich der Meinung, moderne Sozialethik könne ohne prinzipielle und praktische Kirchenkritik überhaupt nicht betrieben werden. Stieß ich doch auf Schritt und Tritt auf die großen sozialen Sünden und Versäumnisse der Kirche, die ich an der Wurzel zu erfassen bemüht war.

Das Dozentenzimmer

In Heidelberg lernte ich eine der schönsten Einrichtungen der alten Universität kennen, das Dozentenzimmer, in dem sich die Kollegen der vergleichbaren Disziplinen vor und nach den Vorlesungen zu einem kürzeren und längeren Gedankenaustausch trafen. Kurz nach meiner Habilitation fragte dort ein alter würdiger Geheimrat den Staatsrechtslehrer und bekannten Kommentator der Weimarer Reichsverfassung Anschütz: »Was zum Teufel hat dieser Abiturient da bei uns im Dozentenzimmer zu suchen?!« Lachend erwiderte Anschütz: »Aber das ist doch unser junger Kollege Wendland, der sich vor kurzem in der Theologischen Fakultät habilitiert hat!«

Diesem Dozentenzimmer der alten Ruperto-Carola – zuerst in der sogenannten Alten, dann seit 1931 in der Neuen Universität – verdanke ich die Bekanntschaft mit bedeutenden Gelehrten. So u. a. mit Juristen wie Anschütz und Levy, dem Altphilologen Regenbogen, dem mittelalterlichen Historiker Hampe (Verfasser herrlicher Bücher über die deutschen Kaiser des Mittelalters), dem Germanisten Panzer und wahrlich nicht zuletzt dem Philosophen Karl Jaspers, dessen aristokratische Persönlichkeit mir großen Eindruck machte, endlich mit dem jüngeren Arnold Bergsträsser, dem Sozialwissenschaftler und späteren Politologen. Keiner ist mehr unter den Lebenden, vielen hat der Nationalsozialismus übel mitgespielt. Sie mußten das Vaterland verlassen oder erhielten Vorlesungs- und Redeverbot. Der großen Wirkung von Jaspers tat letzteres keinerlei Abbruch, ganz im Gegenteil, er war mit seiner 1932 erschienenen »Philosophie« auf einen Höhepunkt gelangt. Heute darf man dieses Werk wohl als den klassischen Ausdruck der existentialistischen Philosophie bezeichnen. Ohne alle Star-Allüren sprach der große Mann des öfteren ganz freundschaftlich mit mir und entwickelte schon damals die These, daß der Philosoph nicht beten könne und ihm der Sprung des Glaubens in die geschichtliche Heilsoffenbarung Jesu Christi ganz unmöglich sei. Später hat er dies alles in seinem großen Werk über den philosophischen Glauben in seinem Verhältnis zum christlichen Offenbarungsglauben näher entfaltet und begründet. Die Theologen haben diesem bedeutenden Buch viel zu wenig Aufmerksamkeit geschenkt, leider. Denn Jaspers nahm die Sache des Christentums auf seine Weise ernst und machte es sich nicht leicht mit ihm. Ich wagte den Einwand, er säkularisiere Kierkegaard und breche ihm das Herzstück, den Glauben an Christus, aus. Jaspers ließ das gelten. Er war offensichtlich der Meinung, in der Gegenwart seien solche Säkularisierungen des Christentums notwendig. Für ihn gab es nur ein zeitweises Aufblitzen der von ihm nicht in Abrede gestellten Transzendenz. Hier wurde ein mystisches Element bei ihm spürbar.

Wir Heidelberger Theologen pflegten zu sagen, die beste *theologische* Vorlesung in Heidelberg sei Jaspers' Kolleg über die Geschichte der Philosophie von Augustin bis Luther. Schon allein diese Epochen-Bezeichnung ist charakteristisch für Jaspers. Er zeigte u. a., daß das Christentum, zumal Augustin einen neuen, der Antike unbekannten Begriff der Zeit und Geschichte entdeckt und geschaffen habe.

Mit Anschütz erörterte ich das Verhältnis von Staat und Kirche. Ich besuchte den charaktervollen Mann und aufrechten Demokraten auch in seinem Haus am Neckar. Als die Nationalsozialisten die Macht ergriffen, ließ er sich sofort emeritieren und schwieg fortan. Wenn nur alle damals so klar und entschieden gehandelt hätten.

Das Dozentenzimmer war ein Ort für offene Worte, ein Organ der Gelehrtenrepublik. Der jüngste Privatdozent galt dem ältesten und würdigsten Ordinarius gleich. Die Nationalsozialisten haben das eine wie das andere zerstört; Wahrheit und Wissenschaft galten bei ihnen nichts, sie wurden durch die dümmste aller Ideologien ersetzt.

Der Dozentenbund

Anschütz war es auch, der mir den Weg in den Dozentenbund öffnete, dem Vertreter aus allen Fakultäten angehörten, aus der meinigen Dibelius. Es handelte sich um eine freiwillige Vereinigung, in deren Zusammenkünften Vorträge gehalten und auf hohem Niveau diskutiert wurden. Auch hier herrschte der freie Geist der echten Gelehrtenrepublik. Man muß es selbst erlebt haben, welche Belebung davon ausging, um meine Dankbarkeit ermessen zu können, daß ich diesem Kreis angehören durfte. Da gab es etwas zu lernen. Ich hörte Vorträge von Friedrich Panzer, dem bekannten Germanisten, von Arnold Bergsträsser, dem man eine bedeutende Zukunft voraussagte, und vielen anderen.

Unsere Versammlungen hatten in dem früheren Hotel »Reichspost« stattgefunden, schräg gegenüber dem alten Hauptbahnhof, der damals noch dicht vor der Altstadt lag, ganz in der Nähe vom Bismarckplatz. Das Ganze spielte sich völlig zwanglos ab bei einem Glas Wein oder einem Kaffee. Gern gedenke ich dieser schönen Stunden. Kaum aber waren die Nationalsozialisten an der Macht, erstarb der Geist der Freiheit. Da kein offenes, vertrauensvolles Wort mehr möglich war, konnte man auch nicht mehr zusammenkommen. Auch in einen anderen Kreis, zu dem mir Arnold Bergsträsser den Zugang eröffnete, wurde ich in Heidelberg hineingezogen. Es war der berühmte Salon von Marianne Weber, der Witwe des großen Sozialwissenschaftlers Max Weber. Bei ihr traf sich alles, was in Heidelberg und Umgebung Geist und Bedeutung hatte. Ein wissenschaftlich-literarischer Zirkel von hohem Niveau, ähnlich anderen Salons aus der Zeit vor dem Ersten Weltkrieg, die ich jedoch nur vom Hörensagen kenne. Bei Marianne Weber, einer geistvollen und hochgebildeten Frau, lernte ich u. a. auch Karl Hampe, den von mir hochgeschätzten Historiker des Mittelalters, persönlich kennen.

In Heidelberg gab es auch eine »Philosophische Gesellschaft«, der ich ebenfalls beitrat. Sie bestand zum größeren Teil aus jüngeren Dozenten, Assistenten, Doktoranden, philosophisch interessierten Studienräten u. a., auch die Damen fehlten nicht. Mir wurde schon bald das Amt des Diskussionsleiters übertragen. Zuweilen nahm auch Jaspers an unseren Abenden teil. Zweifellos war Heidelberg, wo immer noch die Götter aller Zonen und Zeiten angebetet wurden, der rechte Boden für eine solche Gesellschaft. Mir machte diese Arbeit Freude, und ich blieb in Kontakt mit der von mir seit Studententagen geliebten Philosophie.

So umgab mich allenthalben ein buntes und reiches geistiges Leben. Die Gefahr, in meinen Fächern steckenzubleiben, gab es für mich nicht. Die Ruperto-Carola war ein geradezu klassisches Exempel für die Vorzüge der alten Universität. So ist sie denn auch meine eigentliche Alma mater geworden und geblieben, der ich mit großer Dankbarkeit anhänge.

Eine gute Sitte

Damals – in überschaubaren Verhältnissen – war es Sitte, daß die habilitierten Kollegen nicht nur bei den Professoren der eigenen Fakultät Besuch machten, sondern auch bei hervorragenden Mitgliedern der anderen Fakultäten. So kam ich zu Karl Jaspers, der ganz in der Nähe der Universität wohnte. Die Zeit für meinen Besuch war sehr knapp bemessen, denn Gertrud Jaspers schirmte ihren Mann gegen alles ab, was ihm nicht zuträglich war. Übrigens hieß sie in Heidelberg allgemein die »saure Gertrud«. In der Tat hatte sie eine scharfe Zunge, von der sie wohl Gebrauch zu machen wußte. Für ihren Mann und dessen Gesunderhaltung hat sie Großes geleistet, besonders in den bitteren Jahren des Nazi-Regimes mit dem Redeverbot für Jaspers. Zu jener Zeit – es war wohl 1931 – erschien seine großartige, tiefdringende Gegenwarts-Analyse »Die geistige Situation der Zeit«, die auf uns Jüngere großen und nachhaltigen Einfluß ausübte. Wer die Zeit von 1919–1933 wirklich verstehen will, der muß m. E. noch heute diese Schrift lesen und in sich aufnehmen.

Auf diese Weise gelangte ich auch zu Friedrich Gundolf, dem berühmten Literaturhistoriker und Stern erster Größe am Heidelberger Himmel. Er unterhielt sich auf die kollegialste Weise mit mir, ohne jede Spur von Herablassung. Ich empfand es immer als schön und eindrucksvoll, wenn Bescheidenheit mit wirklicher Bedeutung gepaart ist. Zum Glück hat er das Grauen der Zwangsherrschaft der Nationalsozialisten nicht mehr miterlebt. Seine Vorlesungen waren damals noch ebenso überfüllt wie zu meiner Studentenzeit. Auch Carl Neumann, den bekannten Rembrandt-Forscher, konnte ich besuchen, eine höchst eigenartige Persönlichkeit.

Ludolf von Krehl

Neben Karl Jaspers war der berühmte Internist Ludolf von Krehl die bedeutendste Persönlichkeit im damaligen Heidelberg. Aus der ganzen Welt kamen leidende Menschen zu diesem großen Arzt, der immer den *ganzen* Menschen im Auge hatte und nicht nur objektiv feststellbare Krankheiten behandelte. Ich habe ihn wie meinen leiblichen Großvater verehrt, und er wandte mir – fast unbegreiflicherweise – sein großes Wohlwollen zu. Da ich mich an der Abhaltung von Weihnachtsfeiern in seiner großen Klinik beteiligte, lernte ich ihn ganz zwanglos kennen, denn an jeder dieser Feiern nahm er persönlich teil – mochten unsere Ansprachen gut oder weniger gut sein –, und sein ganzer Stab mußte ihm folgen. Krehl regierte seine Klinik als ein wahrer König, aber seine tiefe Humanität durchdrang alles, was er tat und sagte. Auch bei den Weihnachtsfeiern widmete er sich jedem einzelnen Patienten, er hatte für alle Zeit. Er kannte ihre familiären Verhältnisse und fragte nach der Großmutter oder dem Ehepartner usw. Ich habe mit Staunen und Bewunderung diese tief christliche Humanität miterlebt. Krehl war Christ und hat in den stürmischen Tagen der Revolution von 1918/19 das Evangelium unerschrocken öffentlich bezeugt. Eines Sonntagsvormittags nach der Kirchzeit klingelte es an der Tür unserer bescheidenen Wohnung in der Handschuhsheimer Landstraße. Wer stand vor der Tür? Geheimrat von Krehl in eigener Person! Was wollte er? Mit dem jungen Dozenten über den Prolog des Johannesevangeliums sprechen und die großen Symbole Logos, Licht, Leben usw., ihre Herkunft und ihren Sinn, erläutert haben. Der große Mann hatte Zeit und Ruhe dazu, sich von einem jungen Kollegen darüber belehren zu lassen. Ihn hatte der Ruhm nicht hochmütig gemacht.

Da Krehl bei aller Kraft seiner großen Natur nicht daran dachte, einen anderen niederzuhalten oder seiner Freiheit zu berauben, hatte er auch bedeutende Schüler, von denen ich nur seinen Nachfolger Richard Siebeck und Viktor von Weizsäcker nennen will. Zu Siebeck trat ich ebenfalls in verehrungsvolle Beziehung. Auch er war ein durch und durch christlicher Arzt und zudem theologisch interessiert, bei einem Freund von Karl Barth gewiß nichts Erstaunliches. Durch solche einmaligen Begegnungen und Gespräche wurde ich schon früh weit über die Grenzen der Theologischen Fakultät hinausgeführt in das Universum der Wissenschaften. Ich legte dadurch die theologischen Scheuklappen ab, eine gute Vorbereitung für die Arbeit an einer modernen christlichen Sozialethik, die auf die Realitäten der heutigen Industriegesellschaft und technisch-wissenschaftlichen Zivilisation bezogen werden mußte. Es war schön, auf der hohen Terrasse des Krehlschen Hauses an der Bergstraße zu sitzen und unter guten Gesprächen den weiten Blick in die Rheinebene zu genießen. Auch Krehls Frau wandte uns ihr Wohlwollen zu. Das große Haus – fast ein Schloß – hatte Krehl dem Melanchthon-Verein übermacht, der dort ein evangelisches Schülerinternat unterhielt. Krehls wohnten damals im ehemaligen geräumigen Gärtnerhaus. So war es ganz in meinem Sinn, mit Kollegen anderer Fakultäten zusammenzuarbeiten. Mit Arnold Bergsträsser zusammen hielt ich im alten Institut für Sozialwissenschaften an der Hauptstraße, nahe beim Karlstor, ein Seminar über Staat und Religion, verwegenerweise von Platon bis zur Gegenwart. Das Seminar erhielt durch die scharfen Diskussionen mit dem klugen Führer der kommunistischen Studentengruppe eine besonders interessante Note. Als Bergsträsser mit einem Dozenten-Team aus verschiedenen Fakultäten eine Vorlesungsreihe über die Problematik der Berufe in der modernen Gesellschaft organisierte, wurde mir das Thema »Der Beruf des Theologen« übertragen. Zu meinem Schrecken hörte sich Jaspers diesen Vortrag an, aber er lobte mich, weil ich die abgründigen Probleme und Lasten gerade dieses Berufes in der säkularisierten Gesellschaft nicht abgeschwächt oder verdeckt hätte.

Zwei Höhepunkte in den Vorlesungen

In meiner Vorlesungstätigkeit in Heidelberg glaube ich zwei Höhepunkte zu erkennen. Der eine war die Vorlesung »Einleitung in das Neue Testament« mit 104 Hörern, einem Drittel der ganzen Fakultät. Sie fand in einem geräumigen Hörsaal in der sogenannten Neuen Universität statt. Sie war aus Geldern erbaut worden, die der amerikanische Botschafter Schurmann, ein ehemaliger Student und Verehrer der Ruperto-Carola, mit seinen deutsch-amerikanischen Freunden gesammelt hatte. Diese Vorlesung beschäftigte sich traditionsgemäß mit den zahlreichen literarhistorischen und formgeschichtlichen Problemen des urchristlichen Schrifttums. Ich versuchte, den großen Stoff *theologisch* zu durchleuchten und die literarischen Formen mit den theologischen Gehalten und Aussagen der jeweils behandelten Schrift zu verbinden. Ich wollte meinen Hörern die Einheit von innen und außen zeigen und damit die »innere Form«, ein hochgestecktes Ziel, das ich damals nicht erreichen konnte, so gewiß die Aufgabe richtig gesehen war. Der Student sollte vor dem Auseinanderklaffen heterogener Methoden bewahrt bleiben. Doch reichten meine Mittel zu jener Zeit nicht aus, die große Aufgabe zu bewältigen, obwohl der äußere Erfolg der Vorlesung gar nicht zu bestreiten war. Es schadet nichts, wenn ein junger Dozent sich auch einmal ein *zu* hohes Ziel steckt. Hier sage ich mit Goethe: »Den lieb ich, der Unmögliches begehrt!« Mit meiner Hörerschaft hatte ich nicht die geringsten Schwierigkeiten. Meine Vorlesungen waren immer gut oder sehr gut besucht. Nie habe ich es erlebt, daß eine hätte ausfallen müssen. An meinen Arbeiten und Erfolgen nahm Dibelius stets den regsten Anteil. Das gilt auch für den erzliberalen Kirchenhistoriker Walther Köhler. Als begeisterter Schüler von Ernst Troeltsch fand mein Werden und Wachsen sein volles Interesse. Er äußerte z. B. seine Freude darüber, daß ich so häufig in den theologischen Zeitschriften zu lesen sei. Köhler litt schon damals an großer Schwerhörigkeit und war von der Außenwelt abgeschnitten. Das Telefon fiel dadurch für ihn aus, der Vermittler war seine Frau. Nun gehörte ich zu den wenigen Menschen, die er gut verstehen konnte. So ergab es sich ganz von selbst, daß ich ihn des öfteren besuchte, und ich spürte, daß ich ihm willkommen war, obwohl ich doch aus einer ganz anderen theologischen Ecke stammte als er und kein Liberaler sein konnte oder wollte. Trotz der höchst verschiedenen theologischen Ausgangspunkte verständigten wir uns gut, und es gab viel bei ihm zu lernen.

Mit den Liberalen in Theologie und Kirche habe ich überhaupt in Heidelberg die besten Erfahrungen gemacht. Sie waren, ob Dibelius, Köhler oder Johannes Bauer im feinsten Sinne des Wortes *tolerant*, eine bei Theologen ziemlich seltene Tugend. Sie haben mir geholfen, die Scheuklappen abzulegen und die unteren Regionen der vor 1933 in Baden noch sehr lebhaft geführten kirchlichen Parteikämpfe zu verlassen. Diese Liberalen achteten mein Streben nach einer eigenen Position auch da, wo sie mir nicht zu folgen vermochten. Ihre Toleranz war mit Güte gepaart und einer umfassenden Bildung, die weit über die Grenzen ihres Faches hinausging. In all diesen Dingen wurden sie mir ein lebendiges, wirkendes Vorbild. Leider habe ich ihnen zuwenig gedankt, als sie noch lebten.

Der *zweite* Höhepunkt in meiner Lehrtätigkeit war die Vorlesung »Kirche und Proletariat«. Sie war so stark besucht, daß ich in einen größeren Hörsaal übersiedeln mußte, was nicht eben häufig vorkam. Ich machte den Versuch, erstmalig innerhalb meiner Arbeit das tragische Auseinanderklaffen dieser beiden Größen theologisch aufzuarbeiten und wollte dazu auch Ideen des religiösen Sozialismus auswerten, was freilich in jener erhaltengebliebenen Vorlesung nicht durchgreifend genug geschehen ist. Tillichs großartiges Buch »Die sozialistische Entscheidung« (1933) war zu jener Zeit noch nicht erschienen. Das damals viel gelesene Buch »Vom Proletariat zum Arbeitertum« von August Winnig übte auch auf mich seinen Einfluß aus. Winnig setzte sich ein für die Eingliederung der Arbeiterschaft in die Nation. Das Proletariat als Klasse sollte es nicht mehr geben, sondern nur noch die »Arbeiterschaft« als Glied der Nation. Das lag nun ganz auf der Linie meiner frühesten Denkansätze von 1923/24. Den Grundfehler in den organologisch-konservativen Voraussetzungen Winnigs durchschaute ich damals noch nicht, war ich doch selbst noch zu stark von dieser abhängig. Immerhin bedeutet diese Vorlesung eine wichtige Etappe in meinem sozialethischen Arbeiten und Denken. Ein sich durchhaltendes Hauptproblem war gestellt, doch erst nach meiner Heimkehr aus russischer Kriegsgefangenschaft konnte ich in den fünfziger Jahren das große Problem mit neuen Mitteln angehen. Mir war inzwischen klar geworden, daß die Kirche nicht ohne Gestalt- und Bewußtseinsveränderung bleiben durfte, wenn sie helfen wollte, moderne soziale Probleme zu lösen.

Allmählich baute ich mir in meiner Arbeit an den Vorlesungen und Übungen die Sozialethik auf, wie ich sie für richtig hielt. Christlich-sozial im alten Stil konnte ich jedenfalls nicht mehr sein. Die 1932 erschienene Ethik »Das Gebot und die Ordnungen« Emil Brunners machte großen Eindruck auf mich. Hier kam das Gute an der reformierten Tradition zur Geltung, die ein viel offeneres Verhältnis zur modernen Gesellschaft hat als die lutherische. Deren konservativ-nationalen Vorurteilen konnte ich immer weniger abgewinnen. Der Nationalstaat darf niemals der letzte Wert in dieser Welt sein. Als Neutestamentler sah ich, wie die Universalität der Bergpredigt durch Schriftsteller wie Wilhelm Stapel, die sich für Lutheraner hielten, entstellt wurde. Schritt für Schritt entfernte ich mich von diesem »nationalen« und sich hochmütig gegen den sogenannten Westen abgrenzenden Luthertum. Als 1930 Tillichs ideenreiches Buch »Religiöse Verwirklichung« erschien, nahm ich aufs neue das Gespräch mit ihm auf. Er vor allem befreite mich von den Schlacken der Tradition, von denen ich geprägt war. Als ich 1932 in der Evangelischen Studentengemeinde Frankfurt am Main einen Vortrag über »Evangelium und Nation« hielt, saß zu meinem großen Schrecken Tillich unter meinen Zuhörern. Wie konnte ich vor einem solchen Mann bestehen? Das auf den Vortrag folgende Gespräch zeigte jedoch zu meiner großen Freude, daß Tillich mir in allem Wesentlichen zustimmte. Er ermutigte mich, auf meinem Weg voranzuschreiten. Sein Zuspruch ließ mich erkennen, daß ich in der Kritik des deutschen Nationalismus schon einige Fortschritte gemacht hatte, und dies war im Jahre vor der sogenannten Machtübernahme der Nationalsozialisten von höchster theologischer und menschlicher Bedeutung.

1932 sprach ich auch vor der Göttinger Theologischen Fachschaft über das damals so brennende Thema. Mit den reichlich vertretenen »Deutschen Christen«, der NS-Kirchenpartei und ihrem Sprecher Pastor Mattiat gab es heftige Diskussionen. Am darauffolgenden Morgen war ich bei Emanuel Hirsch, der sich meinen Vortrag zwar nicht angehört hatte, wohl aber seine Frau, die ihm sehr genau berichtet haben mußte, zum Frühstück eingeladen. Hirsch sagte ziemlich unvermittelt und leidenschaftlich: »Ihre Kritik an unserem nationalen Bewußtsein und vor allem am Nationalsozialismus ist völlig gegenstandslos und überflüssig. Denn Adolf Hitler ist der von Gott gesandte Führer und Erretter des deutschen Volkes!« So wörtlich. Der Appetit an diesem Frühstück war mir vergangen. Wie konnte ein so großer Gelehrter dem Rausch des Nationalsozialismus so völlig erliegen? Das ist mir bis heute rätselhaft. Ich sah mich außerstande, die bisherige Beziehung aufrecht zu erhalten und habe Hirsch seitdem nicht mehr wiedergesehen. Sogar noch in seiner nach dem Zweiten Weltkrieg erschienenen und mit bewunderungswürdiger Gelehrsamkeit geschriebenen »Geschichte der neuern protestantischen Theologie« hält er an seinen idealistisch-nationalen Prinzipien fest, in dieser Hinsicht unbelehrbar. Dieses Erlebnis versetzte mir einen kräftigen Stoß, der mich noch weiter vom »nationalen Luthertum« entfernte. Doch wurde der Machtanspruch des Nationalsozialismus seit 1933 so stark, daß auch ich mit vielen anderen ins Schwanken geriet, wovon meine Schrift über »Reichsidee und Gottesreich« (1934) Zeugnis ablegt. Trotz einiger guter Gedanken über soziale und politische Utopien im ersten Teil wünschte ich doch, sie nicht geschrieben zu haben. Dibelius wies mit Recht darauf hin, daß man dem Nationalsozialismus näher nicht kommen dürfe. Gottlob wich ich bald von dieser gefährlichen Linie ab und unterzeichnete im Herbst 1934 ein Dokument, in dem 70 evangelisch-theologische Hochschullehrer den Rücktritt des NS-Reichsbischofs Müller forderten. Dies war die Wende in meinem kirchlichen Handeln und Denken. Die Heidelberger NS-Studentenschaft bescheinigte mir schriftlich, daß ich damit »zu den Juden und Judengenossen übergelaufen« sei.

Viele junge Menschen sind heute der Meinung, es sei damals doch ganz klar gewesen, für welche Seite man sich entscheiden mußte. Das ist jedoch völlig unhistorisch gedacht. Das Gegenteil war der Fall. Viele ernste Christen und Theologen haben lange geschwankt. Die politisch, geistige und religiöse Landschaft war eingehüllt vom Nebel der Propaganda. Das Parteiprogramm sprach vom »positiven Christentum«. Gerade dadurch wurde alles zweideutig und unklar. Wer wollte damals wohl der Erneuerung von Staat und Nation im Wege stehen? Auch ich wollte weder das Evangelium noch das Vaterland verraten. Die Entscheidung war mit einem hohen Risiko belastet. Da kam uns die Bekennende Kirche zu Hilfe, besonders mit ihrer Barmer »Theologischen Erklärung« von 1934.

Eben diese hilfreiche Bedeutung der Barmer Theologischen Erklärung wurde von Lutheranern in Frage gezogen; einige behaupteten sogar – so auch Wilhelm Stählin –, ein lutherischer Theologe könne und dürfe diese Erklärung nicht unterschreiben. War etwa Hans Asmussen kein »richtiger« lutherischer Theologe? Das Luthertum, das sich damals so geäußert hat, mußte seinerseits in Frage gestellt werden, und Barth-Schüler wie Ernst Wolf u. a. haben dies mit gewichtigen Argumenten getan. Hier kann ich nur als persönlich Betroffener, in den »Kirchenkampf« Hineingezogener sagen: erstens hat mir wie vielen anderen die Barmer Erklärung den Mut gestärkt, im status confessionis nicht zurückzuweichen, nicht einen Ausgleich zu suchen, wo nichts mehr auszugleichen war. Sodann besaß und besitzt diese Erklärung für mich eine hohe theologische Bedeutung. Sie hat den ideologischen Nebel zerrissen, sie hat die Fronten klar erkennbar gemacht. Sie hat den Götzendienst der Verherrlichung und Vergötterung irdischer Mächte und Gewalten aufgewiesen und abgewiesen. Sie hat die von Gott her kommende Freiheit des Evangeliums, der Kirche Christi und der einzelnen Christenmenschen bezeugt. Ich habe nicht zu den sogenannten Radikalen in der Bekennenden Kirche gehört: in der »BK« war viel geschichtlich Begrenztes mit eingewoben. Aber zu der Hilfe, die »Barmen 1934« mir geleistet hat, bekenne ich mich dankbar.

Konflikt mit einem Ordinarius

Eines Tages überraschte mich in einer Fakultätssitzung der Professor der systematischen Theologie Robert Jelke, ein Vertreter der lutherischen Orthodoxie mit einem Angriff auf mich. Was war geschehen? Ich hatte auf einem Kongress des Kirchlich-sozialen Bundes in Düsseldorf, auf Einladung von Reinhold Seeberg, dem Präsidenten des Bundes, einen Vortrag über das Thema »Der soziale Gehalt der reformatorischen Verkündigung« gehalten. Jelke behauptete unverschämterweise, ich hätte damit meinen Lehrauftrag widerrechtlich überschritten, denn dieser beziehe sich nur auf Fragen der Inneren Mission. Darauf fragte mich der Dekan, Geheimrat Johannes Bauer (Ordinarius der praktischen Theologie): »Wie lautet Ihr Lehrauftrag?« Ich antwortete wahrheitsgemäß: »Christliche Sozialethik. Von Innerer Mission ist niemals die Rede gewesen, weder in den mündlichen noch in den schriftlichen Verhandlungen mit dem Kultusministerium. Das geht aus den Akten hervor.« Andere Kollegen bestätigten die Richtigkeit meiner Antwort, worauf der Dekan abschließend feststellte: »Im übrigen kann der Herr Wendland reden, wo er will und worüber er will!« Der grundlose Angriff war glatt abgeschlagen, und ein liberaler Dekan hatte mich verteidigt. Jelke hatte seine Machtposition als Ordinarius gegen mich ausnutzen wollen. War ihm mein Einfluß auf die Studenten zu stark geworden? Oder war er neidisch auf den guten Besuch meiner Kollegs? Dibelius hielt beides durchaus für möglich. Es war in der ganzen Fakultät bekannt, daß Jelke in der Zeit der großen Inflation Studenten mit Hilfe von harten Währungen in seine Kollegs und Seminare gelockt hatte. Sein Ruf war dementsprechend schlecht. Ich füge hinzu, daß ich Ähnliches oder Gleiches nie wieder erlebt habe.

Ökumenische Studienarbeit

In Heidelberg kam ich auch mit der ökumenischen Bewegung in nähere Berührung, und zwar durch Martin Dibelius, der mich in die theologische Arbeit der werdenden Ökumene hineinzog. Im Mai 1934 hielt ich auf einer Studienkonferenz in Paris einen Vortrag über das Thema »Reich Gottes und Weltgeschichte«. Ein französischer Teilnehmer meinte, ich hätte »une conception dynamique et catastrophique« vertreten. 1935 folgte eine Reise nach Sigtuna in Schweden, wo eine andere theologische Forschungsgruppe in der herrlichen, am Mälarsee gelegenen Christlichen Volkshochschule tagte. So öffnete sich allmählich die Welt für mich, zunächst diejenige Europas. In Sigtuna habe ich mich sehr wohl gefühlt. In den Pausen saß ich oft in einer kleinen Arbeitszelle der Bibliothek und genoß den schönen Blick auf den riesigen See. Die damaligen Tagungen und Arbeitsgemeinschaften dienten der Vorbereitung der Oxforder Weltkirchenkonferenz 1937 mit ihrem Thema »Kirche, Volk und Staat«; die Konferenz beriet über die kritische Abgrenzung der Christenheit vom Nationalsozialismus, Faschismus und Kommunismus. Ich gehörte später auch der für Oxford bestimmten deutschen Kirchendelegation an, wir konnten aber nicht ausreisen, da uns die Nazis die Visa verweigerten. Im Zusammenhang mit der theologischen Arbeit für die Ökumene, die ich nach dem Zweiten Weltkrieg fortsetzte, lernte ich bedeutende Persönlichkeiten der ökumenischen Bewegung kennen wie Dr. William Temple, den damaligen Erzbischof von Canterbury, oder Dr. Oldham (London), den eigentlichen Inspirator der Oxforder Konferenz und Leiter des Organisationsstabes. Ich verehrte ihn wegen seines erstaunlichen Weitblicks und seiner tiefen Frömmigkeit und Bescheidenheit. Oldham, ein »Laien-Theologe« großen Formats mit der Fähigkeit, neue Probleme zu sehen und richtig zu definieren, machte auch als einer der ersten den Entwurf zu einer Konzeption des Ökumenischen Rates der Kirchen als leitender Institution der Ökumene.

Sehr bald lernte ich aus solchem Mittun in der Ökumene, daß »Wittenberg« nicht der Nabel der Erde ist, daß vielmehr hinter den Bergen auch noch Christen wohnten. Mit Schrecken sah ich die Enge und Öde des landläufigen Protestantismus vor mir, der sich so selbstsicher und selbstgefällig von allen anderen Kirchen und Christen abgeschnitten hatte, um so recht eigentlich dem Laster der Selbst-Rechtfertigung zu verfallen, das er doch theologisch bei allen anderen Menschen und Christen zu verdammen pflegte. Mit Staunen begann ich, den Reichtum und die Vielfalt christlicher Gestaltung, christlichen Denkens aus langen Jahrhunderten zu sehen, den Schatz der Gebete, der Fürbitten, der Eucharistie und nicht zuletzt den universalen Weltbezug der einen Kirche Christi. Solche Reichtümer immer besser wahrzunehmen, dazu verhalf mir auch eine von Anbeginn an ökumenisch denkende Gemeinschaft, nämlich die Evangelische Michaelsbruderschaft.

Eintritt in die Evangelische Michaelsbruderschaft

Diese aus dem Kern der ehemaligen »Berneuchener Konferenz« hervorgegangene Bruderschaft war 1931 in Marburg gegründet worden. Karl Bernhard Ritter, Wilhelm Stählin und Ludwig Heitmann waren in erster Linie führend in ihr und haben sie bis heute geprägt. Man wollte nicht länger in der formlosen Ungebundenheit einer Konferenz verharren und vollends nicht zum Theologischen Disputierklub herabsinken und suchte daher die strenge gebundene Form für das Gebetsleben und den Gottesdienst, aber auch für die Entfaltung persönlicher Frömmigkeit. Die klug gemeißelte Schönheit der alten liturgischen Formen, die ja immer zugleich auch anbeten oder verkündigen, wurden neu entdeckt. Ob sie römisch-westlich oder östlich-orthodox waren, spielt für die Stifter der Michaelsbruderschaft nur eine sekundäre Rolle. Sie wollten beileibe keine »Archäologen der Liturgie« sein, es ging ihnen vielmehr um die existentielle Frage: Wie muß der christliche Gottesdienst der Gegenwart aussehen, damit dem Menschen unserer Zeit die Fülle des Evangeliums sachgemäß mitgeteilt werden kann? Welche Sprache müssen wir finden, die einem solchen Gottesdienst Ausdruck verleiht? Vor dieser Fragestellung erwiesen sich Anpassungs-Modernismus und historisierender Traditionalismus alsbald als Irrwege. Man sagte der protestantischen Formlosigkeit den Kampf an, mit Recht, wie ich noch heute meine, und stand damit vor einer Riesenaufgabe. Aus jahrelanger Arbeit, aus heißen Auseinandersetzungen im eigenen Kreis sind dann im ständigen Hören auf die ökumenischen Traditionen und die Stimmen der Brüder die neuen Ordnungen und Texte der »Evangelischen Messe«, des »Gebetes der Tageszeiten«, der Pfarrgebete u. a. mehr erwachsen. Dementsprechend sollte auch das Leben der Bruderschaft in seinen Festen und Zusammenkünften wohlgeordnet sein und einer festen »Regel« folgen. Karl Bernhard Ritter blickte vor allem auf das Vorbild des Benediktinerordens, in zweiter Linie auch auf den Deutschen Ritterorden. Er lebte in einer neuen Art von christlicher Romantik, es ging ihm um die Neuformung von mittelalterlichen oder noch weit älteren Traditionen. Dabei besteht die Gefahr der Rückwärtsillusion und praktisch der Restauration, der die Michaelsbruderschaft denn auch oft erlegen ist. Die antiprotestantische Kritik hat ihre Führer hinweggerissen. Ich kann hier natürlich kein Gesamtbild von der Bruderschaft geben, sondern nur darüber berichten, was mich an ihr anzog und auch abstieß.

Ich selbst trat der Bruderschaft erst 1933 bei. Ritter hatte sich große Mühe gegeben, mich zu gewinnen, und schließlich sein Ziel erreicht. Ich hatte meinen Entschluß sorgfältig geprüft, denn hier handelte es sich ja um etwas völlig anderes als um den Beitritt zu einem kirchlichen Verein. Ich sollte mich in eine fest gegliederte Gemeinschaft bis in die persönliche Lebensgestaltung hinein einfügen und mich von ihren Formen prägen lassen. Das bedeutete, den ererbten protestantischen Individualismus zu begraben. Die Haupttendenzen der Bruderschaft wurden von mir voll bejaht, konnte ich auch seit Mitte der dreißiger Jahre bis zum Jahre 1942 das Amt des Theologischen Sekretärs mit gutem Gewissen verwalten. Dem romantischen Überschwang Ritters konnte ich allerdings nicht folgen. In seiner Liebe zu den katholischen Orden übersah er oft, daß für Mönche bestimmte Regeln nur krampfhaft auf eine Gemeinschaf zu übertragen sind, deren Glieder in der Ehe und zum Teil in weltlichen Berufen leben. Die das Leben der einzelnen Brüder und das Gesamtleben der Bruderschaft ordnende »Regel« von 1937/38 verfiel an nicht wenigen Punkten der Gesetzlichkeit, eine Folge ihres oft wirklichkeitsfremden Idealismus und ihrer Romantik. Als Sozialethiker hatte ich aber immer das Schicksal des Menschen in der säkularen Industriegesellschaft im Auge. Daraus ergab sich manch kritischer Anstoß an bruderschaftlichen Formen und Gedanken. Ritter und Stählin hatten ein ganz negatives Verhältnis zur akademischen Theologie und eine sonderbare Vorliebe für Außenseiter aller Art, seien es nun Theologen wie Paul Schütz oder Jugendbewegungs-Philosophen wie Hans Blüher. Gern gab ich zu, daß unsere Theologie die uns neu gestellten Probleme weithin nicht sah oder in ihrer Bedeutung herabsetzte, aber der Neigung zur allgemeinen Diffamierung der Theologie widersetzte ich mich leidenschaftlich. Eine traurige Folge dieser Diffamierung war die völlige Verkennung Karl Barths, von dem doch gerade wir Jüngeren genug zu lernen hatten. Günther Howe hat jahrelang darum gekämpft, seinen Brüdern das Verständnis der Theologie Barths zu eröffnen, aufs Ganze gesehen ohne wesentlichen Erfolg. Und das war ein großer Mangel für eine so betont kirchlich und ökumenisch sein wollende Gemeinschaft. Ging es doch nicht um Nachfolge, sondern um Dialog, in den natürlich auch die Kritik an Barth gehörte.

In unserer theologischen Arbeit setzten wir uns vor allem mit dem Fragen nach dem Wesen der Kirche und dem Amt bzw. den Ämtern der Kirche auseinander. Wir suchten nach einer tieferen neutestamentlichen Begründung, als sie uns der bisherige Protestantismus zu geben vermocht hatte. Wir wollten die von der Bibel, besonders vom Neuen Testament ausgehende Kritik an dessen Traditionen und Lehren lebendig machen. Ich wandte mich energisch gegen entstellende Verkürzungen der paulinischen Theologie und versuchte, der Ekklesiologie des Apostels gerecht zu werden, so in meiner Schrift »Die Mitte der paulinischen Botschaft« (Göttingen 1935).

Erfreulich war, daß ich in der Bruderschaft in einen Kreis von jungen und jüngeren Männern zwischen 25 und 40 Jahren eintrat, nur wenige waren älter. Wir hatten alle denselben Willen, der Kirche zu neuer und wirkungskräftiger Gestaltung zu verhelfen. Obwohl auch für mich die Liturgie keine Spezialität von besonders frommen Leuten war und ich den Gottesdienst als Mitte und Ursprung des kirchlichen Lebens betrachtete, mußte ich dennoch je länger desto mehr die Einseitigkeit beklagen, mit der sich die Bruderschaft der Gestaltung von Gebets- und Gottesdienstordnungen widmete und darüber die Weite des »Berneuchener Buches« vergaß, das die Kirche so universal auf die Welt bezogen hatte. Für meine sozialethischen Probleme fand ich nur bei wenigen Brüdern Gehör, unter ihnen vor allem bei dem begabten Sozialwissenschaftler und späteren Berliner Politologen Otto Heinrich von der Gablentz, den ich schon in der jugendbewegten Fichtehochschulgemeinde kennengelernt hatte. Überhaupt fand eine Reihe von älteren Jugendbewegten den Weg in die Michaelsbruderschaft. Freilich schien mir die Zahl der Laien unter uns immer viel zu niedrig zu sein.

Was unser Verhältnis zum Nationalsozialismus betrifft, so wurde es stets kritischer und negativer, obwohl sich keineswegs alle Brüder am Kampf und an der Arbeit der Bekennenden Kirche beteiligten. Auch sollte der Gefahr vorgebeugt werden, aus der Bruderschaft eine kirchenpolitische Partei zu machen, was durch die Urkunde und die Regel nach Geist und Wortlaut ausgeschlossen war. Jedenfalls brachte die Bruderschaft eine Reihe sehr wertvoller Kontakte in mein Leben, die teilweise bis heute lebendig geblieben sind. Unter den schon lange Dahingeschiedenen denke ich mit liebevoller Dankbarkeit an Ludwig Heitmann, Pastor an St. Johannis in Hamburg-Eppendorf, den ich immer wieder aufsuchte, wenn ich nach Hamburg kam. Er zügelte mein Temperament und lehrte mich den Wert der Meditation, um besser durch die Flut der äußeren Zeiterscheinungen hindurchzudringen. Gegen manche Tendenzen in der Bruderschaft war auch er kritisch, besonders gegen die von Ritter und Stählin herrührenden. Ihm war unsere Gemeinschaft mehr als ein Bund für liturgische Erneuerung. Er geriet in Auseinandersetzungen mit Wilhelm Stählin und schied aus der Bruderschaft aus, ein großer Verlust für unsere Gemeinschaft, der jedoch unserer Freundschaft nicht abträglich war.

Im Jahre 1933

Am Tage nach der Machtergreifung begegnete ich auf der Hauptstraße in Heidelberg einem naturwissenschaftlichen Kollegen. Mit Erstaunen bemerkte ich, daß er das Abzeichen der NSDAP trug, im Volksmund »Rettungsring« genannt. Aha! Die Ratten kommen aus ihren Löchern! dachte ich unwillkürlich. Ein solcher Sarkasmus war in jenen Tagen durchaus angebracht, denn in Scharen entpuppten sich die Menschen als Nazis, die früher zu feige gewesen waren, sich zur »Kampfzeit« zu ihrer Sache zu bekennen. Ein wirklich scheußlicher Anblick. Ganz unvermittelt erklärte mir der Kollege, ich hätte mich nicht mehr als Mitglied des Senats zu betrachten, da ich für den »Christlichen Volksdienst« gearbeitet hätte. Solche eindeutigen Rechtswidrigkeiten geschahen damals auf allen Seiten und zu jeder Tages- und Nachtzeit. Dieses Regime *wollte* das Unrecht. Ich war 1932 als Vertreter der Dozentenschaft in den Akademischen Senat gewählt worden, und der damalige Rektor, der Historiker Willy Andreas, hatte mich gebeten, das Pressereferat der Universität zu übernehmen. Ich hatte in der Tat für den Christlichen Volksdienst gearbeitet, eine in Württemberg und Baden entstandene kleine politische Gruppe, die die alten christlich-sozialen Traditionen für die Politik lebendig machen wollte. Er wurde sehr bald mit allen anderen politischen Parteien »gleichgeschaltet« und damit aufgelöst. Ich schrieb für den Volksdienst eine kleine Schrift, »Die christliche Staatsanschauung«, die sich noch heute in meinem Besitz befindet. Damals befaßte ich mich viel mit den politischen Ideen des Protestantismus. Zu meiner Freude haben einige meiner Schüler mein Interesse an der Theologie und Ethik des Politischen mit den heutigen theologischen und historischen Mitteln wieder aufgenommen.

Bis etwa zum Herbst 1934 konnte man mit der Heidelberger Studentenschaft noch ganz gut zusammenarbeiten, allerdings wurde die Vorherrschaft der Ideologie immer intoleranter und unausstehlicher. Als ich mich jedoch an der Absage an den »Reichsbischof« Müller beteiligte, war das Ende der Zusammenarbeit gekommen.

Um die gleiche Zeit versuchte ich, mit den Deutschen Christen ins Reine zu kommen und zu prüfen, ob diese für eine Mitarbeit meinerseits in Frage kämen. Theodor Odenwald, der liberale Systematiker in Heidelberg nach Lüttges Tode und Vertreter einer sonderbaren Mischung von Nationalsozialismus und christlichem Existentialismus, hat immer wieder versucht, mich für die DC zu gewinnen. Ich nahm also an einer Tagung der badischen DC teil. Das Ergebnis war völlig negativ. Diesen oberfaulen Kompromiß zwischen »Weltanschauung« und Evangelium konnte m. E. kein redlicher Theologe mitvollziehen. So zog ich im Frühjahr 1935 die letzte Konsequenz und schloß mich der Bekennenden Kirche an.

Im Jahre 1934 berief mich der Evangelische Oberkirchenrat in Karlsruhe zum evangelischen Studentenpfarrer in Heidelberg, den ersten dort in diesem neugeschaffenen Amt, mit dem ich noch das kleinere des Inspektors am Theologischen Studienhaus in Heidelberg verband, in dem Theologiestudenten billig wohnen konnten. Während des Semesters hielt ich dort wöchentlich eine Übung ab, meist über theologisch bedeutsame Gegenwartsfragen. In Gemeinschaft mit dem damaligen Senior, dem nachmaligen Prälaten Dr. Ernst Köhnlein, einem voll ausgebildeten Biologen, verlebte ich in diesem Hause, in dem auch die Sprechstunden des Studentenpfarrers stattfanden, manch gute Stunde. Es war schwierig, das neue Amt bekannt zu machen, zumal in der Zeit der nationalsozialistischen Herrschaft. In einem Hörsaal der Neuen Universität hielt ich zwischen 9.00 und 9.15 Uhr ganz kurze Morgenfeiern von höchstens 8 Minuten ab mit kurzen Psalmworten, dem jeweiligen Wochenspruch, einem Text aus dem Neuen Testament, Fürbitten, Vaterunser und Segen. So konnte auch in kürzester Form etwas »Substantielles« geboten werden. Diese Morgenandachten wurden gut besucht, vorzugsweise von jungen Theologen. In die anderen Fakultäten vorzustoßen, erwies sich als sehr schwer. Für dieses kirchliche Nebenamt hatte mich

Oberkirchenrat Rost in der Peterskirche ordiniert. Er war ein hervorragender Prediger, zu dem von weit und breit die Leute kamen, so daß es nicht leicht war, nach seiner Ordinationsansprache die erste Predigt als Studentenpfarrer zu halten. Es entsprach ganz meiner Auffassung von Theologie, daß ich ein solches kirchliches Amt ausübte. Auch in der Michaelsbuderschaft galt der von Karl Barth mit Ernst und Leidenschaft vertretene Satz, daß die Theologie eine Funktion der Kirche sei.

Theologische Schulen

Kein Glück hatte ich mit den Theologischen Schulen jener Zeit, die mehr und mehr das Feld beherrschten. Ich konnte mich weder der Schule Karl Barths noch derjenigen Rudolf Bultmanns anschließen, entfernte mich jedoch immer weiter von dem »nationalen Luthertum« meiner Herkunft. Es war durchaus nicht leicht, sich ohne diese Schulen allein zu behaupten, betrieben sie doch in wachsendem Maße Fakultätspolitik und besetzten alle erreichbaren Lehrstühle mit ihren eigenen Leuten. So war es für mich um die Aussichten auf einen Lehrstuhl schlecht bestellt, so daß mich ab 1935 Unruhe erfaßte im Blick auf meine Zukunft. Sollte ich einst als nicht-beamteter, außerplanmäßiger Professor notdürftig mein Leben fristen? Doch Martin Dibelius riet zur Geduld, er wollte mich nicht zum außerplanmäßigen Professor eingeben und hat damit schließlich Recht behalten, denn zum 1. April 1936 wurde ich zur Vertretung eines Lehrstuhls nach Kiel berufen, womit allerdings eine besonders schwierige Epoche in meinem akademischen Dasein begann.

Binnen weniger Monate war es den Nationalsozialisten gelungen, die Heidelberger Universität fast völlig zu zerstören. Alle jüdischen Professoren und Dozenten wurden entfernt. Sie mußten Deutschland verlassen oder erhielten, wie z. B. Jaspers, Lehr- und Redeverbot. Die Feigen und Ängstlichen, die es immer gibt, verzichteten auf den Umgang mit diesen Kollegen. Arnold Bergsträsser, damals unter den jüngeren Gelehrten der Ruperto Carola einer der bedeutendsten, mußte wegen einer »nicht-arischen Großmutter« emigrieren, doch hat ihn dieses schwere Schicksal nicht mit Bitterkeit oder Ressentiment gegen alles Deutsche erfüllt. Später kehrte er als Professor der politischen Wissenschaft nach Deutschland zurück, wo er in Freiburg i. Br. ganz im Sinne der Völkerversöhnung wirkte. Zu meiner Freude bin ich ihm nach dem Zweiten Weltkrieg auf einem Soziologenkongreß wieder begegnet.

Natürlich nahmen ganze Disziplinen und Forschungsprojekte schweren Schaden, so z. B. die von der Heidelberger Akademie der Wissenschaften betreute große kritische Cusanusausgabe. Es nimmt mich – von heute aus gesehen – Wunder, wie viele christliche und theologische Literatur bis in die ersten Jahre des Krieges dennoch erschienen ist. Selbst für den gewaltbesessenen Nationalsozialismus war es nicht leicht, mit der geistigen Macht der Kirchen fertig zu werden. Trotzdem blieb vieles auf der

Strecke. 1942 verfaßte ich eine kleine Schrift über die neuen Bewegungen in der evangelischen Kirche, besonders über den Sinn der Sammlung um Bibel und Bekenntnis. Sie durfte nicht erscheinen und existiert nur in einem einzigen Handexemplar, das mir der Stauda-Verlag zur Verfügung stellte.

Wenn ich in Heidelberg die Versammlungen der Bekennenden Kirche besuchte, fiel mir auf, daß dort viele Kollegen zu sehen waren, die ein Leben lang nichts mit der Kirche im Sinne gehabt und vermutlich seit ihrer Konfirmation an keinem Gottesdienst mehr teilgenommen hatten. Jetzt plötzlich stellte sich ihnen die Kirche in einem ganz neuen Lichte dar, sie erlebten sie als den letzten Bereich der religiösen und damit zugleich der geistigen *Freiheit*, in dem sie leben und atmen konnten. Einige unter ihnen haben diese Wohltat auch nach dem Zusammenbruch der Gewaltherrschaft nicht vergessen.

Ich selbst konnte 1933 und 1934 meine sozialethischen Vorlesungen noch unangefochten halten. In Kiel (seit 1936) sollte sich dies sehr bald ändern. Es wurden Studenten als Spitzel eingesetzt, besonders in den theologischen und geisteswissenschaftlichen Vorlesungen, abgesehen von jenen, die von alt- oder neu-nazistischen Dozenten gehalten wurden, deren es damals viele gab. Sie hatten sich rechtzeitig in die Hallen der allein seligmachenden Heilslehre geflüchtet. Die Zeit der Denunziationen war angebrochen, es gab kein Vertrauen mehr. Gemeinheit und Niedertracht feierten täglich ihre Triumpfe.

Ein Aufenthalt in Tübingen kurz vor der Machtübernahme ist mir noch in Erinnerung. Ich sprach dort über das Thema »Evangelium und Nation«. Es kam zu einer hitzigen Diskussion mit Anhängern und Schülern des Indologen und Religionswissenschaftlers Wilhelm Hauer, der sich den Stiftern der neuen »nordisch-germanischen« Religion zugesellt hatte. Wäre er doch bei seiner Wissenschaft geblieben, von der verstand er etwas. Von den Repetenten des berühmten Tübinger Stifts wurde ich kräftig unterstützt. Es waren prachtvolle Burschen, intelligent, theologisch gebildet, mit viel Sinn für Witz und Humor. Mit ihnen bei einer Kaffeeschlacht im Stift zu diskutieren, war wirklich eine Lust. Auf eine besondere Weise wurde mein Aufenthalt in Tübingen durch einen Besuch bei Adolf Schlatter und Karl Heim gewürzt, den beiden so konträren theologischen Größen. Schlatter machte auf mich den Eindruck eines biblischen Patriarchen, in dessen Gestalt sich etwas vom Geist der Bibel verkörperte. Er stand damals in der letzten Periode seines Schaffens, der wir die großen Kommentare zum Neuen Testament verdanken. Gerade weil ich ihn als Student nicht gehört hatte, sagte ich ihm, wieviel ich ihm für die Auslegung des Neuen Testaments zu verdanken hätte. Er war wohl der Letzte, der in sämtlichen Fächern der Theologie zu Hause war und im Zeitalter der Zersplitterung auf eine ganz unnachahmliche Weise in vielen Disziplinen die *Einheit* der Theologie verkörperte. Auf einer Konferenz christlicher Akademiker in Freudenstadt bin ich ihm zum zweiten Mal begegnet. Dort gehörte er zu meinen Zuhörern und war bis in den Sprachgebrauch hinein ein scharfer Kritiker. Ich hatte von »Mächten« der Welt gesprochen, um letztere von dem neutestamentlichen Begriff des Reiches Gottes abzugrenzen. Das klang Schlatter offenbar zu mythologisch, er wollte statt dessen nüchterner von »Kräften« geredet wissen.

Karl Heim und seine Frau nahmen mich mit einer Herzlichkeit auf, als sei ich ein alter Freund der Familie. Sein außergewöhnlicher Scharfsinn sowie seine ungemeine Bescheidenheit beeindruckten mich am nachhaltigsten. Er machte absolut nichts aus sich selbst und wirkte dadurch um so stärker, hatte er doch jahrzehntelang viele Hunderte von Studenten nach Tübingen gezogen. Damals stand er auf dem Höhepunkt seines weitgreifenden Wirkens. 1931 war der erste Band seines großen Lebenswerkes »Der evangelische Glaube und das Denken der Gegenwart« erschienen. Er war, mit den Einsichten der neuesten Physik aufs feinste vertraut, in seiner Generation der einzige, der den Dialog mit der Naturwissenschaft wagen konnte. Für mich war es von großer Bedeutung, daß ich einmal persönlich in diese Tübinger Welt eintauchen und ihre theologischen Größen im unmittelbaren Gegenüber kennenlernen konnte. Es ist ein anderes, die Bücher eines Mannes zu lesen, oder ihm persönlich gegenüberzusitzen. Am 70. Geburtstag von Karl Heim hielt ich in russischer Kriegsgefangenschaft, in einer elenden, halbdunklen Baracke, einen Vortrag über seine Theologie. Mein Gedächtnis war damals vorzüglich, und so konnte ich meinen Kameraden die Grundgedanken Heims darstellen. Nach der Entlassung schrieb ich Heim einen ausführlichen Brief über diese Geburtstagsfeier und ihr eigentümliches russisches Milieu. Er antwortete mir, voll von mich bewegender Dankbarkeit und Bescheidenheit.

Noch einem anderen, viel jüngeren Tübinger Theologen bin ich damals begegnet, dem Neutestamentler Karl Heinrich Rengstorf, der mich zu Gerhard Kittel führte, dem Tübinger Ordinarius für Neues Testament und bekannten Herausgeber des Theologischen Wörterbuches zum Neuen Testament. Dieser thronte in einem vornehm ausgestatteten Zimmer hinter einem mächtigen Schreibtisch wie ein Generaldirektor. Dabei konnte es zu keinem wirklichen Kontakt kommen. Wie anders stellte sich doch Martin Dibelius zu mir! Der an dem Gespräch teilnehmende Rengstorf bemerkte hinterher verwundert, ich hätte mich sehr frei und offen geäußert. Nun, ich war ja auch in einer ganz anderen Lage als er, mein »Chef« hieß glücklicherweise nicht Kittel. Später sollte ich Rengstorf in Kiel und Münster von neuem als Kollege begegnen.

Als mich der Bildhauer Arnold Rickert, der wie ich der Evangelischen Michaelsbruderschaft angehörte, bat, doch einmal seinen Vater, den Philosophen Heinrich Rickert zu besuchen, da dieser von Alter und Einsamkeit bedrängt werde, kam ich der Bitte gern nach. Wie schon als Student stieg ich wieder zum Hause Rickerts oberhalb der Alten Brücke empor. Ich wurde sehr freundlich aufgenommen, und er vernahm sehr gern, daß ich 1922/23 sein Hörer gewesen sei. Das schuf einen guten Kontakt. Das Gespräch kam auf Ernst Troeltsch und darauf, daß diesem die philosophische Schöpferkraft gefehlt habe, um die ihm vor Augen stehende Kultursynthese zu schaffen. Über Heideggers »Sein und Zeit« äußerte sich Rickert sehr kritisch und behauptete, der zweite Band werde nie erscheinen, womit er Recht behalten hat. Heidegger werde nie den bestimmenden Einfluß der katholischen Scholastik und Ontologie loswerden, der ihn in seiner Jugend geprägt habe. Als wir schließlich – ich weiß nicht mehr, aus welchem Grunde – auf Jesus und die Bergpredigt zu sprechen kamen, erfüllte es mich mit Freude und Erstaunen, mit welcher Ehrerbietung, ja Liebe er sich über Jesus äußerte. In dem alten Philosophen schien christliche Frömmigkeit – kräftiger als in seinem System der Werte – wieder lebendig zu werden. Ich habe meine Besuche bei Heinrich Rickert mehrmals wiederholt.

Karl Barth unter den Göttern

An einem heißen Sommerabend, noch vor der berüchtigten Machtübernahme, hielt Karl Barth in Heidelberg einen Vortrag über das Thema »Das Wort Gottes und der moderne Mensch«. Er sprach in der Aula der Alten Universität, deren Decke mit allerlei nackten und halbbekleideten antiken Göttern und Göttinnen bemalt ist. An diesem Ort, an dem alle möglichen Gottheiten angebetet wurden und der reinste Säkularismus herrschte, stand jetzt Karl Barth, um mit Kraft und Leidenschaft seine neureformatorische Theologie zu vertreten, – welch ein Gegensatz! Und plötzlich, mitten im Reden, zog der große Theologe, ohne sich zu unterbrechen, seinen Rock aus, der ihm zu heiß geworden war, und stand in spießbürgerlichen Hosenträgern unter all der antiken Pracht und Herrlichkeit, – in der Tat, ein Anblick für die Götter! Ein Schaudern ging durch die erlauchte Versammlung. Doch welch ein Wunder! – nach ein oder zwei Minuten war das schockierende und für Heidelberg geradezu unmögliche Benehmen dieses Theologen vergessen. Denn Karl Barth war seiner Sache so leidenschaftlich hingegeben und sprach mit solcher Kraft und Eindringlichkeit, daß wir alle sofort wieder an die Sache und nur an die Sache dachten.

Nach dem Vortrag ging es zur Diskussion ins Christliche Hospiz »Holländer Hof« an der Alten Brücke. Damals gab es in Heidelberg noch keine Barthianer, weder an der Fakultät noch in der Pfarrerschaft. Liberalismus und Existentialismus waren die Gegner, die gegen ihn antraten. Theodor Odenwald, der damalige vom Liberalismus zum Existentialismus übergegangene Ordinarius für systematische Theologie in Heidelberg versuchte nun, Karl Barth mit Hilfe des letzteren zu Leibe zu rücken, doch dieser wehrte ihn mit Leichtigkeit und Überlegenheit ab. Sein großartiger Humor und seine außerordentliche Schlagkraft verschafften ihm großen Respekt und viel Sympathie. Sein Auftreten in Heidelberg war ein großes, zum weiteren Studium seiner Schriften ermutigendes theologisches Erlebnis für mich. Barth hat mir kräftig geholfen, den Göttern und Geistern der Zeit zu widerstehen und *Theologe* zu bleiben, was damals nicht immer leicht war. Ein »Barthianer« im Sinne der Schülerschaft bin ich dadurch freilich nicht geworden. Ich hatte nichts im Sinn mit den theologischen Schulen, woraus sich allerdings manche Schwierigkeiten für mich ergaben, besonders auf dem Felde der Berufungen, wovon später noch zu berichten sein wird.

Mit größter Dankbarkeit blicke ich auf die Heidelberger Dozentenjahre zurück und gedenke der Menschen, die mich mit so viel Güte und Verständnis auf meiner Bahn vorwärts geführt haben. Sie sind mir unvergeßlich. In jenen Jahren wurden die Grundlagen meiner geistigen und theologischen Existenz gelegt. Die jahrelange Auseinandersetzung mit der idealistischen Philosophie war nun im wesentlichen abgeschlossen. Ich suchte die verschiedensten theologischen Einflüsse zu verarbeiten und zu verbinden, die von Karl Barth und Paul Tillich und hinsichtlich des Neuen Testaments vor allem die von Rudolf Bultmann und Adolf Schlatter. So gelang es mir, in der Sozialethik festen Boden unter die Füße zu bekommen und mich von der neulutherischen Theologie zu befreien. Mit der Zwei-Reiche-Lehre Luthers und seiner Nachfahren setzte ich mich besonders intensiv auseinander. Meine Kritik an dieser hat auch nach 1950 noch des öfteren literarischen Ausdruck gefunden.

Bei Bultmann glaubte ich eine höchst bedenkliche Verschiebung von der Christologie zur Anthropologie hin festzustellen. Als er dann später seine Schrift über die Entmythologisierung veröffentlichte, erschien es mir als unvorstellbar, daß der christliche Glaube sich jemals ohne mythische Aussageformen würde äußern können, totale Rationalisierung würde seine Zerstörung bedeuten. Gerade die in der Theologie notwendige Dialektik von Mythos und Begriff ermöglicht es ja, welttranszendierende Begriffe zu bilden, ohne deren Sprache Christologie oder Eschatologie undenkbar wären. In diesem Zusammenhang wurde mir der Begriff des Symbols, wie Tillich ihn formte, zunehmend wichtig.

Nach wie vor schrieb ich nach meiner Gewohnheit zahlreiche Aufsätze zu neutestamentlichen und sozialethischen Themen. 1934 erschien bereits die zweite Auflage meiner Auslegung der Korintherbriefe. Besonders intensiv befaßte ich mich in den Heidelberger Jahren mit der Offenbarung des Johannes. Die Bedeutung der Theologie gerade dieses schwierigen Buches schien mir verkannt zu werden, trotz des großen Verdienstes, das sich Ernst Lohmeyer mit seinem Kommentar von 1926 erworben hatte. Ich plante ein Buch über die Apokalypse, doch hat der Zweite Weltkrieg die Ausführung verhindert, und später standen andere Probleme für mich im Vordergrund.

In der Sozialethik bereitete mir der Begriff der Ordnung viel Sorge und Kummer. Obwohl er weit verbreitet war und auch in Emil Brunners Ethik eine entscheidende Rolle spielte, gelang es mir nicht, ihm die theologisch rechte Form zu geben, was aber offenbar nicht nur an mir, sondern an dem Begriff selber lag. Seit den fünfziger Jahren hat er in meinem sozialethischen Denken keine Rolle mehr gespielt, es sei denn, daß ich ihn zur Kennzeichnung des konservativen Denkens verwendete, wohin er ja auch gehört. Man sieht an meiner Entwicklung, wie schwer es uns damals wurde, die konservative Romantik und das mythische Ursprungsdenken, um mit Tillich zu reden, loszuwerden.

Noch schwieriger als die Aufgabe, eine moderne Sozialethik zu schaffen, erschien mir die andere, über die »Theologie des Neuen Testaments« zu lesen. Einen guten Leitfaden fand ich nicht. Schlatter konnte ich nicht folgen, und Bultmanns großes

Buch erschien erst ab 1949. Zwar blieb mir die christologische Mitte, Tod und Auferstehung Christi, stets deutlich, auch konnte ich eine Reihe von kritischen Konsequenzen ziehen, z. B. hinsichtlich der sogenannten paulinischen Mystik oder johanneischen Gnosis, doch blieben zahlreiche schwierige Einzelfragen offen. Vor allem sah ich mich der schweren Aufgabe gegenüber, die theologische Einheit des Neuen Testaments festzuhalten und dennoch den ganz verschiedenen Theologien im Neuen Testament gerecht zu werden.

Die Bücherei

Schon als Student war ich eifrig bestrebt, mir eine eigene Bücherei aufzubauen, und was ich nur irgend erübrigen konnte, wandte ich für Bücher auf. Obwohl mir nach Herkunft und Lebenskreis das Schuldenmachen fremd und widerwärtig war, konnte es doch geschehen, daß ich um schöner und wertvoller Bücher willen Schulden auf mich nahm. Ich verfolgte das Ziel, die wichtigsten Hand- und Lehrbücher sowie Nachschlagewerke und Lexika aller Art in meinem Arbeitszimmer griffbereit zur Hand zu haben. Als Sozialethiker benötigte ich die wichtigsten Werke der systematischen Theologie, besonders diejenigen aus dem Bereich der Ethik. Auch hatte ich den Ehrgeiz, die Geschichte der Theologie und Philosophie parat zu haben, ebenso die bedeutendsten Monographien aus den verschiedenen Disziplinen, um mich von den Bibliotheken möglichst unabhängig zu machen. Schon in Berlin war es mir ein großes Vergnügen, die Bücherschätze in der Buchhandlung Grote am Hegelplatz hinter der Universität zu durchwühlen, zumal dort die Neuerscheinungen immer ausgelegt waren. Da konnte ich die Bücher zur Hand nehmen und prüfen, bevor ich eines selbst erwarb. Meine Interessen erstreckten sich auch auf die Geschichtswissenschaften und später, nach dem Zweiten Weltkrieg, auf die immer wichtiger werdenden Sozialwissenschaften einschließlich Soziologie. In Heidelberg machte ich mich mit den Werken von Hans Freyer und Max Weber vertraut. Von Karl Jaspers las ich alles, was ich nur erlangen konnte. An bedeutenden Historikern wie Otto Hintze und Geisteswissenschaftlern wie Wilhelm Dilthey ging ich nicht vorbei. Als Sozialethiker mußte ich mir ein möglichst klares Bild von der Entstehung der modernen Gesellschaft machen. Hier bot Dilthey unschätzbare Dienste an. Es ist ein großes Glück, rechtzeitig an die Klassiker der Wissenschaft herangeführt zu werden. Schon durch meinen Vater lernte ich Leopold von Ranke kennen, vor allem seine Reformationsgeschichte und die großartigen Vorlesungen »Die großen Mächte«. Die Lektüre beruht auf der Kunst der Auswahl, und eben diese Kunst bestimmte den Auf- und Ausbau meiner Bibliothek, die ich mit Freuden wachsen sah.

Über die Wissenschaften hinaus hat meine Liebe immer der sogenannten schönen Literatur gehört. Seit meiner Dostojewski-Lektüre in den Heidelberger Studiensemestern blieb ich ein großer Freund der russischen Literatur, von Puschkin über Gogol, Tschechow, Tolstoi bis hin zur Revolutionsliteratur eines Maxim Gorki und seiner Zeitgenossen einschließlich Alexander Solschenizyn, mit dem m. E. die russische Erzählkunst einen neuen Gipfel erreicht. Will man Wissenschaft und Vernunft vor der Abstraktion bewahren, so müssen wir die Anschauungskraft der Dichtung zu Hilfe rufen. Mit ihr im Bunde erschließen sich uns ganz neue Tiefendimensionen. Es wäre übrigens eine Täuschung zu meinen, eine solche Lektüre ginge auf Kosten der wissenschaftlichen Arbeit. Das Gegenteil ist der Fall. Es bedarf allerdings einer sehr genauen Zeiteinteilung und Zeitnutzung, damit Wissenschaft und schöne Literatur getrennt und doch verbunden zur Geltung kommen, um die Abstraktion mit dem Leben der Anschauung zu füllen. Die Ratio bedarf der Intuition, diese wiederum der Ratio. Ohne »Einfälle« gibt es keinen wissenschaftlichen Fortschritt, und ich möchte meinen, daß dies auch für die Naturwissenschaften und die Medizin gilt.

Mindestens ebenso wichtig wie Bücher sind Freunde. Die Geschichte der Wissenschaften zeigt, daß die Freundschaft mitunter produktiv wirksam gewesen ist. So sind zum Beispiel aus dem Lehrer-Schüler-Verhältnis des öfteren Freundschaften erwachsen. In Heidelberg gewann ich in dem Germanisten Hans Teske, einem Schüler von Friedrich Panzer, der sich etwa ein Jahr vor mir in Heidelberg habilitiert hatte, einen neuen Freund. Er gehörte zum Jugendkreis des Guttemplerordens und war gleich mir vom Geist der Jugendbewegung erfaßt und bestimmt, eine gute Voraussetzung für unsere Freundschaft. Auch wohnten wir in Handschuhsheim nahe beieinander, einem nördlich des Neckar gelegenen, damals noch halb ländlich-bäuerlichen Vorort an der Bergstraße. In den schlicht behaglichen Weinlokalen dort haben wir manch gutes Gespräch gehabt. Teske war ein offener, fröhlicher Mensch von geselligem Wesen und mit viel Sinn für Humor. Das machte den Umgang mit ihm sehr angenehm. Er stand in der Tradition des norddeutschen lutherischen Christentums seiner Heimatstadt Hamburg und versuchte ehrlich, es sich existentiell anzueignen. Das führte zu zahlreichen theologischen Gesprächen, die – zumal in seinem schönen Hause – oft bis in die Nachtstunden währten. Sein erstes Forschungsfeld war die mittelalterliche deutsche Literatur, später, besonders nach seiner Berufung nach Hamburg, widmete er sich in erster Linie der niederdeutschen Literatur und Sprache. Seit 1945, seit der Schlacht um Berlin, ist Teske spurlos verschwunden. Wir haben zu unserem großen Schmerz nie wieder etwas von ihm gehört. Einer aus der großen Schar der Unvollendeten, die ihr wissenschaftliches Denken und Werk nicht bis zur Vollendung führen durften.

Mein zweiter Freund, den ich in Heidelberg gewann, war der Wirtschafts- und Finanzwissenschaftler Siegfried Wendt, zuletzt Professor in Göttingen. Ich hatte ihn schon anfangs der zwanziger Jahre in der Berliner Fichte-Hochschulgemeinde kennengelernt. Mit ihm verbanden mich sozial- und wirtschaftsethische Probleme und Überzeugungen, die bei Wendt von einem lebendigen, praktizierten Christentum genährt wurden. Zunächst Privatdozent an der Handelshochschule Mannheim, siedelte er nach Heidelberg über, als diese mit der Universität verschmolzen wurde. Besonders nach dem Zweiten Weltkrieg war Wendt lebhaft kirchlich tätig, u. a. als langjähriger Präsident der Synode der Evangelischen Kirche von Oldenburg. Auch nahm er regen Anteil an der kirchlich-sozialen Arbeit. Ich schätzte in ihm die preußische Schlichtheit und Geradheit seines Wesens, die den Idealismus der Jugendbewegung nicht ausgeklammert hatte. Wendt entstammte gleich mir der Mark Brandenburg, auch dies ein Element unserer lebenslangen Freundschaft. Er starb bereits im Alter von 64 Jahren, und ich durfte ihm in Göttingen die akademische Gedenkrede halten, bei der ich seine sozial- und wirtschaftsethischen Gedanken würdigte.

Die Landschaft

Heidelberg ist nicht nur durch seine Universität bekannt, sondern auch durch seine Landschaft und das in den Königsstuhl eingebettete großartige Schloß. Dichter haben seine Schönheit besungen – Hölderlins Hymne auf »der Vaterlandsstädte schönste« klingt am tiefsten in mir nach –, Maler die Stadt und den Fluß in romantischen Bildern auf die Leinwand gebracht. Mit Wanderlust und Freude eroberten wir uns dieses herrliche Land mit den Bergen des Neckartals und den lieblichen Windungen des Flusses, mit dem Odenwald mit seinen Tälern in der Nähe. Nach harter Arbeit waren solche Wandertage ein wahres Labsal. Sie schufen eine Verbundenheit mit der Heidelberger Region, die bis auf diesen Tag lebendig geblieben ist. Kein Wunder, daß hier vor allem die deutsche Romantik einen ihrer Schwerpunkte hatte und der »Zupfgeignhansl«, das berühmteste und verbreitetste Liederbuch der Jugendbewegung, aus dem Geiste der Romantik und ihrer Volkskunstliebe erwachsen war. Damals war ja Heidelberg noch eine stille Mittelstadt, beherrscht von der Universität, von den Studenten und ihren Verbindungen, die in Coulur durch die alten engen Gassen zogen. Die Landschaft wuchs in die Stadt hinein, sogar in der Altstadt gab es noch die Gärten, die Hölderlin besungen hat. Das alles ist nun fast Vergangenheit. Das heutige Heidelberg ist eine lärmende, von Touristenströmen überschwemmte Großstadt geworden. Wenn ich jedoch deren Asphaltstraßen verlasse und auf den alten Wanderpfaden der Jugendzeit zu den Höhen emporsteige, bin ich bald ganz eingetaucht in die alte, romantische Aura des alten Heidelberg. Am Neckar, an der Alten und Neuen Universität begegnen mir die Toten, mit denen ich dort einst gelebt und die ich verehrt und geliebt habe.

An der Christian-Albrechts-Universität in Kiel

Schwierige Anfänge

»Doch mit des Geschickes Mächten
Ist kein ew'ger Bund zu flechten,
Und das Unglück schreitet schnell!«

So konnte ich wohl mit Fug und Recht sagen, als ich plötzlich und völlig unerwartet den Auftrag bekam, in Kiel eine Professur für Neues Testament und Sozialethik vertretungsweise zu übernehmen. Die Nationalsozialisten arbeiteten damals in großem Umfang mit Vertretungen, statt – wie zuvor üblich – mit Berufungen und Ernennungen, teils um Geld zu sparen (»Kanonen statt Butter!«), teils um die Betreffenden in Unsicherheit und Gefügigkeit zu halten. Ich hatte nicht die geringste Lust, nach Kiel zu gehen. Konnte man es denn im Ernst mit Heidelberg vergleichen? Ich äußerte Dibelius gegenüber unverhohlen meine Abneigung gegen Kiel. Doch Dibelius war entschieden der Meinung, ich *müsse* dorthin gehen, denn sonst liefe ich Gefahr, nie wieder eine Vertretung oder Berufung zu erhalten. Auch hege er die Hoffnung, aus dieser Vertretung könne eine Berufung werden, womit er ganz gegen meine Erwartung Recht behalten sollte. Also fügte ich mich.

Am 1. April 1936 traf ich in Kiel ein, es war eine Reise ins Ungewisse. Die Situation, die ich vorfand, war äußerst heikel und schwierig. Dies merkte ich sogleich beim ersten Besuch bei dem Dekan, einem Mann, der nicht einmal promoviert hatte, und dessen einziges Verdienst darin bestand, Pastor gewesen zu sein. Von Theologie als Wissenschaft keine Ahnung! – dies bestätigten mir später die Studenten. Außer mir war auch Karl Heinrich Rengstorf zur Vertretung eines anderen Lehrstuhls nach Kiel entsandt worden. Er hatte offenbar seine Hand freundschaftlicherweise mit im Spiel und mit dafür gesorgt, daß ich mit ihm zusammen nach Kiel geschickt wurde. Die alte Fakultät hatte man zuvor – natürlich mit Hilfe von Rechtsbrüchen – völlig auseinandergejagt. Die jetzige hatte nur 45–50 Studenten. Ich hatte also mit leeren Hörsälen zu rechnen, und den befriedigten Blick auf volle Bänke zu meinen Füßen mußte ich mir von jetzt an abgewöhnen. In Heidelberg war ich anderes gewohnt. Außer Rengstorf und mir waren die anderen Neuberufenen Parteigenossen und Anhänger der »Deutschen Christen«, sie hatten die doppelte Übermacht. Durch das auf die Universität irrsinnigerweise übertragene Führerprinzip war der einzelne völlig ausgeschaltet und ohnmächtig. Der Dekan war »Führer«, machte also, was er wollte. Fakultätssitzungen gab es nicht. Es war von der Gnade des Dekans abhängig, ob er uns informieren wollte oder nicht. Die Kieler Universität war ebenso gründlich »erneuert« worden wie die Heidelberger. Man konnte sich ausrechnen, daß sich ein Angehöriger der Bekennenden Kirche nicht lange auf den Beinen würde halten können.

Meine Situation war daher vom ersten Tag an sehr schwierig, denn ich gehörte weder zur Partei noch zu den Deutschen Christen. Das galt auch von K. H. Rengstorf. Der Bruderrat der Bekennenden Kirche in Schleswig-Holstein wünschte dringend, daß der von mir vertretene Lehrstuhl der Bekennenden Kirche erhalten bliebe. Als Rengstorf ausgeschieden war, wurde meine Lage noch mißlicher als zuvor, da ich nun ganz allein einer großen Mehrheit von Parteigenossen gegenüberstand. Als man Rengstorf völlig ungerechtfertigter Weise den Stuhl vor die Tür gesetzt hatte, fragte mich der Alttestamentler Hartmut Schmökel, welcher Art meine Absichten seien. Eine seltsame Frage, da doch meine kirchliche Position klar war und meine Veröffentlichungen über meine theologischen Ansichten wahrlich hinreichend Auskunft gaben. Ich erwiderte, falls ich in der Fakultät verbliebe, weiterhin meine theologische Arbeit zu tun und mich loyal verhalten würde, soweit mir nicht meine theologischen und kirchlichen Überzeugungen ein anderes Verhalten geböten. Man ließ mich gewähren, und ich blieb. Später hörte ich, der Dekan habe eine Art »BK-Feigenblatt« für seine DC-Fakultät gewünscht, ja für nötig gehalten. Aus welchen Gründen, konnte ich nicht erfahren. Jedenfalls hatte ich das Gefühl, an einem seidenen Faden zu hängen, der im Nu durchgeschnitten werden konnte. Das sah ich ja am Schicksal von K. H. Rengstorf. Dieser hatte nämlich das ungeheure »Verbrechen« begangen, dem Ministerium in Berlin sachgemäße und wohldurchdachte Vorschläge für den Neuaufbau der Kieler Theologischen Fakultät einzureichen. Das genügte, ihn von heute auf morgen davonzujagen, womit man damals alle aus der Habilitation sich ergebenden Rechte verlor. Erst nach dem Zusammenbruch konnte Rengstorf auf die Universität zurückkehren. Er wurde Professor in Münster, wo ich ihm 1955 von neuem begegnete. Natürlich hatte ich in Kiel sogleich Beziehungen zum Bruderrat der Bekennenden Kirche hergestellt und fand so auch den Ort für meine kirchliche Tätigkeit. Meine erste Aufgabe bestand in der Betreuung derjenigen Studenten, die in beträchtlicher Zahl der BK angehörten. Wir veranstalteten Bibelabende und zogen von Haus zu Haus, um den Spitzeln zu entgehen, welche die BK überwachten. In der Zusammenarbeit mit dem Bruderrat lernte ich vor allem Wilhelm Halfmann, den späteren Bischof von Holstein, kennen und schätzen, einen ausgezeichneten Prediger und guten Kenner der Kirchengeschichte. Wir arbeiteten bei den theologischen Prüfungen zusammen. Er war übrigens das einzige Mitglied des Landeskirchenamtes in Kiel, das der BK angehörte und sollte deren Anliegen in der Kirchenbehörde vertreten. Das machte seine Position und Aufgabe noch weit schwieriger als die meinige. Spitzel gab es natürlich auch in den Vorlesungen. In einer neutestamentlich-exegetischen Vorlesung sah ich eines Tages zwei fremde Gesichter vor mir. Wenn man nur 10 oder 12 Hörer hat, fallen dem Dozenten unbekannte Gesichter sofort auf. Außerdem hatten die beiden keinen Text des Neuen Testaments vor sich. Ich bat daher einen meiner Hörer, so freundlich zu sein, den beiden einen Text auszuleihen. Das geschah, und ich stellte sofort fest, daß die Aufpasser mit diesem Buch gar nicht umzugehen wußten. Nach der Vorlesung sagten mir einige meiner Zuhörer, es habe sich um vom NS-Studentenbund ausgesandte Spitzel gehandelt. Die BK-Studenten hielten fest und vertrauensvoll zu mir, und dieses Band gehört zu meinen schönsten akademischen Erinnerungen aus diesen Jahren.

In Kiel gab es auch einen NS-Dozentenbund, der der Geselligkeit dienen sollte. Ich habe ihn ein paarmal besucht, um einem Vortrag zuzuhören. Da man dort aber kein vertrauensvolles Wort mit Kollegen sprechen konnte, blieb ich fort. Die Ideologisierung der Universität und der Wissenschaften machte große Fortschritte, vor allem bei den Naturwissenschaftlern und Juristen. Die Juristische Fakultät sollte eine NS-Modell-Fakultät für das ganze Reich werden. Ihr gehörte auch der damalige Kieler Rektor Georg Dahm an, vor dem ich eines Tages zu erscheinen hatte, weil ich an Freizeiten für die Studenten der BK teilgenommen hatte, die, so sagte Dahm, allen Beamten streng verboten sei. Er müsse mich auf mögliche ernste Folgen meines Tuns hinweisen. Ein kleiner status confessionis. Ich konnte seine Mahnung nicht befolgen.

In Kiel traf ich wieder mit dem Rechtsphilosophen und Zivilrechtler Karl Larenz zusammen, einem Freund aus der Berliner Jugendbewegung, dem Jungnationalen Bund. Er war in Göttingen ein Schüler Julius Binders geworden. Hegel und die idealistische Philosophie sowie gemeinsame Gedanken über Volk und Staat verbanden uns miteinander.

Wenn es heißt, in Kiel seien damals die Juristen die wildesten Vorkämpfer des Nationalsozialismus gewesen, so ist das nur halb richtig. Die Naturwissenschaftler, besonders die Biologen und Humangenetiker, aber auch die Mediziner wollten vollwertige, ja oft mehr als hundertprozentige Nationalsozialisten sein. So war der Internist Löhr, zuvor Chefarzt der Betheler Anstalten, der wildesten einer und belastete in seiner Schrift über den Aberglauben in der Medizin die christliche Kirche allein und ausschließlich mit der Schuld an diesem samt allen Verrücktheiten und Perversitäten. Als Gaudozentenbundsführer entschied er, daß die Theologische Fakultät bei Universitätsfeiern den Schluß des Fakultätenzugs zu bilden habe und nicht mehr die Spitze, wie es der Tradition entsprach. Solche Kleinigkeiten zeigen, wie konsequent die »Gleichschaltung und Neuordnung« durchgeführt wurde, zugleich aber auch, wie verhaßt Christentum und Theologie der neuen Gewaltherrschaft waren.

Meine sozialethische Arbeit setzte ich in Kiel zunächst fort, bis das Spitzelwesen es unmöglich machte, zu sagen, was man dachte. Der Schwerpunkt mußte nach dem Ausscheiden von Rengstorf auf den neutestamentlichen Vorlesungen und Seminaren liegen. Ich schrieb in Kiel die schon erwähnten Schriften »Die Mitte der paulinischen Botschaft« (1935, über die Rechtfertigungslehre des Paulus) sowie »Geschichtsanschauung und Geschichtsbewußtsein im Neuen Testament«. Letztere wurde von Rudolf Bultmann in Grund und Boden kritisiert. Ebenso entschieden trat jedoch Werner Georg Kümmel für mich ein und wies treffend darauf hin, daß ich meine Vorstellung von Geschichte dem Neuen Testament selbst entnähme, während der Geschichtsbegriff Bultmanns von der Existenzphilosophie Heideggers beherrscht sei. Bultmanns Vorstellung von Eschatologie war der meinigen ganz und gar entgegengesetzt und rein aktualistisch. Dies hob Bultmann selbst auf einer Postkarte an mich hervor. Übrigens blieb er bei aller Schärfe seiner Polemik immer sachlich und vornehm. Trotz langer akademischer Tätigkeit habe ich nicht viele Rezensionen geschrieben. Diese Art wissenschaftlicher Arbeit lag mir nicht, ich hatte auch kein Geschick dazu.

Meine Mithilfe in der Bekennenden Kirche führte mich in viele Propsteien (= Kirchenkreise) und Kirchengemeinden sowie in die Pastorenkonvente. So entstand eine mannigfaltige Verbundenheit und Gemeinschaft, die für beide Teile wegen meiner schwierigen Stellung in der Fakultät nur umso wichtiger wurde. Auch nach meiner Rückkehr aus russischer Gefangenschaft – ich nahm meine akademische Tätigkeit am 15. Mai 1950 wieder auf – setzte ich meine rege Mitarbeit in der Landeskirche fort, immer des heute viel angefochtenen Satzes eingedenk, daß die Theologie eine Funktion der Kirche sei. Nach dem Zweiten Weltkrieg konnte auch die kirchliche Sozialarbeit in neuen Formen wiederbelebt werden, und es war für den Sozialethiker selbstverständlich, sich daran zu beteiligen. Die unmittelbare Anschauung der praktischen Probleme befruchtete auch jetzt wieder die wissenschaftlich-theoretische Arbeit.

Meine ökumenische Tätigkeit konnte ich in Kiel in nur sehr bescheidenem Umfang und lediglich im akademischen Rahmen fortsetzen. Ökumenische Studienkonferenzen hatten mich – wie bereits kurz angedeutet – schon 1934/35 nach Paris und nach Sigtuna in Schweden geführt.

Nachzutragen ist, daß ich 1935 nach Wien und Siebenbürgen reisen konnte. In Wien versammelten sich die deutschen evangelischen Pfarrer des Balkans zu einer Konferenz, auf der die damals aktuellen Fragen behandelt wurden. In Hermannstadt kamen viele Pastoren aus Siebenbürgen zu einem theologischen Lehrgang zusammen, auf dem ich zu sprechen hatte. Auf einer Visitationsreise mit Bischof Dr. Glondys lernte ich Land, Leute und kirchliche Verhältnisse dieses herrlichen Landes sowie seine große Gastfreundschaft kennen. Was ich damals sah, war die einzigartige Gestalt der alten deutschen Volkskirche Siebenbürgens. In dieser Volksgruppe war die Kirche die entscheidende, alles prägende Lebensmacht, sie hatte sie durch Jahrhunderte vor allem seelisch und geistig am Leben erhalten. Das ganze Erziehungs- und Schulwesen lag in ihrer Hand, einschließlich der Gymnasien. Die Pastoren hatten in der Mehrzahl einen Doppelberuf, sie waren zugleich auch Lehrer. In den folgenden Jahren wurde die alte Volkskirche von den Nationalsozialisten unterwühlt und zerstört, um sich und ihre Ideologie an deren Stelle zu setzen. Das war das Ende dieser wirklich eigen-

und einzigartigen Gestalt von Volkskirche, deren Symbol einst die ganzen Dörfern Schutz und Zuflucht bietenden Wehrkirchen und Kirchenburgen waren. Die fortschreitende Säkularisierung hat dieser Volkskirche mit anderen Gewalten (z. B. der Industrialisierung) im Bunde endgültig das Grab gegraben. Das ist jedoch kein Grund zu hochfahrender Kritik, denn sie hat vielen Geschlechtern – zumal in den schweren Zeiten des Leidens – Trost, Kraft und Halt gegeben.

Solche Betrachtungen und Erfahrungen schlugen sich in meinen Arbeiten nieder. So hatte ich schon seit 1933 in dem vielgelesenen, von meinen Freunden W. Künneth und H. Schreiner herausgegebenen Buch »Die Nation vor Gott« die Beiträge »Volk und Volkstum«, »Staat und Reich« geschrieben, die die damalige Diskussion über diese Fragen aufzuarbeiten versuchten. So setzte ich mich u. a. auch kritisch mit der Lehre Gogartens und Stapels von »Volksnomos« auseinander und widersetzte mich jedem Versuch, die Kirche Christi einem solchen weltlich-politischen Gesetz zu unterwerfen. Es war schwer, sich durch all diese Ideologien »völkischer« Weltanschauung und Religion hindurchzukämpfen, viel schwerer jedenfalls, als es uns heutige Kritiker jener Zeit glauben machen wollen. Diese Art der theologischen Arbeit ging bis in den Zweiten Weltkrieg hinein weiter.

Die kleine Studentenzahl hatte auch ihr Gutes, was sich besonders in den Seminaren zeigte. Jeder einzelne konnte zur Mitarbeit herangezogen und die persönliche Beziehung zwischen Lehrer und Schüler enger geknüpft werden als in den großen Seminaren. Die Einführung in Texte und Probleme geschah dadurch intensiver als gewöhnlich. Mir kam es stets auf den theologischen Kern der Dinge an, ich wollte nicht im rein Historischen steckenbleiben. Viele meiner Hörer gingen diesen Weg dankbar mit, und manche der damals geknüpften Beziehungen bestehen noch heute. Wie in Heidelberg ging es auch hier: mehrere meiner Schüler und Schülerinnen nehmen heute hervorragende Positionen in der Kirche ein, als Prälaten und Pröpste, als Synodalpräsidentin oder als Anstaltsleiter in der Diakonie.

Der Besuch

Auch in Kiel hielt ich die Sitte fest, zur Horizonterweiterung bedeutende Kollegen aus anderen Fakultäten zu besuchen, so schon im Oktober 1936 den Kunsthistoriker Arthur Haseloff, der die Hohenstaufenburgen in Apulien und Sizilien für die Kunstgeschichte entdeckte. Er war ein Meister der historischen Methode und der Vertreter der historischen Schule, der jahrelang in Rom und Florenz gearbeitet hatte und in Italien hohes Ansehen genoß. Eine seiner Hauptschöpfungen war die Kieler Kunsthalle an der Förde, wo er viele interessante und lehrreiche Ausstellungen veranstaltete. Überhaupt hat er für das Kunstleben im Lande Schleswig-Holstein Bedeutendes geleistet. Bei meinen Besuchen bis zu seinem Tode im Jahre 1955 habe ich manches für mich höchst lehrreiche Gespräch geführt, nicht nur über Gestalten und Probleme der Kunstgeschichte, sondern auch über Fragen der Weltpolitik, der Universität und der Zukunft unseres Landes. Er besaß eine riesige Bibliothek. Trat ich zu ihm ins Zimmer, mußte immer erst ein Stuhl frei gemacht werden, damit ich mich überhaupt setzen konnte. Stühle, Tische und Regale waren mit Büchern, Schriften und Papieren bedeckt. Der vornehme, zurückhaltende und im Urteil vorsichtige Mann war ein Skeptiker, doch frei von allem Zynismus. Offenbar hatte ihn sein enormes, weit über die Kunstgeschichte hinausreichendes historisches Wissen dazu gemacht. Immer wieder brach jedoch aus einer tieferen Schicht seines Wesens die christliche Tradition hervor. Diese eigentümliche Art der Verbindung von Frömmigkeit und Skepsis war für mich von hohem Reiz. Sie schien mir eine wichtige Abart des christlichen Realismus zu sein, der durch die Krise der Weltabwertung hindurch zu einer nüchternen, relativierenden und standfesten Bejahung des Wirklichen gelangte. Auch seine Frau, eine Tochter des Düsseldorfer Malers Preyer und selbst als Malerin tätig, war ein hochgebildeter Mensch mit weitem Horizont. Zu meiner Freude gewann ich mir die Anerkennung und den Dank der Freunde, als ich Arthur Haselhoff 1955 die Grabrede hielt.

In Kiel gab es nicht so viele bedeutende Persönlichkeiten wie in Heidelberg. Auch hier hatten die Nationalsozialisten nach ihrer zerstörerischen Art gründlichst »aufgeräumt«. Ich hätte in Kiel dem Philosophen Richard Kroner begegnen können, doch mußte er als Jude schon vor meinem Wirken in dieser Stadt nach den USA auswandern. 1925 hatte ich sein großes Werk »Von Kant zu Hegel« mit Begeisterung studiert. Ich rechne es noch heute zu den besten Werken über jene große philosophische Epoche. Begreiflicherweise konnte er den Rückweg in die Heimat nicht mehr finden, obwohl man ihn nach 1945 in Kiel zurückzugewinnen suchte. Da Kroner auch große theologische Interessen hatte – ihn hat das Verhältnis des griechischen Denkens zum Christentum lange beschäftigt –, hätte ich gerade von ihm viel lernen können, wenn ich etwa an sein noch in Deutschland geschriebenes Buch »Die Selbstverwirklichung des Geistes« denke.

Die Denunziation

Einige Jahre lang konnte ich in Kiel meine Arbeit im wesentlichen unangefochten tun. Dann aber zog sich auch über mir das Unheil zusammen. Drei Kollegen aus der eigenen Fakultät denunzierten mich beim Reichswissenschaftsminister Rust. Sie wollten mich offenbar loswerden und die ideologische Einheit der Fakultät herstellen, die meine Anwesenheit bisher verhindert hatte. Auch mag dabei die kirchenpolitische

Absicht, der BK eine wichtige Position zu entreißen, eine Rolle gespielt haben. Meine Gegner benutzten geschickt ein Versehen meinerseits, um sich den Schein des Rechts zu verschaffen. Absichtlich und mit Überlegung verschweige ich die Namen dieser Kollegen, denn es liegt mir nichts daran, die noch Lebenden nach 37 Jahren bloßzustellen. In einer Dissertation mit einem neutestamentlichen Thema hatte ich übersehen, daß ihr Verfasser ein langes Zitat ohne Quellenangabe in seinen Text eingefügt hatte. Noch heute ist es mir ein Rätsel, wie ich das übersehen konnte, da mir die Quelle bestens bekannt war. Genug, das Versehen wurde als Aufhänger benutzt und das Gewicht des Versehens dabei natürlich stark übertrieben. Es wurde ein Disziplinarverfahren gegen mich eröffnet. Man ließ sich in Berlin von den Jenaer Professoren Grundmann und Meyer-Erlach, zwei besonders rabiaten Thüringer Deutschen Christen und Antisemiten comme il faut, ein Gutachten anfertigen.

Der Kernsatz dieses üblen Machtwerks lautete: »Wendland ist im 6. Jahr der nationalsozialistischen Revolution untragbar wegen seiner *judäozentrischen* Theologie an einer NS-Hochschule.« Dieser Satz hat sich mir gut eingeprägt, obwohl ich das Gutachten in schriftlicher Form nie erhalten habe, aber der Kieler Universitätsrichter, ein korrekter preußischer Beamter alten Stils, las mir den Text des Gutachtens vor. Damit waren Absicht und Tendenz enthüllt. Es ging gar nicht mehr um meinen Fehler, sondern darum, mich meiner Professur zu berauben. Wäre der Minister nach diesem Gutachten verfahren, so wäre ich erledigt gewesen und der letzte der BK angehörende Universitätstheologe beseitigt. Ich war am 13. September 1937 wider alles Erwarten zum Professor ernannt worden und konnte mir nun (im Jahre 1939) ausrechnen, daß es mit meiner Professoren-Existenz sehr bald ein Ende haben würde. Doch zog sich das Verfahren bis in den Krieg hinein hin. Erst 1943 erhielt ich den Bescheid, daß ich mit einem »scharfen Verweis« bestraft worden sei, ein völlig unerwarteter und milder Ausgang des Verfahrens. Die Gründe hierfür kenne ich nicht im einzelnen, nur soviel weiß ich, daß der Kieler Rektor Ritterbusch, ein Ober-Nazi erster Klasse, die Treppe nach Berlin hinauffiel. Der Ausbruch des Krieges warf dann Sand in die große Maschine, und der neue Rektor, der Wirtschaftswissenschaftler Andreas Predöhl, tat alles nur Erdenkliche, um mich wie andere Kollegen nach Möglichkeit vor Unbill und Willkür zu schützen. In meinem Fall hat er offenbar Glück gehabt. Zu meiner großen Freude konnte ich Predöhl persönlich meinen aufrichtigen Dank sagen, als ich ihm 1955 in Münster wieder begegnete.

Ausdrücklich möchte ich hier feststellen: Es hat damals in hohen Ämtern vortreffliche und gewissenhafte Männer gegeben, die nach Recht und Gerechtigkeit zu handeln versuchten, obwohl sie die Übermacht der Partei und der Speichellecker aller Sorten wider sich hatten. Andreas Predöhl war einer der besten unter ihnen, und so gedenke ich seiner in Dankbarkeit.

Da ich am 2. November 1939 als Marinekriegspfarrer eingezogen wurde, mag auch das dazu beigetragen haben, daß ich den Blicken der Behörden allmählich entschwand. Es war jedenfalls ein Wunder geschehen: Ich blieb Professor. Der ganze Vorgang ist jedoch bezeichnend dafür, bis zu welchem Grade Kollegialität und Zusammenhalt innerhalb der Fakultät und Universität zerstört worden waren. Kollegen, die zudem noch Theologen zu sein vorgaben, hatten mich, einen Kieler Kollegen, wegen meiner theologischen Überzeugungen denunziert, ohne sich auch nur mit einem einzigen Wort mit mir auseinanderzusetzen. Natürlich hätte sich der Fall bei normalem kollegialen Verhalten im Rahmen unserer Fakultät in Ordnung bringen lassen, dies umso leichter, als ich ja meinen Fehler gar nicht leugnete.

Nach dem Zusammenbruch wurde ich von Freunden gefragt, ob mich denn die drei Denunzianten nicht um Verzeihung gebeten hätten. Ich konnte nur den Tatsachen entsprechend erwidern: »Einer hat es getan, und zwar 1950 nach meiner Rückkehr aus Rußland.« Mit ihm verbindet mich seither das beste kollegiale Verhältnis.

Ein zweiter Vorfall – gleichfalls im Unheilsjahr 1939 geschehen – reiht sich dem eben Berichteten würdig an. Meine Frau hatte im Treppenflur unseres Hauses einem Mitbewohner gegenüber eine unvorsichtige Bemerkung über Hitler gemacht. Ein im Hause wohnender Student, der gerade die Treppe herabkam, hörte die Bemerkung und denunzierte sofort meine Frau. Sie wurde noch am gleichen Tag zur Geheimen Staatspolizei gebracht und sechs Stunden lang fast pausenlos vernommen. Kurze Zeit später holten zwei Junge Burschen auch mich ab. Ich wußte nicht das Mindeste von dem Vorgefallenen. Natürlich sollten meine Frau und ich auf Widersprüche festgelegt werden. Die vernehmenden Funktionäre waren ebenfalls junge Burschen von etwa 25 Jahren. Zum Schluß mußten wir eine Erklärung unterschreiben, wonach wir nie wieder Unwahrheiten über den Führer aussagen würden, widrigenfalls . . . usw., dann Androhung schwerer Strafen. Die Stunden, die wir im Hause der Staatspolizei zubrachten, waren nicht gerade die angenehmsten. Um der Wahrheit und Gerechtigkeit willen sei gesagt, daß sich unser damaliger Dekan H. Schmökel sehr bemüht hat, meine Frau und mich freizubekommen, mit Erfolg, wie man sieht. Wie atmeten wir auf, als wir wieder gesund zu Hause anlangten. Treue Freunde eilten herbei, um uns ihrer Hilfsbereitschaft und Anteilnahme zu versichern. Die Sache hätte ohne jeden Zweifel sehr viel übler ausgehen können.

Literatur

Meine Liebe zur klassischen und modernen Literatur begleitete mich in Kiel genauso wie seinerzeit in Berlin und Heidelberg. Seit der Mitte der zwanziger Jahre standen Thomas Mann und ihm ähnliche Geister im Brennspiegel meines Interesses. Andererseits nötigten mich der Zeitgeist und der Nationalsozialismus dazu, mich mit der sogenannten völkischen Dichtung zu befassen, wie sie damals durch Hans Grimm, Erwin Guido Kolbenheyer, Wilhelm Schäfer u. a. repräsentiert wurde. Den aus der Arbeiterjugend stammenden Hermann Claudius, einen Nachfahren des Matthias Claudius, konnte man dazu nicht zählen, ihm verdanken wir eine Reihe von Gedichten mit sehr eigenem Ton. Was den damals so vielgelesenen Hans Grimm betrifft, so war er sicher in seine eigenen Ideen verbohrt und wurde immer verschrobener. Von der heutigen Literaturkritik wird er m. E. ungerecht beurteilt, denn er hat zweifellos einige ausgezeichnete Novellen und Erzählungen geschrieben. Besonders lieb und vertraut wurde mir Rudolf Alexander Schröder. Seine »weltlichen Gedichte« schätze ich fast noch mehr als die »geistlichen«. Auch in seinen Reden und Essays fand ich prachtvolle Stücke, so z. B. über den Zusammenhang von Kunst und Religion. Er ist ein Meister der deutschen Sprache. Sein christlicher Humanismus hat mich immer angesprochen, vielleicht, weil ich selbst auf einen solchen angelegt war. Seine Homer-, Vergil- und Horaz-Übersetzungen ziehe ich noch heute allen anderen vor, denn hier war ein wirklicher Dichter als Übersetzer am Werke.

Gegenüber den Versuchen »christlicher Dichtung« verhielt ich mich damals und auch nach dem Zweiten Weltkrieg kritisch und skeptisch. Das gilt auch von Jochen Kleppers vielgelesenem Roman »Der Vater«. Seltsam und eigenartig, daß die Verbindung von Christentum und Dichtung, vom Kirchenlied einmal abgesehen, so oft mißlingt. Das Christliche wirkt wie künstlicher Anstrich. Es gehört offenbar große Schöpferkraft dazu, es aus den Problemen und Personen sozusagen natürlich hervorwachsen zu lassen.

Es war mir selbstverständlich, immer wieder zu den Klassikern, aber auch zu den großen Erzählern des 19. Jahrhunderts zurückzukehren. Neben den Russen lernte ich jetzt mehr und mehr auch die großen Franzosen kennen. Sie wurden mir durch immanente Gesellschaftsanalyse und Sozialkritik überaus lehrreich, ja geradezu aufregend. Eben dies fehlte unserer deutschen Literatur.

Leider hatten wir keinerlei Verbindung mit der Literatur der deutschen Emigration, zu der fast alle bedeutenden Schriftsteller und Dichter jener Zeit gehörten. Die künstlich aufgepäppelte und von der Partei begönnerte sogenannte deutsche Dichtung war wohl das Kläglichste vom Kläglichen.

Meine weiteren wissenschaftlichen Arbeitspläne blieben in Kiel unverwirklicht. Nach der Vorstudie über die Geschichtsanschauung des Neuen Testaments wollte ich zunächst über das Thema »Kirche und Welt im Neuen Testament« schreiben, doch konnte ich nur, gleichsam von hinten her beginnend, ein Kapitel über Kirche und Welt in der Offenbarung des Johannes fertigstellen, dann trat der Krieg dazwischen. Außerdem wollte ich ein Buch über die Johannesapokalypse schreiben, doch auch dieser Plan blieb auf der Strecke. Mit dem letzten Buch des Neuen Testaments hatte ich mich besonders gern und liebevoll beschäftigt und – im Gegensatz zu unserer akademischen Tradition – öfters Vorlesungen über ausgewählte Kapitel der Offenbarung gehalten. Doch die nun beginnende schauerliche Apokalypse der Deutschen riß mich mit dem Beginn des Zweiten Weltkriegs aus allen meinen Plänen.

Nach dem Zusammenbruch war aber die Lage in Welt und Kirche so völlig anders, daß mir einfach die Muße fehlte, die alten Pläne wieder aufzunehmen. Mir erging es also nicht besser als meinen Lehrern Deissmann und Dibelius. Das Unvollendbare und Unvollendete nimmt auch im Gelehrtenleben seinen Platz ein und reißt große Lücken in die Wissenschaften.

Als Pfarrer im Kriegsdienst

An Land

Der 2. November 1939 wurde ein Schicksalstag in meinem Leben. An diesem Tag wurde ich als Marinekriegspfarrer eingezogen und hatte zunächst meinen Dienst ein Jahr lang in Kiel zu leisten. Schon mit Kriegsbeginn war die Universität geschlossen worden, da man offenbar schwere englische Luftangriffe befürchtete. Diese aber ereigneten sich erst viel später. Ich genoß den großen Vorzug, zu Hause wohnen zu dürfen. So konnte ich mich mit voller Kraft in die neue Arbeit werfen, in die praktische Bewährung dessen, was ich gelernt und gelehrt hatte. Der Boden dieser Arbeit war hart, trocken und unfruchtbar. Ich stieß mit der Leere des Säkularismus zusammen. Es war kein militanter Atheismus, sondern ein lautloser, schleichender, und darum um so wirksamer und gefährlicher. Nur eine kleine Minderheit bildete die Ausnahme, 90 % der Kommandeure standen dem Christentum gleichgültig oder auch ablehnend gegenüber. Ich hatte einige in Kiel stationierte Einheiten zu betreuen, darunter auch ein Reservelazarett. In der Marinegarnisonkirche von Kiel-Wik hielt ich des öfteren Gottesdienste, auch kamen Taufen und Trauungen vor. Bei ersteren fehlten fast immer die Eltern, nur die Großmütter oder eine Patentante waren zugegen. Fast nirgends mehr hatte man es noch mit echter, gelebter kirchlicher Tradition zu tun. Zu meinem Dienstbereich gehörte auch die große U-Boot-Schule in Neustadt/Holstein. Dort lagen rund 1000 Mann, von denen sage und schreibe 4–6 zum Gottesdienst kamen, den stellvertretenden Kommandeur, einen Korvettenkapitän, eingerechnet. Auch bei Besuchen war wenig oder nichts auszurichten, fast überall herrschte Gleichgültigkeit, vermischt mit Verlegenheit oder Ablehnung. Auch die größte Anpassung hätte in dieser Situation nichts genützt. Von Erfolg konnte also keine Rede sein. Das Gleichnis von der viererlei Saat bewahrheitete sich wieder. Man wird fragen müssen, ob überhaupt noch ein Viertel der Saat Frucht brachte. Unter solchen Umständen seinen Dienst als Pfarrer zu tun, war keine Kleinigkeit. Es gehörten unvorstellbar viel Mut, Kraft und Zuversicht dazu, um nicht zu verzagen. Das war natürlich nicht nur die Wirkung des Nationalsozialismus und seiner Propaganda. Der Säkularismus hatte schon Jahrzehnte zuvor mit voller Macht gewirkt, unter den Arbeitern genausogut wie unter den Intellektuellen. Auch die beliebten Anpassungsthemen wie »Preußentum und Christentum«, »Der christliche Reichsgedanke« und »Vaterlandsliebe aus Glauben« hatten keine rechte Anziehungskraft mehr. Wenn nicht gerade ein Offizier seine Leute zu den Vorträgen abkommandierte und selbst anführte, war der Zuhörerkreis geradezu winzig. Grundgesetz war völlig Freiwilligkeit, und das war fraglos richtig, doch wirkte zuweilen noch jene ältere Tradition nach, wonach der Vorgesetzte seine Leute geschlossen zum evangelischen Gottesdienst führte, nachdem das Kommando »Katholiken raustreten!« erschollen war.

Dieses trostlose Gesamtbild hat sich nach meinen Erfahrungen erst im letzten Kriegshalbjahr entscheidend verändert. Jetzt stand das Telefon nicht still, und die Kommandeure riefen in ihrer Not den Pfarrer zu Hilfe: »Wir wissen nicht mehr, was wir unseren Leuten sagen sollen, kommen Sie möglichst bald zu uns!« Der Pfarrer wurde plötzlich wieder aufgewertet. In der damaligen Situation mußte man ständig der Versuchung widerstehen, die neue Ideologie mit dem Glauben zu verquicken. Hätte ich dieser Versuchung nachgegeben, würde ich alles verraten haben, was ich bisher gelehrt und gepredigt hatte. Mehr als vorübergehende Scheinerfolge ließen sich auch mit den synthetischen Künsten des Verrats nicht erzielen. Manchmal hörte ich einen Kriegspfarrer-Kollegen sagen: »Viel Feind', viel Ehr!« – doch dieses Sprichwort läßt sich auf den Verkündiger des Evangeliums gar nicht anwenden, denn es geht nicht um die Ehre des Pfarrers, sondern um Gott und das Evangelium.

Höchst abwegig fand ich es, daß es Marinepfarrer gab, die großes Verlangen nach den Achselstücken und dem Dolch des Offiziers trugen. Glücklicherweise hat sich diese Gruppe nicht durchgesetzt. Man hätte dann ja auch die Rangstufen der Offiziershierarchie einführen müssen.

Für meinen Dienst erwies sich mir die Sozialethik als eine vortreffliche Schulung. Zuweilen konnte ich auch meinen Pfarrer-Kollegen sozialethische Erkenntnisse vermitteln. Aufs ganze gesehen war die Situation in der Lazarett-Seelsorge um keinen Deut besser als bei den Einheiten und in der U-Boot-Schule. Dabei hat es sicherlich eine Rolle gespielt, daß wir es – zumal in dem ersten Kriegsjahr in der Marine – fast ausschließlich mit Kranken und nicht mit in Kämpfen Verwundeten zu tun hatten. Ganz selten nur fand sich ein Kamerad, der zu tieferen Fragen geführt worden war, der etwa schon mit dem Tragischen in seinem Leben Bekanntschaft gemacht hatte. Meistens kamen die Gespräche in den Lazaretten nicht über Äußerlichkeiten hinaus. Die Frage, auf die man hätte antworten können, war in der großen Mehrzahl der Fälle gar nicht da. So war die Rückwirkung auf den Pfarrer auch nicht gerade erfreulich. Wie oft mußte ich mich geradezu zwingen, die Klinke an der Tür des Krankenzimmers herunterzudrücken, wußte ich doch schon im voraus, was mich da erwartete. Von Erfolgen konnte auch hier keine Rede sein. Die Marineärzte waren, von Ausnahmen abgesehen, nicht offener als die Offiziere. Oft war ich heilfroh, wenn ich die Lazarettmauern hinter mir lassen konnte.

Besondere Schwierigkeiten bereiteten mir die Weihnachtsfeiern. Unter dem Druck der Ideologie und auch mancher Vorgesetzter bestand die Gefahr, in eine deutsche Volksfest-Sentimentalität hineinzuschlittern. Ich habe es sogar erlebt, daß *zwei* Feiern in ein und demselben Lazarett stattfanden: eine christliche, in der die Weihnachtsgeschichte und die Christus-Verkündigung den Mittelpunkt bildete, und eine Feier der Wintersonnenwende mit Sprüchen über den Lichtgott Baldur und Zitaten aus der Edda. Auch hier gab es freilich eine große Verlegenheit: es fehlten die passenden Lieder. Bei einer dieser Lichtfeiern gab es einen Parteifunktionär als Redner mit nordisch-germanisch-völkischer Verfälschung des Weihnachtsfestes. Der arme Chefarzt mußte wohl oder übel an beiden Feiern teilnehmen. Was übrigens die Besucherzahl betrifft, so konnte die christliche Weihnachtsfeier mit der völkischen gut konkurrieren, obwohl doch für letztere weit mehr Propaganda gemacht worden war. Aus diesem Nebeneinander erhellt sich die infame Lüge und Unterstellung, die Christen seien eben keine rechten »Deutschen«. Das Gift der Diffamierung des Christentums drang überallhin.

An Bord

Nach etwa einem Jahr erhielt ich mein zweites Kommando an Bord des Lazarettschiffes »Stuttgart«, eines ehemaligen Luxusdampfers für Kreuzfahrten und Ferienreisen. Es war für Lazarettzwecke umgebaut worden und konnte etwa 500 Kranke und Verwundete aufnehmen. Marineärzte aller Spezialfächer, ja sogar ein Zahnarzt waren vorhanden. In Oslo oder Bergen nahmen wir Verwundete und Kranke an Bord, die auf Grund eines Sondervertrags zwischen Deutschland und Schweden durch dieses Land nach den norwegischen Hafenstädten transportiert wurden. Durchschnittlich hatten wir sie drei Tage lang auf dem Schiff. Für alle Beteiligten war also die Arbeit ein Stoßbetrieb. In einer so kurzen Zeit 400 und mehr Kranke und Verwundete zu besuchen, war wirklich keine Kleinigkeit. Die geistig-seelische Situation war nicht wesentlich verschieden von der Situation, die ich oben beschrieb. In den Sälen war die Luft oft unerträglich. Dort lagen die Soldaten, die aus dem Finnischen Winterkrieg kamen, mit schweren Erfrierungen danieder. Ein Anblick des Jammers und des Elends. Und doch konnte man den schwer mitgenommenen Menschen kleine Hilfsdienste leisten, indem man Briefe an die Frau, die Braut oder die Eltern für sie schrieb. In den Wartezeiten, in denen wir in Oslo, Kiel und Aarhus am Kai lagen, machten wir Landausflüge – die bergige Umgebung Oslos, z. B. der Holmenkollen oder der Oslofjord, sind eindrucksvoll und schön –, oder ich befaßte mich mit meinen Büchern. Obwohl ich das Bordleben nicht gewohnt war, hatte ich mich dennoch schnell eingelebt, was ich besonders einigen guten, an Gesprächen interessierten Kameraden zuzuschreiben habe. Für die an Bord tätigen Krankenschwestern vom Roten Kreuz, rege und aufgeschlossene Menschen, hielt ich regelmäßig Vorträge und Bibelabende, an denen zuweilen auch einige Sanitätsoffiziere teilnahmen. Im Hafen wie auf See fand regelmäßig der Sonntagsgottesdienst statt, der jedoch in der Regel nur schwach besucht war.

An Bord befanden sich zwei Besatzungen. Die eine setzte sich aus Seeleuten der Handelsschiffahrt zusammen, die an Bord verblieben und für alles Seemännische zuständig waren. Sie hatten ihren eigenen Vier-Streifen-Kapitän an der Spitze. Die andere war militärischer Art, dazu kamen das Sanitätspersonal einschließlich der beiden Pfarrer und der Schwestern, mit dem Chefarzt, einem Geschwader- oder Flottenarzt an der Spitze.

Einmal bedauerte mich der Chefarzt wegen der Langeweile und Arbeitslosigkeit in den Liegezeiten. Er riet mir, Predigten auf Vorrat zu machen, was sicher gut gemeint war, aber ganz und gar nicht meiner Art entsprach. Ich konnte nie Manuskripte auf Eis legen. Nach getaner Arbeit, besonders aber in den Zwischenzeiten, besuchten mich einzelne Kameraden in meiner Kabine. Es gab gute und lange Gespräche über Gott und die Welt. Diese Menschen hatten Fragen, und so war hier eine »antwortende Theologie« wohl am Platze. Wenn wir in Kiel festmachten, konnte ich meine Familie besuchen und auch wohl einmal eine Nacht zu Hause bleiben. In der zweiten Hälfte meiner Bordzeit war dies jedoch nicht mehr möglich. Wir liefen jetzt wegen der schweren Luftangriffe auf Kiel nur noch Aarhus an. Von einem eigenartigen Zauber waren die Fahrten durch die Ostsee und den Oslo-Fjord oder entlang der an den Abenden hell erleuchteten schwedischen Küste. Unser Schiff wurde auf Grund der internationalen Abmachungen nachts von starken Scheinwerfern angestrahlt. So waren wir weithin als Lazarettschiff erkennbar und wurden während meiner Bordzeit nie angegriffen.

Von Produzieren im engeren, wissenschaftlichen Sinn konnte an Bord keine Rede sein. Dafür fehlte mir die notwendige Atmosphäre und meist auch die Ruhe. Ich kam lediglich zur Vorbereitung meiner Predigten, zur Ausarbeitung von Vorträgen und gelegentlicher wissenschaftlicher Lektüre. Das eigentümliche Erlebnis der Bordkameradschaft hinterließ einen starken Eindruck. Schwierig war es dagegen, mit den Unteroffizieren, den Maaten und Obermaaten, Kontakt zu bekommen. Hier gab es besonders wilde »Nazis«, völlig borniert und unansprechbare Männer, die sich jede Art von Anregung oder Belehrung verbaten. Das genaue Gegenstück dazu war ein junger Assistenzarzt, ein aufgeschlossener Mensch mit vielen Fragen und von großer Ernsthaftigkeit. Zwischen mir, dem Älteren, und ihm, dem Jüngeren, entwickelte sich eine richtige Freundschaft, in die auch meine Familie einbezogen wurde. Unsere Kinder liebten ihn sehr, und das ist immer ein gutes Zeichen. Er hatte sich freiwillig zur U-Boot-Waffe gemeldet und fand später bei einem Angriff einen frühen Tod.

In Oslo wagte ich einmal ein kühnes Unternehmen. Ich suchte einen Neutestamentler-Kollegen auf, N. A. Dahl, Professor an der Universität Oslo. Sein schönes Buch über »Das Volk Gottes im Neuen Testament« hatte mir Eindruck gemacht.

Trotz meiner Zivilkleidung war der Empfang kalt und voller Mißtrauen. Schließlich gehörte ich zu der Nation, die Norwegen überfallen hatte und in Zwingherrschaft daniederhielt. Als ich mich aber als Angehöriger der Bekennenden Kirche offenbarte und das Gespräch auf sein Buch und die darin behandelten Probleme kam, war er wie umgewandelt: wir konnten über unsere Nöte sprechen und schieden im Vertrauen voneinander. Wie leicht hätte die Begegnung auch anders verlaufen und in der Seele meines norwegischen Kollegen einen Stachel zurücklassen können.

Jedesmal, wenn ich nach Oslo kam, besuchte ich dort den mit mir befreundeten und im Armeestab tätigen Oberstleutnant Steltzer sowie einen weiteren Freund, der im Zivilberuf Pfarrer, jetzt aber Reserveoffizier war. Wir hielten »Kriegsrat« miteinander und sprachen offen über die heikelsten und gefährlichsten Probleme von Krieg und Frieden. Die deutschen Aussichten beurteilten wir schon damals, Ende 1941/Anfang 1942 als hoffnungslos. Die Übermacht der Feinde, der Treibstoffmangel, die unbezwingbaren Weiten Rußlands, dies alles und noch viel mehr mußte uns niederzwingen und vernichten. Wir machten Pläne für den Wiederaufbau von Staat und Gesellschaft nach dem Kriege. Uns schwebte eine neuartige, freiheitliche und zugleich soziale Demokratie vor. Da Steltzer der Widerstandsbewegung gegen Hitler angehörte, erörterte er diese Fragen auch in anderen Kreisen und konnte uns deren Gedanken mitteilen. Ich sah die Dinge auf einmal in ganz neuen Perspektiven, hörte ich doch zum ersten Mal Verläßliches über den Widerstand. Steltzer, weitblickend und ein Verwaltungsfachmann von hohen Graden, hatte auch Verbindungen zum Ausland, z. B. nach Schweden. Nach dem Kriege war er eine Zeitlang Ministerpräsident von Schleswig-Holstein. Auch er gehörte der Evangelischen Michaelsbruderschaft an.

Im Oktober 1969 sah ich Oslo unter gänzlich veränderten Umständen wieder, und zwar im Rahmen einer skandinavischen Vorlesungsreise als Gast und Redner in der Theologischen Fakultät. Ich wurde von den Kollegen herzlich willkommen geheißen und vom Bischof von Oslo empfangen. Wie hatten sich die Zeiten geändert!

Wieder in Kiel

Nach etwa 1 1/2 Jahren mußte ich die »Stuttgart«, auf der ich so viel Neues kennengelernt hatte, verlassen und erhielt ein Zwischenkommando in Kiel. Nur ungern verließ ich das Lazarettschiff wegen der schönen Seefahrten. Nie werde ich die herrlichen Sonnenuntergänge auf hoher See vergessen, die ich so oft vom Oberdeck der »Stuttgart« aus genossen hatte. Etwas Vergleichbares erlebt eine »Landratte« nur im Hochgebirge. In Kiel fand ich nichts Neues vor, außer daß die Luftangriffe an Zerstörungswirkung erheblich zunahmen. Meinen Dienst hatte ich wieder in Flakbatterien und Lazaretten zu absolvieren. Auch die geistig-seelischen Verhältnisse und Verhaltensweisen hatten sich nicht wesentlich verändert. Die meisten Menschen gaben sich nach wie vor den trügerischen Hoffnungen auf einen Sieg hin und rackerten sich weiter dafür ab. Von der wirklichen Weltlage waren sie ja vollkommen abgeschnitten. Sie ahnten nichts von der ungeheuren Macht Amerikas und Rußlands und konnten den dichten Nebel der Propaganda nicht durchschauen, die uns glauben machen wollte, wir hielten den Sieg bereits fest in Händen. Wer es anders sah, galt als Verräter und lief Gefahr, denunziert zu werden. Und das im Schicksalsjahr 1943, das die Wende des Kriegsglücks brachte und den »Führer« ans Ende seines Lateins.

In dieser Zeit wurde ich zum zweitenmal denunziert. Im Hause des hochgebildeten Pastors Chalybäus an der Ansgarkirche, der geistig anspruchsvolle Gemeindeglieder um sich versammelte, hielt ich einen Vortrag über die Eigenart des deutschen und englischen Christentums. Kurz danach wurden fast alle Teilnehmer von der Geheimen Staatspolizei vernommen. Eine besonders »fromme« Dame, die bei meinem Vortrag zugegen war und des öfteren meine Predigten über den grünen Klee lobte, hatte uns denunziert. Doch verlief sich die Sache im Sande. Offenbar hatte sich die völlige Haltlosigkeit dieser ekelhaften Verleumdung herausgestellt. Und wenn die damalige politische Polizei, die alles durchschnüffelte, zu diesem Ergebnis kam, will das schon etwas bedeuten. Man war also selbst in den Häusern und Wohnungen nicht mehr sicher. Kam ich zu Besuchen nach Hamburg, zu meinen Freunden Pastor Spieker und Heitmann an St. Johannis in Eppendorf, wurde ich in ein Zimmer ohne Telefon geführt oder der Apparat wurde mit Decken dicht umhüllt. Welch ein Staat, in dem man sich auf diese Weise schützen mußte!

Da die Kieler Universität schon längst wieder eröffnet war, konnte ich im Sommersemester 1943 eine Vorlesung über den Hebräerbrief halten. Ich hatte ihn bisher noch nie behandelt. Meine Hörer waren ein paar Beurlaubte und einige Lazarettinsassen, die ihre Krankheiten und Verwundungen in der Heimat ausheilen sollten. Obwohl ich so dankbare Teilnehmer hatte, konnte ich die Vorlesung nicht zu Ende führen. Ich wurde zum 1. Juli 1943 zum Seekommandanten nach Libau abkommandiert, womit ein neues wichtiges Blatt in meinem Leben aufgeschlagen wurde. Sollte ich doch von Libau aus am 9. Mai 1945 den Weg in die lange russische Kriegsgefangenschaft antreten.

In Rußland

Die Etappenstadt Libau

Die Reise war denkbar zeitraubend und umständlich. Von der Grenze Ostpreußens ging es mit einer nur den Zwecken der Wehrmacht dienenden Kleinbahn durch Litauen und Lettland. In Libau fuhr ich vom Bahnhof aus mit einer vorsintflutlichen Straßenbahn in die Stadtmitte zum Sitz des sogenannten Seekommandanten, dem alle Marine-Einheiten in Lettland unterstanden. Auch Windau mit seinem altbekannten Holzhafen gehörte zu meinem Dienstbezirk. Der Seekommandant, ein ziemlich versoffener Herr, behinderte mich von seiner Kommandantur aus nicht, ließ mir aber auch keinerlei Förderung zuteil werden. Wegen des nationalsozialistischen »Bildungsoffiziers« mußte er wohl auch vorsichtig sein. Diesem waren wir Pfarrer naturgemäß ein Dorn im Auge. Was er aber in seiner »kulturellen« Truppenbetreuung auch unternahm, mit uns Pfarrern wurde er nicht fertig, weil eine Reihe älterer Kommandeure auf unseren Dienst Wert legten. In dem weiten Land und an der langen Ostseeküste lagen viele kleine Einheiten weit verstreut, niedergedrückt von der Langeweile und der unbeschreiblichen Öde und Vereinsamung des Etappenlebens. Bei diesen oft ganz versprengten Küsten- und Flakbatterien sowie Nachschubeinheiten konnte der Besuch eines Pfarrers eine willkommene Abwechslung sein. Ich unterließ es nie, Gottesdienst zu halten, mochte die Einheit nun zwanzig oder fünfzig Mann umfassen. Da wurde man oft ums Wiederkommen gebeten. Wir Pfarrer machten diese Besuchsfahrten fast immer gemeinsam, und zwar aus Gründen der Gerechtigkeit und Gleichheit und nicht nur, um einen Dienstwagen zu sparen. Wenn der eine bei solcher Gelegenheit nur fünf oder zehn Angehörige seiner Kirche antraf, störte uns das nicht. Bei diesen Besuchen gab es die Möglichkeit zu Einzelgesprächen, wobei viel verborgener Kummer zutage trat. Wir lernten auf unseren Fahrten die eigenartige schlichte, verhaltene Schönheit des Baltischen Landes kennen und schätzen. Sie erinnerte mich lebhaft an die Mark Brandenburg, meine Heimat.

In der Öde und Langeweile, von der diese Truppenteile weit, weit hinter der Front heimgesucht wurden, spielten natürlich der Alkohol und das Kartenspiel eine große und gefährliche Rolle. Die Kommandeure hatten, je länger der Krieg sich hinzog, ihre liebe Not damit, die Leute einsatzfähig zu erhalten. Dazu war mehr nötig als Kasernenhofdrill. Ich bin dort Offizieren begegnet, die in der Menschenführung Hervorragendes leisteten, ohne diese hohe Kunst je erlernt zu haben. Andere dagegen versagten darin völlig und konnten froh sein, wenn ein Zugführer oder Unteroffizier ein wenig davon verstand. Was los war, spürte man schon, wenn man das Geschäftszimmer einer Einheit oder das Zimmer ihres Kommandeurs betrat, einige Erfahrung in militärischen Dingen vorausgesetzt.

Mit meinem katholischen Kollegen Schwamborn, einem heiteren Rheinländer mit viel Sinn für Humor, hatte ich ausgezeichneten Kontakt. Wir waren beide ökumenisch gesinnt, was wir gemeinsam machen konnten, das taten wir auch. Auf die Soldaten übte diese selbstverständliche Gemeinschaft eine gute Wirkung aus, waren sie doch selbst konfessionell ebenfalls durcheinander gemischt. Da die Männer fast überall ihre – natürlich streng verbotenen – Beziehungen zu den lettischen Bauern ihrer Umgebung hatten, freuten sie sich jedes Mal, uns zu einem guten Mittagsmahl und zu einem Gläschen Wodka einladen zu können. Das war eine Unterbrechung in der Eintönigkeit ihrer Tage. »Schön, daß Sie uns nicht vergessen haben!« – »Kommen Sie recht bald wieder zu uns!« – hieß es oft beim Willkommen oder beim Abschied. Sie saßen ja auch wirklich hinter Gottes Angesicht. Hatte man doch bei ihnen das tröstliche Gefühl: dein Leben hat einen Sinn, du wirst gebraucht! Wenn die Arbeitsbedrängnis sehr groß war – wie in der Weihnachtszeit, in der ich bis zu 25 Gottesdienste hielt –, flüchtete ich mich nach getaner Arbeit ins katholische Pfarramt und nahm an der weihnachtlichen Mitternachts-Messe teil. Da war ich dankbar, daß ich den Mund halten und passiv sein konnte. Die Messen meines Kollegen Schwamborn waren immer gut besucht. Er hatte den größten Raum als Kirche eingerichtet. Ich erlebte, wie tief die katholische Kirche im Volk verwurzelt war. Der Nationalsozialismus hatte sie nicht zerstören können, und es würde ihm auch nie gelingen. Da die beiden Pfarrämter nebeneinander lagen, hatte ich keinen weiten Weg, um in der Hitze des Tages einmal zu ein paar stillen Minuten zu gelangen oder zu einem guten Gespräch. Die Weltlage, die Aufgabe der Kirche und damit zugleich auch die unsrige beurteilten mein Kollege Schwamborn und ich ganz und gar übereinstimmend. Wir hatten allen Illusionen abgesagt. Da begriff ich endlich die großen Fehler, die ich in meiner Schrift »Reichsidee und Gottesreich« (1934) gemacht hatte. Besonders ihren zweiten Teil mußte ich jetzt verwerfen, weil ich nicht imstande gewesen war, den utopisch-illusionären Charakter des Nationalsozialismus früher zu erkennen. Dabei hätte mich die Rede vom »Dritten Reich« auf die richtige Spur bringen können. Statt dessen machte ich theologische Gliederverrenkungen, um – wie viele andere auch – den christlichen Schöpferglauben zu retten und so zu einer zwar nicht unkritischen, aber doch noch positiven Beurteilung des Nationalsozialismus zu gelangen, ein höchst gefährliches Unternehmen. Im Jahre 1934 glaubte ich jedoch tatsächlich noch an eine echte deutsche Volksbewegung in Gestalt des Nationalsozialismus, trotz seiner Schwächen. Glücklicherweise hatten mich die verflossenen sieben Jahre zu besseren Einsichten und Erkenntnissen geführt. In den Sommermonaten genossen wir in der Freizeit das Meer und den Libauer Badestrand. Auch besuchten wir häufig die dortige Sauna. Ortskommandant von Libau war im ersten Jahr meines dortigen Aufenthaltes Hauptmann Stepp, ein pfälzischer Pfarrer, bei dem ich oft zu einem guten Happen, zu dem ihm seine Leute verhalfen, zu Gast war. Gern erinnere ich mich an die vielen guten Gespräche, die wir miteinander führten. Er unterstützte meine Arbeit, wo er nur konnte.

Für die Gottesdienste in Libau selbst konnte ich die Trinitatis-Kirche zu neuem Leben erwecken. Fast jeden Sonntag hielt ich dort für die in der Stadt liegenden Truppenteile Gottesdienste ab, aufs redlichste unterstützt von einem lettischen Organisten und einem zurückgebliebenen Gemeindeglied. Bei dem Organisten übte ich das liturgische Singen. Die ehedem ganz deutsche Stadt war durch die Evakuierung der Baltendeutschen, damals »Rückführung« genannt, von Deutschen ganz entvölkert. Nur ein paar sehr alte Damen zwischen 70 und 90 Jahren waren zurückgeblieben. Sie wollten, wie sie mir sagten, in der alten geliebten Heimat sterben, in der sie ihr ganzes Leben zugebracht hatten. Nun waren sie ganz einsam und fast vergessen. Ich besuchte sie dann und wann und erfuhr von ihnen viel Wissenswertes aus dem alten Libau und dem baltischen Land. Auf dem Friedhof ein deutscher Name neben dem anderen, versunkene, nie wiederkehrende Vergangenheit.

Auch zu den Letten knüpfte ich Beziehungen an, die natürlich streng verboten waren. Ich hielt sogar Bibelstunden ab für die im Baltikum höchst zahlreich vertretenen Baptisten und andere Gemeinschaften, ein sehr gewagtes Unternehmen. In der lutherischen St. Annen-Kirche nahm ich einmal an einem Jubiläum teil. Der Festgottesdienst dauerte volle drei Stunden: eine Kantate und zwei Predigten neben der reichen Liturgie. Eine der Predigten hielt der lutherische Erzbischof von Riga. Ich nahm sogar an dem stundenlangen Festmahl teil. Zwischen den Gängen gab es Wodka und Zigaretten. Man hatte ja Zeit, und ein lettisches Sprichwort lautet: »In der Kirche und in der Badestube – keine Eile!« Ein gutes Wort, das man praktizieren sollte. Über diese Kirchen und Gemeinschaften und ihre Glieder sind mit dem Jahre 1945 schwere und dunkle Zeiten hereingebrochen. Damals aber war das Luthertum noch tief im lettischen Volk verwurzelt.

In dem größten Raum des Pfarramts, in dem bis zu 30 Mann Platz finden konnten, hielt ich wöchentlich Bibelauslegungen für jedermann und in jeder zweiten Woche einen Vortrag für Offiziere über alle irgendwie aktuellen und für unsere menschliche Existenz bedeutsamen Fragen und Probleme, u. a. das uralte Thema »Glauben und Wissen«. Manche waren so gut besucht, daß ich den einen oder anderen Vortrag wiederholen mußte. In den Ansprachen galt es, gefährliche Klippen zu vermeiden und doch der Wahrheit die Ehre zu geben, was damals sehr schwierig war. »Wie verhält sich unser Glaube zur nationalsozialistischen Weltanschauung?« – war eine der am häufigsten gestellten Fragen, »Kann im Dritten Reich die Kirche fortbestehen? Hat sie da überhaupt eine Zukunft?« und andere. Fürs Versteckspielen waren meine Zuhörer ganz und gar nicht zu haben. Sie wünschten klare Antworten. Bezeichnend für die Selbstauslese in diesen beiden Kreisen, daß niemals eine Denunziation erfolgte, und das will etwas heißen. Diese Abende bereiteten mir große Freude und entschädigten mich für manche Drangsal. Kameraden berichteten mir, die Vorträge für Offiziere seien dem NS-Bildungsoffizier ein Dorn im Auge. Wohl begreiflich. Aber er konnte uns Pfarrer bis zum Ende des Krieges nicht loswerden. Wenn ich in den letzten zwanzig Jahren Kameraden aus den Libauer Kreisen begegnete, war ich nicht wenig erstaunt zu hören, wie manches Wort, an das ich mich schon gar nicht mehr erinnern konnte, jahrelang gewirkt hatte.

Bei Tagungen der Militärpfarrer, auf denen nicht nur Marine-, sondern in erster Linie Heerespfarrer anwesend waren, kam ich auch nach Riga, einer der schönsten der alten deutschen Städte im Baltikum. Dort lernte ich Hermann Kunst, den späteren Militärbischof und Bevollmächtigten der Deutschen Evangelischen Kirche bei der Bundesregierung, näher kennen. Wir faßten sogleich Vertrauen zueinander und begegneten uns nach dem Kriege von neuem in verschiedenen kirchlichen Gremien. Noch heute arbeiten wir im Ökumenischen Arbeitskreis katholischer und evangelischer Theologen zusammen.

Das Jahr 1944 brachte für Hitler und seine Armeen schwere und folgenreiche Niederlagen. Die Russen konnten nirgends wirklich zum Stillstand gebracht werden. Immer näher schob sich die Front an das immer mehr zur Lazarettstadt werdende Libau heran. Auch der zugehörige Kriegspfarrer kam mit einer Lazarettabteilung nach Libau. Doch wurden wir auch zu zweit der Arbeit nicht mehr Herr. Das Jahr 1944 warf auch schwere Schatten auf mein persönliches Leben. Am 4. Januar 1944 verlor unser jüngster Sohn Gernot im Alter von 6 $\frac{1}{2}$ Jahren bei einem englischen Fliegerangriff das Leben. Ich erhielt einen Sonderurlaub und hielt meinem eigenen Kinde die Grabrede. Heute ist mir fast unvorstellbar, daß ich die Kraft dazu bekam. Im Dezember des gleichen Jahres starben in Potsdam meine Eltern. Ich kam noch rechtzeitig, um von meiner Mutter Abschied nehmen zu können und auch sie zu bestatten. Obwohl ich hier aus guten Gründen von Privatem schweige, meine ich doch, diese beiden Ereignisse erwähnen zu sollen, da sie tief in mein Leben und Denken eingegriffen und von mir selbst die Bewährung dessen forderten, was ich meinen Kameraden predigte.

Die schwerste Arbeit, die ich in Lettland zu verrichten hatte, war die Betreuung der sogenannten »Sonderabteilung«. Sie lag in Windau, nördlich von Libau. Zu ihr gehörten neben den Kriminellen alle möglichen anderen Übeltäter, die in schweren Konflikt mit der militärischen Ordnung geraten waren. Diese Menschen waren, von Ausnahmen abgesehen, nur schwer ansprechbar. In Windau und auch im Libauer Marinegefängnis fanden des öfteren Erschießungen statt. Wir Pfarrer begleiteten die zum Tode Verurteilten auf ihrem letzten Gang und sprachen ihnen noch ein letztes Trostwort zu. Meistens feierte ich mit dem Verurteilten in der Frühe vor der Hinrichtung das Heilige Abendmahl. Mit einer Ausnahme nahmen die zum Tode Verurteilten meinen Dienst dankbar an. Nur ein einziger entgegnete zynisch: »In wenigen Minuten spreche ich selbst mit dem Chef!«

Mit zwei blutjungen Letten, die wegen »Zersetzung der Wehrkraft« zum Tode verurteilt worden waren, verbrachte ich ihre letzte Nacht. Sie waren erst 17–18 Jahre alt und hatten ihre Einheit verlassen, um in dem nahegelegenen Heimatdorf die alte Großmutter zu besuchen, nur ganz kurz. Aber das kostete sie das Leben. Diese jungen Rekruten kannten nicht einmal einigermaßen die deutschen Militärgesetze, aber sie ahnten nicht, daß das, was sie getan hatten, Fahnenflucht sein sollte. Es ist mir unvergeßlich, mit welch inniger Hingabe sie das Abendmahl mit mir feierten und wie gefaßt sie in den Tod gingen. Wie viele Menschenleben hat diese grausame, ungerechte deutsche Militärjustiz auf dem Gewissen. Sie griff, wenn irgend möglich, nach der Todesstrafe, um alle auszumerzen, die sich an der »heiligen« neuen Ordnung vergriffen hatten.

Nach der Wahnsinnsidee Hitlers sollte auch Libau »bis zum letzten Blutstropfen« verteidigt werden. Immer enger wurde die Heeresgruppe Kurland um Libau zusammengedrängt. Einem Angriff der Russen von allen Seiten her wäre sie nicht mehr gewachsen gewesen. Von Ostpreußen, vom Reich waren wir längst abgeschnitten. Als ich Anfang Januar 1945 auf meinen Posten zurückkehrte (ich kam von der Beerdigung meiner Mutter und hatte im völlig friedlichen Danzig noch Verwandte besuchen können), geschah dies eigentlich nur zu dem »Zweck«, mich gefangen nehmen zu lassen.

Jetzt begannen die schwersten Wochen des Krieges. Der Boden erzitterte unter unseren Füßen, alles sollte dahinsinken, Glück, Sieg, Zukunft und Freiheit. Das war die Zeit, in der die verzweifelten Kommandeure den Pfarrer geradezu händeringend baten, ihnen doch zu Hilfe zu kommen. Von »Sieg« konnte kein Mensch mehr reden, Phrasen wurden niemandem mehr abgenommen. Und doch durfte keiner von der doch schon im vollen Gange befindlichen Niederlage sprechen. Was sollte ich tun? Mir blieb keine andere Wahl, als die Wahrheit zu sagen: »Uns bleibt nur noch die Kapitulation. Bereitet euch auf das Schlimmste vor, auf die Gefangenschaft. Aber seid dessen gewiß, daß der Trost des Evangeliums euch alle Tage begleiten wird.« Das war in diesen Wochen der Kern und Stern meiner zahlreichen Ansprachen. Von oben her, durch höhere Gewalt war der Weg zur Seelsorge, zur existentiellen Verkündigung freigelegt worden. Am 8. und 9. Mai 1945 war es dann soweit. Wir marschierten mit der ganzen Heeresgruppe Kurland in russische Gefangenschaft. Erst am 27. November 1949 sollte ich wieder zurückkehren.

Die Gefangenen

Am Morgen des 9. Mai 1945 marschierten wir in langen Kolonnen zu dem uns von den Russen anbefohlenen Sammelplatz bei einem Waldgut in der Nähe von Libau. Dort hielt ich am Himmelfahrtstag unter freiem Himmel meinen ersten Gottesdienst in der Gefangenschaft. Bibel und Gesangbuch besaß ich damals noch, bald sollte beides und noch viel mehr verlorengehen. Nach kurzer Frist ging es weiter an die ehemalige deutsch-litauische Grenze, wo der Stab in einem fast ganz zerstörten Gutshof eine notdürftige Unterkunft bezogen hatte. Alle übrigen, mehrere tausend Mann, kampierten im Freien. Auf diesem Marsch wurde uns Marineleuten unser ganzes Gepäck abgenommen. Wie die Wegelagerer brachen die Russen aus den Büschen hervor und führten unseren Wagen davon. Wir mußten ihm machtlos nachsehen, Hilfe gab es nicht. Hin und wieder hörten wir die russischen Soldaten ihre Siegeslieder singen. Vor diesem Hintergrund erlebte ich eine makabre Szene: Ein zu uns gehörender Opernsänger schmetterte, als ob nichts geschehen wäre und um uns wohl zu erheitern: »Ja, der Chiantiwein . . .«.

Immer wieder kamen Kameraden zu mir und fragten mich, wie lange wohl meiner Meinung nach unsere Gefangenschaft dauern würde. Als ich erwiderte: »Mindestens ein Jahr«, erklärten sie mich für verrückt. Wie sich später herausstellen sollte, blieb diese Schätzung weit von der Wahrheit entfernt, denn mich hielten die Russen vier Jahre und sieben Monate gefangen, unzählige andere noch viel länger, man denke nur an die Gefangenen, die erst 1953 heimkehren durften. Die meisten Kameraden – jedenfalls in unserem Lager – glaubten allen Ernstes, der Russe würde sie nach vier Wochen (!) freilassen. Ich wies sie darauf hin, daß wir alles wieder würden aufbauen müssen, was wir zerstört hätten, und das sei ungeheuer viel.

In dem Riesenlager unter freiem Himmel und der Heimat so nahe, kam so gegen Pfingsten ein Kamerad zu mir, der zur Feldgendarmerie gehörte und sagte: »Wenn der Krieg noch zehn oder vierzehn Tage länger gedauert hätte, so hätten wir Sie geschnappt. Sie standen auf unserer schwarzen Liste.« Ich fragte ihn: »Und weswegen?« »Wegen Ihrer Predigten in den letzten Monaten vor der Kapitulation«, war die Antwort. Gemeint waren jene Predigten, in denen ich meine Kameraden auf den nahe bevorstehenden Zusammenbruch vorbereitet hatte. Auf »Zersetzung der Wehrkraft« stand die Todesstrafe. Es war klar, was nach den damaligen Rechtsbegriffen mit jemandem geschah, der unter eine solche Strafe fiel. Ich war nur um Haaresbreite einem schweren Geschick entgangen.

In unserem Lager gab es zahlreiche Divisionspfarrer der ehemaligen Kurlandarmee. Wir konnten also theologische Gespräche führen. Unsere Fragen kreisten um Themen wie »Ist diese Katastrophe das Gericht Gottes über die Deutschen?« oder »Sind wir verworfen?« Ich wehrte mich ganz entschieden gegen eine Vereinfachung und Rationalisierung der Dinge mit Hilfe von Vorstellungen wie Strafe, Vergeltung, Zurechnung, Verwerfung u. ä., vor allem auch gegen den Versuch, das gegenwärtige, von mir nicht in Abrede gestellte Gericht Gottes mit dem biblischen »Endgericht« zu verwechseln. Aus den Rätseln der Geschichte blickt uns der Deus absconditus an. Ich hielt im Lager den Pfingstgottesdienst vor mehr als 1000 Kameraden. Man spürte, wie sich die geistig-seelische Situation veränderte, nachdem die Last der Ideologie abgefallen und zerstört war. Unter den Divisionspfarrern des Heeres ragte ein Mann hervor, der immer in der vordersten Linie zu finden war: der heutige Prälat Adolf Würthwein in Pforzheim. Durch viele tiefgreifende und kraftvolle Predigten über alttestamentliche Texte hat er uns in den russischen Jahren erquickt und gestärkt.

Ich hatte mein ganzes Gepäck verloren und besaß nichts mehr als das, was ich auf dem Leib hatte, Uniform, Mütze und zwei Taschentücher. Die Kameraden halfen mir bereitwillig aus, jeder nach seinem Vermögen. Von dem einen erhielt ich ein Handtuch, von dem anderen eine Zahnbürste und von Generalleutnant Dijon de Monteton einen Regenmantel. Der General war unser letzter »Festungs«-Kommandant in Libau gewesen. Er entstammte einer alten hugenottischen Familie. Seine Vorfahren, zwei Brüder, hatten um ihres Glaubens willen ihr Vaterland verlassen und ihre Güter und ihr Vermögen preisgegeben. Der General soll später von den Russen hingerichtet worden sein. Sie warfen ihm vor, lettische Bauern zur Abwanderung nach Deutschland gezwungen zu haben, – ein völlig grund- und sinnloser Vorwurf. In den letzten Kriegswochen waren zahlreiche lettische Bauern aus freien Stücken in die Hafenstadt Libau gekommen, um übers Meer den Russen zu entfliehen. Sie wußten zu gut, was ihnen bevorstand.

Erfahrungen und Begegnungen im Lager

Mit der Kameradschaft habe ich in Rußland fast nur gute Erfahrungen gemacht. An freundlichen Helfern, die mir die Holzschuhe in Ordnung hielten oder die Hose ausbesserten usw. hat es nie gefehlt. Wir verständigten uns im Sinne des Apostels Paulus dahin, indem wir Geistliches und Äußerliches miteinander austauschten.

Eine große Hoffnung quoll in mir empor, als ich am Rande unseres Lagers einen litauischen Bauern seinen Acker pflügen sah. Auch jetzt ging das Leben weiter, die Erde würde wieder Frucht bringen, der erhabene Rhythmus der Natur war unerschüttert. – Wie lange wir in jenem Lager gesessen haben – von auf Lastkraftwagen postierten Maschinengewehren bewacht –, weiß ich nicht mehr zu sagen. Schließlich wurden die Offiziere von den Mannschaften getrennt. Die Offiziere kamen in einen Vorort von Riga und von dort – nach einer langen Reise in Güterwagen quer durch Rußland – nach Mordwinien, einem etwa 350 km südöstlich von Moskau wolgawärts gelegenen Bundesstaat. In jedem Waggon lagen 32 Mann. In dieser Enge konnte man sich gerade noch umdrehen. Erst nach langem Bitten und Zureden erhielten wir von dem Transportoffizier die Erlaubnis, tagsüber die Schiebetüren offen zu halten. Der Zug fuhr langsam, so daß man einen nachhaltigen Eindruck von den unendlichen Weiten Rußlands bekam. Nach fünf oder sechs Tagen landeten wir in einem Lagergebiet in Mordwinien, in dem es außer Lagern für Kriminelle nur solche für Verbannte und Kriegsgefangene gab, neben den Deutschen auch Japaner. Der Transport, dem ich angehörte, kam geschlossen ins Lager 58/1. Dort saßen wir bis Ende Januar 1947. Der Lagerkommandant, ein Oberst, erklärte uns beim Empfang, dies sei eine Gegend zum Krank- und nicht zum Gesundwerden. Die Baracken waren hier, von Ausnahmen abgesehen, ganz solide aus Holz erbaut. »Kartoffelbunker«, das sind halb in die Erde eingegrabene Holzhütten, sollten wir später noch zur Genüge kennenlernen.

Wir lebten hier wie am Ende der Welt. Ich machte die bittere und niederdrückende Erfahrung, ausgestoßen zu sein bis an den äußersten Rand der menschlichen Gesellschaft und zu den Deklassierten, den Hoffnungslosen, oder nach marxistischer Redeweise »den Verdammten dieser Erde« zu gehören. Ich kam zu einer völlig neuen Auffassung von Proletariat und Sozialismus, sie waren mir ganz unmittelbar anschaulich geworden, für meine spätere Sozialethik nach 1950 ein geradezu grundlegendes Erlebnis. Meine große Auseinandersetzung mit dem Marxismus und seinen Klassikern begann mit Plechanow, Lenin, Stalin u. a. und nicht zuletzt mir Maxim Gorki, den ich jetzt erst näher kennenlernte. Besonders seine Autobiographie beeindruckte mich aufs tiefste. Ich begriff endlich das Grunderlebnis der proletarischen Existenz sowie die sozialen und seelischen Motive, die in der Mitte des 19. Jahrhunderts zu der Idee des Klassenkampfes führten. Für mich war dies das Ende aller konservativ-sozialen Illusionen. Nun erst konnte ich die Gründe für das Scheitern der christlich-sozialen Bewegung begreifen. Die ganzen russischen Jahre hindurch las ich die Klassiker des Marxismus, Stalin allerdings mit großer Mühe. Für mich gibt es nichts in der Weltliteratur, das so öde, trocken und unausstehlich langweilig ist wie die Reden und Schriften Stalins, von denen etwa sechs Bände in der Lagerbücherei standen. Unaufhörlich werden die wenigen Gedanken dieses »Klassikers« wiedergekaut und hin und her gewälzt, eine Lektüre, die mich zum Gähnen brachte. Aber ich wollte endgültig wissen, was es mit diesem sowjetischen Kommunismus eigentlich auf sich hatte. Im Vergleich zu Stalin fand ich die Lektüre der anderen sowjetischen Meister geradezu spannend. Ich las natürlich auch die berühmte Geschichte der Partei der Bolschewiki, außerdem die zu ideologisch-pädagogischen Zwecken geschriebenen Romane. Sie verherrlichten den »neuen« bolschewistischen Menschen, dem die absolute Treue zur Partei und zum politischen Engagement über alles geht. Farblosigkeit und Motivmangel kennzeichnen diese Zweckliteratur. Sogar die Liebe zwischen Mann und Frau muß auf diesem Altar, der mehr Menschenleben frißt als jeder andere Altar zuvor, geopfert werden. Für einen Sozialethiker, der die Hoffnung hegte, irgendwann einmal wieder an die Arbeit gehen zu können, war dies eine unschätzbar wichtige Lektüre.

Als wir eines Tages Brennholz für die Küche aus dem Wald holten, begegnete uns am Waldrand eine Frau, die einmal bessere Zeiten gesehen zu haben schien. Wir sprachen sie auf gut Glück auf deutsch an – der russische Wachtposten war ziemlich weit entfernt –, und sie antwortete uns in fließendem Hochdeutsch. Wir hatten eine gebildete Lettin vor uns, die in ihrer Heimatstadt Riga auf offener Straße festgenommen und ohne Angabe von Gründen und selbstverständlich auch ohne Gerichtsverfahren nach Mordwinien verbannt worden war. So ging es damals zu, und nicht nur damals, wo die Letten als Verräter galten und der Zusammenarbeit mit den Deutschen bezichtigt wurden. Die Frau wußte nicht einmal, wie lange ihre Verbannung dauern sollte. Sie gehörte wie wir zu den Ausgestoßenen der großen Völker-Katastrophe.

Im Lager 58/1 mußten alle Kriegsgefangenen arbeiten, auch die Stabsoffiziere. Mit völlig unzureichendem Werkzeug wurden angeblich für Südrußland bestimmte Holzsohlen hergestellt. Bald lief im Lager das Gerücht um, die Lager-Offiziere verkauften die Holzsohlen und steckten das Geld dafür in ihre Taschen. In einem Lagerbezirk, in den wir später verlegt wurden, erfuhren wir, daß die Stabsoffiziere laut eines Befehls aus Moskau von der Arbeit freigestellt waren. Es zeigte sich aber, daß dies nicht nur seine guten Seiten hatte. Die Arbeit war sehr anstrengend und die mangelhafte Ernährung bot kein Gegengewicht, aber die Freiheit von der Arbeit brachte die Gefahr einer alles geistige Leben erstickenden Eintönigkeit und Langeweile mit sich, die ihrerseits wieder zum Kartenspiel verführte, das vom Morgen bis zum Abend betrieben wurde. Viele Kameraden waren der Arbeit körperlich nicht gewachsen und gerieten schnell in die fünfte Gesundheitsklasse, in der man nicht zu arbeiten brauchte. Es war die Klasse der schweren »Dystrophie«, wie die Russen sagten, womit vor allem der Mangel an Fett, Eiweiß und Vitaminen gemeint war. Auch ich gehörte oft und lange dazu. Ungefähr in jeder zweiten Woche fand eine höchst oberflächliche und eilfertige Gesundheitsuntersuchung statt, welche die Tauglichkeit für die einzelnen Klassen feststellte. Meistens genügte ein Blick aufs Gesäß oder ein Griff daran, um das Urteil festzulegen. Sehr häufig wurde diese Untersuchung von russischen Ärztinnen durchgeführt, und wir ärgerten und schämten uns, weil wir uns ihnen nackt vorstellen mußten. Sie hatten übrigens nicht Medizin in unserem Sinn studiert, sondern waren Absolventen einer Art von mittlerer Fachschule. Einmal erlebten wir eine junge Ärztin, die überaus menschlich mit uns umging und große Mühe auf die meist unter sehr schwierigen Umständen durchgeführte Behandlung der Kranken verwandte. Arzneien, besonders moderne wie zum Beispiel Penicillin, waren fast immer Mangelware. Viele Gefangene hätten gerettet werden können, wenn die richtigen Medikamente zur Hand gewesen wären. Die junge Ärztin arbeitete gut mit unseren eigenen Ärzten zusammen, von denen einige in der Ambulanz und im Lazarett eingesetzt waren. Solche Erlebnisse und Erfahrungen der Menschlichkeit an diesem Ort und in dieser Zeit waren kostbar für das Leben der Gefangenen und sollen unvergessen sein. Die Behandlung war, abgesehen von Schimpfereien, – der Russe verfügt über ein großes Reservoir drastischer und erstaunlicher Flüche – durchaus korrekt. In den vier Jahren und sieben Monaten meiner Gefangenschaft habe ich nie davon gehört, daß Kameraden geschlagen worden sind. Die russischen Soldaten waren sauber und diszipliniert – manche machten einen geradezu preußischen Eindruck –, und die Offiziere sahen gepflegt und kultiviert aus, obwohl doch offenbar viele von ihnen strafversetzt waren. Es schien keine große Ehre für sie zu sein, bei uns Wache schieben zu müssen.

Vernehmungen

Es gab viele Vernehmungen, sie wiederholten sich oft und wurden eindringlich und scharf geführt. Jede Kleinigkeit wurde des öfteren hin und hergewendet. Den Russen war schlechterdings alles wichtig, als wollten sie ein vollständiges Archiv über ihre Klassen- und Nationalfeinde anlegen, besonders was die führenden Schichten betraf. Von mir wollte man u. a. wissen, woher das Religionswissenschaftliche Institut von Prof. Frick in Marburg seine Finanzen bezöge? Woher sollte ich das wissen, ganz abgesehen davon, daß in Marburg wohl dasselbe galt, was für alle Institute gültig war. Man interessierte sich auch für meinen Werdegang, für die Promotion, die Habilitation usw. Ich mußte eine Liste aller meiner Schriften diktieren. Der jungen Dolmetscherin, im Zivilberuf Volksschullehrerin, bereitete es großes Kopfzerbrechen, wie wohl einige dieser schwierigen Titel ins Russische zu übersetzen wären, zum Beispiel »Die Eschatologie des Reiches Gottes bei Jesus«. Ich mußte solche Titel erst in ein ganz laienhaftes Deutsch übertragen, damit sie sie dann auf Russisch einigermaßen wiedergeben konnte. Als wir zu den Korintherbriefen kamen, und ich die Frage bejahte, ob der Apostel Paulus wirklich gelebt habe, und ob es sich bei diesen angeblichen Briefen um echte historische Dokumente handle, wollte sie sich Ausschütten vor Lachen. »Aber sie sind doch ein Mann der Intelligenz, ein Professor!« rief sie fassungslos aus. Dann kamen wir irgendwie auf Schiller, den sie sehr hoch einschätzte – als revolutionärer Dichter genießt er in Rußland große Achtung –, und wir verständigten uns gut darüber. Außer »Kabale und Liebe« durften wir sogar den »Wilhelm Tell« aufführen, und zwar mit dem Rütli-Schwur. Die Russen, ein überaus theaterliebendes Volk, nahmen selbst an den Vorstellungen teil und spendeten großen Beifall.

Der Lagerpfarrer

Wenige Wochen nach unserer Ankunft im Lager wurde ich eines Tages zum Politkommissar Roth gerufen, einem polnischen Juden und sehr klugen Mann. Er eröffnete mir, daß ich ab sofort der Lagerpfarrer für die evangelischen Lagerinsassen sei. Ich erhielt sogar die Erlaubnis, auch das Lazarett zu besuchen. Ich erinnere mich gut des Staunens vieler Kameraden, in der russischen Gefangenschaft einen leibhaftigen Lagerpfarrer vor sich zu sehen, der sogar das Heilige Abendmahl spenden konnte. Ich machte von dieser Erlaubnis reichlich Gebrauch, denn ich traf oft total erschöpfte, ausgemergelte und hoffnungslose Kameraden, die man wegen ihrer Arbeitsunfähigkeit in die Heimat schickte. Nach Möglichkeit hielten wir jeden Sonntag Gottesdienst. Wir hatten von einem Moskauer »prekass« (= Anordnung) gehört, wonach den beiden großen Konfessionen das Abhalten von Gottesdiensten gestattet sei. In der Folgezeit beriefen wir uns immer wieder mir großem Nachdruck darauf. Wir durften keine Gottesdienste im »Politischen Klub« halten, denn dort hingen die »Heiligenbilder« von Lenin und Stalin an der Wand, also mußten wir in eine Werkstattbaracke ziehen. Dort fing ich zwischen Holzblöcken, Werkzeugen und Hobelspänen zu Weihnachten 1945 meine Predigt damit an, daß ich sagte, an der Krippe zu Bethlehem sei es auch nicht besser gewesen. Wir müßten wieder lernen, daß der christliche Glaube den Armen und Elenden als ein Licht im Dunkeln geleuchtet habe, und zu diesen zählten auch wir. Obwohl es eine große Schar von Kameraden gab, die verbissen und fanatisch weiterhin dem Nationalsozialismus anhingen, waren unsere Gottesdienste stark besucht. In Rußland habe ich erfahren, daß der Hunger nach Gottes Wort eine große, die Herzen bezwingende Realität sein konnte. Mit den Hilfsmitteln für meine Arbeit war es denkbar schlecht bestellt. Ich besaß weder eine Bibel noch ein Neues Testament. Im ganzen Lager mit tausend Mann gab es nur ein einziges Gesangbuch, außerdem einen deutschen Text des Augsburgischen Glaubensbekenntnisses sowie eine kleine volksmissionarische Schrift von Karl Heim. Mit einigen Dingen konnten mir meine Pfarrer-Kameraden aushelfen, derer mehrere bei uns im Lager saßen. Im übrigen waren wir für die Zusammenstellung der Liturgie sowie für die Texte und Gebete völlig auf unser Gedächtnis angewiesen, das bei mir damals noch vorzüglich funktionierte. Ich konnte verschiedene Stücke der Liturgie auswendig, was ich der Evangelischen Michaelsbruderschaft zu verdanken habe. Natürlich wurden die Predigten bespitzelt. Einmal hatte ich das Bild der militia Christi gebraucht und wurde sogleich zum »Kadi« zitiert und der »Kriegshetze und des Militarismus« angeklagt. Doch es gelang mir, mich zu rechtfertigen. Der Kommissar schien seinen Spitzeln nicht alles zu glauben.

Neben mir in meiner Baracke lag ein junger katholischer Kaplan, den man sofort nach der Priesterweihe als Sanitäter an die Front geschickt hatte. Dieser bat mich, ihn in der Kunst des Predigens zu unterweisen, was ich in mancher guten Stunde zu unser beider Nutzen mit Freuden tat. So habe ich doch auch einmal in meinem Leben »Homiletik gelesen«.

Überhaupt kam es mir in Rußland zustatten, daß ich nie ein reiner Fachexperte geworden war, sondern nach Möglichkeit immer ds Ganze der Theologie ins Auge faßte. Ich konnte dadurch meinen Kameraden mit den verschiedensten Themen und Auslegungen dienen. So hielt ich beispielsweise eine Vortragsreihe über Entstehung und Bedeutung der ökumenischen Bewegung, über die Theologie des Neuen Testaments, über die Frage, was Theologie sei, über Rechtfertigung und Heiligung bei Paulus usw., ferner Auslegungen des Römer- oder des Philipperbriefes. Letztere schrieb ich in ein russisches Schulheft, ebenso eine Auslegung der Reich-Gottes-Gleichnisse

Jesu. Die Hefte wechselten von Baracke zu Baracke und wanderten von Pritsche zu Pritsche. So entstand eine kleine Katakomben- und Untergrundsliteratur. Die Hefte blieben Ende 1949 bei den Kameraden, die noch länger als ich in Rußland aushalten mußten. So versuchten wir nach besten Kräften, den Kampf gegen Hoffnungslosigkeit und geistige Auszehrung, gegen moralische Erschlaffung und die große Unwissenheit in christlichen Dingen zu führen.

Aber ich mußte noch anderes tun und die Grenzen der Theologie erheblich überschreiten.

»Eine Mini-Universität und -Fakultät«

Merkwürdigerweise hatten wir in unserem Lager niemanden, der Themen aus der Geschichte und Literaturgeschichte hätte behandeln können. Es war zum Beispiel kein Studienrat unter uns. So sprang ich in die Lücke. Ich behandelte sogar – natürlich im Volkshochschulstil – die Geschichte der Philosophie von Thales von Milet bis zu Karl Jaspers. Meine ziemlich ausgebreitete philosophische Lektüre und ein vorzügliches Gedächtnis setzten mich dazu einigermaßen instand. Wir hockten dicht gedrängt auf Brettern, die wir in einer Waschkammer über die Wasserfässer gelegt hatten. Meine Quellen bestanden aus Platons »Symposion« und Schillers »Briefen zur ästhetischen Erziehung des Menschengeschlechts«, alles übrige mußte das Gedächtnis hergeben. Natürlich gab es in der Lagerbücherei einiges über den Materialismus in der Sicht der Bolschewisten. Ferner sprach ich über Luthers Bedeutung für die deutsche Literatur, über Goethe und das Christentum, Goethes Faust, Wilhelm Raabe, Theodor Fontane und Maxim Gorki. Den Vortrag über letzteren nahmen mir die ewigen Nazis gewaltig übel. Aber die anderen Kameraden bedachten die Darbietungen mit Interesse und Dankbarkeit. »Reife Leistung, schöner Erfolg, Professor!« – so lautete der Tenor ihres Dankes. In allen Lagern war es die unausrottbare Gewohnheit meiner Kameraden, mich kurzab »Professor« zu nennen. Ich nahm dies an als einen schönen Beweis für unseren guten Kontakt. Alle diese Veranstaltungen waren selbstverständlich streng verboten. Noch heute ist es mir unerklärlich, wie dies alle Jahre hindurch gutgehen konnte, hatte doch der Russe seine Spitzel in jeder Baracke. Wir kannten sie allerdings und stellten immer Wachtposten auf, die uns eiligst warnen mußten, sobald ein Russe in der Nähe auftauchte. Wir müssen wohl eine ganze Legion von Schutzengeln gehabt haben. Für uns war es jedenfalls von größter Bedeutung, daß wir uns auf diese Weise geistig und seelisch aufrecht erhalten konnten.

»Ihre Versammlungen sind zu stark besucht!« erwiderte mir ein Kamerad auf meine bestürzte Frage, warum ich wohl so urplötzlich nach Lager 58/6 versetzt worden sei.

Der Befehl des Kommissars hatte mich wie ein Blitz aus heiterem Himmel getroffen, als ich etwa ein Jahr im Lager 58/1 gewirkt hatte. »Sofort packen und ab zur Wache!« hieß es. Der plötzliche, unvorbereitete Abschied fiel mir sehr schwer, denn inzwischen waren zahlreiche Verbindungen und Kontakte hergestellt worden. In einem kleinen Güterzug ratterte ich – von einem Soldaten bewacht – nach dem nicht weit entfernten Lager 58/6 durch die armselige russische Wald- und Sumpflandschaft. Ich glaubte, vor einer völlig neuen und fremdartigen Situation zu stehen. Doch dies stimmte glücklicherweise nicht, denn ich fand eine Reihe mir bekannter Kameraden vor, die mich mit großem Hallo willkommen hießen. Sofort nahm ich meine gewohnte und nun schon erprobte Arbeit wieder auf: Gottesdienste, Besuche, kleine Vorträge, Auslegungen. Dies war ein umfangreiches Programm. Wenn ich von 8–12 Uhr gearbeitet hatte, war es höchste Zeit, sich auf die Pritsche zu legen. Mehr Kraft war in dem an Dystrophie leidenden Körper einfach nicht vorhanden.

Aus bloßer Schikane wurde natürlich öfters versucht, uns an der Abhaltung von Gottesdiensten zu hindern. Dazu ein Beispiel: am Morgen des Pfingstsonntags wird das ganze Lager in den Wald geschickt, um Holz für die Küche zu holen. Auf zwanzig Mann kommt eine einzige Axt. Wir hängten uns mit den Händen an die Zweige, um sie herunterzubrechen, der reinste Waldfrevel! Vergebens trat uns der Waldhüter in den Weg. Gegen so viele war er ohnmächtig. Nun lagen sich die Forst- und die Lagerverwaltung wegen des benötigten Holzes öfters in den Haaren. Die Landwirte unter uns schüttelten den Kopf ob dieser Unart von Forstwirtschaft. Auch sonst gab es genügend Gründe, den Kopf zu schütteln. So mußten unsere Außenkommandos bei schärfstem Frost Betonwände hochziehen, die hinterher zerbarsten und zerrissen. Die Arbeit mußte sinnloserweise völlig von neuem begonnen werden. Aber der erste Zweck – die Normerfüllung – war in den Augen der Russen erreicht worden. Das Gleiche spielte sich bei der Kartoffelernte ab: wir wurden vorwärts gejagt mit dem Ergebnis, daß wenigstens 20 bis 25 % der Ernte nicht eingebracht wurde. Ein Jammer, das mitansehen zu müssen. Aber die Norm war erfüllt und das genügte. Dafür gab es eine Sonderration von etwas Milch und Brot, natürlich nur außerhalb des Lagers. Von diesen Erntekommandos blieb niemand verschont, auch der Pfarrer nicht. Die russischen Dorfleute behandelten uns freundlich, ohne Haß und Feindseligkeit. Manchmal gaben sie uns noch etwas von ihrer kargen Verpflegung, sahen sie doch, daß wir noch weniger bekamen als sie.

An den Abenden wurden auch offene Gespräche geführt. Einige Landser behaupteten kühn, in Rußland gäbe es nur noch die »freie Liebe«, die Treue sei nichts mehr wert. Empört sprang ein russisches Mädchen auf, daß ihr die Zöpfe um die Schultern flogen: »Wir wissen genausogut wie ihr, was echte Liebe ist, und die Treue in der Liebe achten wir hoch!« Noch heute steht sie lebendig vor mir, zornig und mit blitzenden Augen. Ich finde die russischen Menschen noch heute liebenswert, ganz so, wie die russische Literatur sie bis hin zu Alexander Solschenizyn darstellt.

Natürlich gab es unter dem Wachpersonal einige Wüteriche, die bei Kontrollen in den Baracken alles auseinanderrissen, was auf den Pritschen lag. Der Wildeste unter ihnen war ein gewisser Kapitän Iwanow. Wenn er in Wut geriet, zertrat er sogar unsere Schöpfkellen mit den Füßen. Eine Stunde später jedoch war er der gutmütigste und friedlichste Mensch von der Welt und versprach uns schulterklopfend baldige Heimkehr: »saftra budit«, schon morgen. Aber der Russe hat einen anderen Zeitbegriff als wir. »Morgen«, das kann sechs Wochen oder vier Jahre bedeuten.

»Vertrauen ist gut, Kontrolle ist besser!«

Dieses Wort soll von Lenin stammen, es paßt jedenfalls ausgezeichnet auf die Gefangenenlager, wo eine Kontrollkommission der anderen auf dem Fuße folgte: Feuerwehr-, Sanitäts-, Bau-, Sicherheits- und sonstige Kommissionen mit dickleibigen Generalen an der Spitze. Das ganze System wird von Mißtrauen beherrscht. Da wurden die alterprobten »Potemkinschen Dörfer« wieder gebaut, wenn zum Beispiel in den Baracken weiße Kopfkissen ausgeteilt und die rohen Holztische mit weißen Leinentüchern geschmückt wurden. Kaum hatte die Kommission das Lager verlassen, verschwand die ganze Pracht wieder, und zwar spurlos, ein Grund zu nicht endenden Witzeleien. Die große Mehrheit der deutschen Gefangenen verkannte leider, daß die Sowjetunion nach dem Kriege im Wiederaufbau und in der Förderung des gesamten Bildungswesens Großes, ja Erstaunliches leistete. Sie schleppten ein völlig veraltetes Bild von Rußland mit sich herum, das ein gerechtes Urteil über die Russen unmöglich machte.

Latrinenparolen

In den Lagern schwirrten ständig die unsinnigsten und wildesten Gerüchte und »Latrinenparolen« umher. Nichts war so blöd, daß es nicht Glauben gefunden hätte. Die Gefangenen sahen ihre Wachträume und ihre Sehnsüchte als Wirklichkeit an. Jede Enttäuschung rief neuen Schwindel ins Leben. So waren zum Beispiel die Güterwagen gesehen worden, die uns in wenigen Tagen in die Heimat bringen sollten, ja, sie wurden schon gereinigt, mit Stroh ausgelegt und zusammengekoppelt! In Wirklichkeit nahm das Elend noch lange kein Ende. Es war oft schwer, in dieser Massenbetäubung einen klaren Kopf zu behalten. Der nüchterne christliche Realismus erwies sich als das beste Heilmittel gegen solche Epidemien. Mitunter wurden sogar genaueste Daten angegeben, die ein russischer Offizier mitgeteilt haben sollte. Unsere Gottesdienste erwiesen sich als das beste Reinigungsbad der Seele von all dem Unrat und Unfug, nicht zuletzt durch die klare Weltbeurteilung und die Hoffnung auf die *wahre* Erlösung und Befreiung, die in ihnen zum Ausdruck kam. Für die Kritik an allen Arten von Utopismus und Illusionen habe ich in Rußland viel gelernt. Sie sollte in meinen späteren Schriften eine große Rolle spielen.

In dieser Lage hatte ich mich nach längerer Zeit zum Verzicht durchgerungen – dies etwas anspruchsvolle Wort ist hier wirklich am Platze –, zum Verzicht auf ein Wiedersehen mit der Heimat, mit den Angehörigen, mit der geliebten Arbeit. Er gab mir Freiheit von allen Illusionen sowie Zufriedenheit mit der mir heute und morgen gestellten Aufgabe und nicht zuletzt die rechte Heiterkeit im Tragen der uns auferlegten Last. Als ich mich im November 1949 von den zurückbleibenden Kameraden verabschieden mußte, fragte mich einer, wie ich es nur fertig gebracht hätte, fast immer heiter und fröhlich zu sein, da konnte ich ihn ehrlicher- und redlicherweise nur auf den christlichen Glauben verweisen, der Freiheit von der Welt schenkt.

Ende Januar 1947 wurden wir in einen nördlichen Lagerbezirk bei der Stadt Borowitschi (am Flusse Mstah) verlegt. Ich war dort kein Lagerpfarrer mehr. Auch die anderen Pfarrer im Lager erhielten gleich mir die Erlaubnis zu predigen. Wir konnten nun gemeinsame Textbesprechungen halten. Dort kam mir eines Tages eine unbeschädigte Vollbibel in die Hände, die durch halb Rußland von Lager zu Lager gereist und tatsächlich bis zu mir gelangt war. Ein bereits in die Heimat entlassener Pfarrer-Kamerad hatte sie für mich bestimmt. Es war wie ein Wunder, daß ich sie durch alle »Filzungen« (= Gepäckkontrollen) bis ans Ende meiner Gefangenschaft behalten durfte, ein echtes Gottesgeschenk.

Ein Besuch bei deutschen Frauen

Im Lager 58/6 wurde mir eines Tages mitgeteilt, es sei ein Transport deutscher Frauen eingetroffen und in einer besonderen, abgegrenzten Abteilung unseres Lagers untergebracht worden. Das klang höchst unwahrscheinlich, trotzdem stimmte es. Ich verhandelte des langen und breiten mit dem jungen Kommissar Fuchs, einem deutschen Kommunisten, der Vertrauen zu mir hatte, bis ich schließlich die Erlaubnis erlangte, die Frauen besuchen zu dürfen und ihnen einen Gottesdienst zu halten. Es handelte sich um das letzte Viertel eines aus Sibirien kommenden Transportes von Frauen aus Ost- und Westpreußen und Schlesien, der in die Heimat weitergehen sollte. Sie hatten in Sibirien bei grimmiger Kälte schwere Holzfällerarbeit leisten müssen. Drei Viertel von ihnen hatten dabei den Tod gefunden. Nun waren sie voll Staunens und voller Verwirrung: ein Pfarrer mitten im tiefsten Rußland, der ihnen Gottesdienst halten würde! Das war fast unbegreiflich nach den Finsternissen, die sie hatten durchschreiten müssen. Die Älteste war 60, die jüngste 18 Jahre alt. Man hatte sie aufgegriffen, wo sie waren, auf offener Straße, in der Wohnung. Das Schlimmste war ihnen nicht erspart geblieben. Sie nahmen alle am Heiligen Abendmahl teil und ergriffen jedes Wort als das Wort Gottes mit unbeschreiblich großer und dankbarer Freude. Es wurde der schönste Gottesdienst, den ich je in meinem Leben gehalten habe. Darüber hinaus blieb auch noch Zeit zu Einzelgesprächen. Der Abschied wurde uns allen schwer. Ob und wann und wie diese Frauen die Heimat erreicht haben, weiß ich nicht, aber ich habe oft an sie gedacht, an ihren Hunger nach dem befreienden, angstüberwindenden Bibelwort, ihr stilles Tragen der ungeheuren Last, die ihnen auferlegt war. Mit bewegten Worten berichtete ich meinen Kameraden von dem wirklich einzigartigen Erlebnis.

Nachtmarsch und Verlegung

Wie gesagt, Ende Januar 1947 fuhren wir eine Woche lang bei scharfer Kälte nach Norden. Die Waggons wurden höchst kümmerlich durch Kanonenöfchen beheizt. Als schließlich das Brennholz zu Ende ging, montierten wir im Inneren des Waggons alles Holz ab, das nur wir losreißen konnten. Halb erfroren langten wir endlich in dem nördlichsten Lagerbezirk um Borowitschi an. Wer eine solche »Winterreise« nicht erlebt hat, kann sich einfach nicht vorstellen, wie in solcher Kälte (30–35° unter Null) eine heiße Suppe schmeckt, und mag sie noch so dünn sein. In Borowitschi war es neu für uns, öfters verlegt zu werden, so zum Beispiel im Sommer für einige Monate in das zur Erholung gedachte »Waldlager«. Dort brauchte niemand zu arbeiten, nur für das Heranschaffen von Holz und Wasser mußte gesorgt werden. Die Küchenarbeit wurde von unseren eigenen Leuten besorgt, wodurch sich die Verpflegung verbesserte, und zwar allein schon durch die wesentlich gerechtere Verteilung und bessere Ausnutzung der Lebensmittel. Sodann lag das Lager sehr schön auf dem erhöhten Ufer des in den Ilmensee fließenden Mstah, der damals noch völlig unkanalisiert und unreguliert war, einmal tief, dann wieder mit flachen Furten, die ein Kind durchwaten konnte. Die Ufer waren voller Blüten, ganze Streifen und Flächen von duftenden Maiglöckchen, darüber die Stille der großen, vom Menschen nicht zerstörten Natur. An einem Pfingstsonntag erlaubte uns der menschenfreundliche Kommandant einen »Ausgang« auf Ehrenwort bis zum Mittagessen, das auch gehalten wurde. Wir genossen die köstliche Luft der Freiheit und durchstreiften in kleinen Gruppen den schönen Uferwald, die Wiesen und Felder, eine wahrhaft pfingstliche Erquickung, die uns noch lange nachging. Derselbe Kommandant rettete einem dem Tode nahen Kameraden dadurch das Leben, daß er kurzentschlossen einen Lastkraftwagen wegen des dringend notwendigen Medikaments nach Borowitschi sandte. Solche Erweise der Menschlichkeit sollten nicht vergessen werden.

Im Waldlager kam ich nun zur größten Entfaltung meiner Tätigkeiten während meiner ganzen Kriegsgefangenschaft. Es gab kaum einen Tag, an dem ich keine Aufgabe hatte. Für kleinere Gruppen gab ich Einblicke in die Bibel sowie Auslegungen biblischer Texte. Einmal hielt ich sogar eine »offiziell« genehmigte Vorlesungsreihe über die »Geschichte des Materialismus« auf dem mit einfachen Holzbänken versehenen Versammlungsplatz. Dahinter verbarg sich ein Abriß der Philosophiegeschichte. Natürlich mußten dabei auch der Idealismus, der Existentialismus und vieles andere zu seinem Recht kommen. Das Ganze verlief ohne Zwischenfälle. Die Vorlesung war vom »Lager-Aktiv« genehmigt worden, nachdem ich ihm die Idee des Unternehmens vorgelegt hatte. Ein solches von den Russen eingesetztes »Aktiv« gab es in jedem Lager und bestand aus zum Kommunismus übergetretenen Gefangenen, die uns politisch umerziehen sollten, womit sie allerdings gar kein Glück hatten. Für den einfachen Landser waren sie Verräter und Spitzel. Letzteres stimmte leider nur allzu oft. Ich ließ dem Materialismus volle Gerechtigkeit widerfahren, lag mir doch alles daran, über den unfruchtbaren Gegensatz vom Materialismus und Idealismus hinauszuführen. Deshalb kritisierte ich scharf die abwegige und ungerechte Haltung von Kirche und Theologie gegenüber dem marxistischen Materialismus, der doch vom metaphysischen meilenweit entfernt ist.

Gegen Ende der Gefangenschaft wurde im Lager die »Demokratie« eingeführt, natürlich die russische. Wir durften jetzt die von den Russen ausgesuchten Namen von Kandidaten für das Aktiv diskutieren und in der fertigen Liste solche Namen streichen, die uns nicht gefielen. Das war alles, die Russen behielten also die Sache in der Hand, ein klassischer Typ von Pseudo-Demokratie, dem Feind aller Freiheit und Gerechtigkeit.

Bei großer Hitze marschierten wir manchmal während der Nacht von Lager zu Lager. Das war vernünftig und menschlich, wenn es auch langsamer vorwärtsging als bei Tage.

Im Karzer

Auch ein Professor und Pfarrer kann in den Karzer kommen, freilich nur in den russischen. Das erste Mal bestand mein Vergehen darin, daß ich ein Hemd auf meiner Pritsche hatte liegenlassen, während ich für kurze Zeit die Baracke verließ. Diese »Ordnungswidrigkeit« war dem verantwortlichen Russen bei einer Barackenkontrolle aufgefallen und wurde mit zwei Tagen Karzer bestraft. Ich mußte auf einem schmalen Brett ohne Strohsack schlafen und aufpassen, nicht nach links oder rechts herunterzufallen. Es gab nur eine warme Suppe am Tage und auch weniger Brot als in der Baracke. Wir versuchten, uns die Zeit durch Erzählungen aus unserem Leben zu verkürzen. Beim zweiten Mal war es Winter. Durch ein Loch im Dach fiel etwas Schnee in den wenig angenehmen Aufenthaltsraum. Mein Vergehen bestand darin, daß ich mich zusammen mit anderen Kameraden geweigert hatte, in der sogenannten »Zone«, dem Streifen zwischen den beiden Stacheldrahtzäunen, zu arbeiten. Wir glaubten zu wissen, daß Stabsoffiziere zu einer solchen Arbeit nicht eingeteilt werden durften. Dafür gab es drei Tage Arrest. Die Kameraden der Baracke sparten sich für uns die Lebensmittel vom Munde ab, und es gelang dem Karzerwart, selbst ein Gefangener, sie zu uns durchzuschmuggeln. Er brachte uns sogar unsere Wattejacken, die uns bei der herrschenden Kälte das Durchhalten erheblich erleichterten. So gab es denn auch in puncto Karzer zwischen mir und meinen Kameraden keinen Unterschied mehr, und ich wurde bei der Rückkehr in die Baracke mit großem Hallo empfangen.

Die Toten

Der erste Winter war ein böser Winter des Hungers. Die tägliche Nahrung bestand aus einer Suppe von halbverfaulten und erfrorenen Kartoffeln. Viele Kameraden starben an der Ruhr und andern Krankheiten. Noch heute ist es mir ein Rätsel, wie ich diesen Winter überhaupt habe überstehen können. Mit den Toten machten die Russen nicht viel Federlesen. Die Leichen wurden auf einen alten Bretterwagen oder einen Laster verladen. An Särge war natürlich nicht zu denken. Nicht einmal die Papiersäcke gab es mehr, die wir während der letzten Kriegsmonate in Libau verwendet hatten. Meistens kamen mehrere Leichen in ein Grab. Nur selten gelang es mir, die Erlaubnis zum Mitgehen zu erhalten, um wenigstens das Vaterunser und den Segen am Grabe zu sprechen. Die Russen verstanden gar nicht, was ein Pfarrer mit den Toten zu tun haben sollte. Sie wurden eingescharrt und damit fertig. Erfreulicherweise gab es Kameraden, die an meine Stelle traten und am Grabe beteten.

Ein Versuch von kurzer Dauer

Am Anfang unserer Gefangenschaft, im Lager 58/1, machten einige Kameraden, unter ihnen auch ich, den Versuch, eine Lagerhochschule zu gründen. Es war unsere Absicht, der geistigen Erschlaffung durch Langeweile, Eintönigkeit und Hoffnungslosigkeit entgegenzuwirken. Zunächst waren die Russen einverstanden. In jeder Woche sollten zwei oder drei allgemeinverständliche Vorträge auf Volkshochschulniveau über die verschiedensten Gebiete gehalten werden. So hielt ich u. a. einen Vortrag über »Kritik des Nationalsozialismus, seiner Ideologie und seiner Taten«, in dem auch die Abrechnung mit unserer Vergangenheit *vor* dem Nationalsozialismus eine Rolle spielen sollte. Ich fand mit diesem Thema viel Zustimmung, verschaffte mir damit aber auch viele Feinde. Man warf mir Verrat an der deutschen Sache vor, ich hätte nur den Russen nach dem Munde geredet und wäre zu ihnen übergelaufen usw. Damals bildete sich die starke Gruppe der unentwegten Nazis, die nicht bereit waren, moralische und politische Konsequenzen aus dem totalen Zusammenbruch der Deutschen zu ziehen. Sie versuchten sich damit herauszureden, daß man zwischen der guten Idee des Nationalsozialismus und seinen verfehlten Mitteln unterscheiden müsse. Mit großem Schrecken mußte ich 1949/50 nach meiner Rückkehr feststellen, daß in Schleswig-Holstein noch immer ein großer Teil der Bevölkerung nationalsozialistisch gesinnt war. Ich befragte alte Freunde, die hier ihr ganzes Leben verbracht hatten, ob denn mein Eindruck richtig sei. Sie bestätigten ihn vollauf und vertraten die Ansicht, die Leute hätten niemals Buße getan und sich nicht einmal politisch bekehrt. Jetzt zeigte sich, daß die deutsche Opposition gegen Hitler nie die Möglichkeit gehabt hatte, in der Öffentlichkeit eine politische Alternative zum Nationalsozialismus klar herauszustellen. Außerdem war die politische Umerziehung durch die Siegermächte ungeschickt und mit wenig Glück in die Hand genommen worden. Entweder waren ihnen die Eigenart der deutschen Geistesverfassung und die tragischen Verstrickungen der deutschen Geschichte zuwenig oder gar nicht bekannt.

Schon nach einigen Wochen machten die Russen unsere Lagerhochschule wieder zu. Sie war ihnen unheimlich geworden, auch befürchteten sie wohl eine verkappte Antipropaganda. Jetzt kam es noch viel mehr auf die Wirksamkeit des Lagerpfarrers und der ihn unterstützenden christlichen Kameraden an.

Die Gründung der so schnell vergangenen Lagerhochschule hatte einen etwas sonderbaren Nachklang. Unter den Mitbegründern war auch ein Kieler Rechtsanwalt, der sich den Anschein gab, sehr progressiv zu sein. Anfang Dezember 1949 besuchte ich den Rektor der Kieler Universität, den Professor der praktischen Theologie D. Heinrich Rendtorff, dessen Sohn Trutz später mein Schüler und Mitarbeiter in Münster werden sollte. Rendtorff las mir einen Brief des genannten Herrn vor, der mich beschuldigte, zum linken Radikalismus zu gehören und zum Kommunismus übergetreten zu sein, – also dieselben Anklagen wie seinerzeit schon im Lager. Von Beweisen natürlich keine Spur. Wendland dürfe nie wieder einen Lehrstuhl erhalten und Lehrer der studentischen Jugend sein. Rendtorff las mir die Denunziation vor und ohne eine Stellungnahme meinerseits abzuwarten, zerriß er den Brief vor meinen Augen. So fand die Episode ein gutes Ende.

Ende und Ertrag

Am 17. November 1949 wurde der größte Teil unserer Lagermannschaft verladen und in die Heimat abtransportiert. Eine Reihe von Stabs- und Generalstabsoffizieren blieb jedoch zurück. Ihnen wurde der Prozeß gemacht. Das in Moskau bereits vorfabrizierte und mit den verlogensten »Begründungen« versehene Urteil lautete gemeinhin »20 oder 25 Jahre Zwangsarbeit«.

Nach einer Reise von 10 Tagen waren wir am 27. November in Friedland bei Göttingen endlich wieder in Freiheit. Wie sehr hatten wir diesen Tag in all den Jahren ersehnt. Viel freundliche Hilfe wurde uns zuteil. Schwestern vom Roten Kreuz bereiteten uns einen herzlichen Empfang mit Kakao und belegten Broten – unvorstellbare Genüsse für einen Kriegsgefangenen. Im Lager Friedland wurden wir von englischen Offizieren vernommen. Sie erkundigten sich vor allem nach der Behandlung der Gefangenen in Rußland. Am Nachmittag dieses denkwürdigen Befreiungstages – es war der erste Advent – hielt ich im Gottesdienst in der Lagerkirche meine erste Ansprache als freier Mann. Es wurde eine Glocke geweiht, die man der Lagerkirche geschenkt hatte. So mußte ich drei Themen miteinander verbinden: Advent, Heimkehr und Glockenweihe, im Glücksgefühl dieses Tages ein leichtes rhetorisches Kunststück.

Nach Erledigung aller Formalitäten ging es – mit 70,– DM in der Tasche – nach Göttingen. Schon im Lager hatte mich der Göttinger Superintendent Wiesenfeld begrüßt und mich eingeladen, die erste Nacht in seinem Hause zu verbringen, damit ich die beiden alten Schwestern meiner Mutter, die in Göttingen ihren Lebensabend verbrachten, vorsichtig auf meine plötzliche Heimkehr vorbereiten konnte. Am nächsten Tage betrat ich die erste Buchhandlung, die ich sah, und betrachtete mit einem unbeschreiblichen Glücksgefühl die Auslagen. Das gab es also noch, Bücher, Wissenschaften und Literatur! Mein Blick fiel auf das neueste Buch von Karl Jaspers, »Vom Ursprung und Ziel der Geschichte«. Ich nahm es mit, um wieder etwas zum Lesen zu haben und für den Neuaufbau meiner Bibliothek, die, wie ich hernach beglückt feststellte, vor allem in ihren wissenschaftlichen Teilen wie durch ein Wunder erhalten geblieben war. Ein frommer Spediteur aus Rendsburg, dessen Wohlwollen ich genoß, hatte sie gegen strenges Verbot solcher Fahrten nach Büdelsdorf bei Rendsburg in Holstein verlagert und damit gerettet. Sie wurde im dortigen Gemeindehaus aufgestellt. Da es jedoch in den letzten Kriegszeiten als Lazarett diente, nahmen die Soldaten die Kinderbücher, Romane u. ä. mit. Zu meinem Glück hatten sie an der Theologie und den anderen Wissenschaften kein Interesse.

Schon von unserer kurzen Zwischenstation in Frankfurt/Oder konnte ich die Meinigen telegraphisch von meiner Heimkehr benachrichtigen. Sie erschien ihnen zunächst als etwas ganz unfaßbares. Von Göttingen aus konnte ich mich mit meiner Frau verabreden, daß unser Wiedersehen in Hamburg stattfinden sollte, und zwar bei unserem alten Freund Pastor Erwin Schmidt, dem Vorsteher des Diakonissenhauses Bethlehem. Wir fanden dort eine gastfreundliche Aufnahme. Welch eine Wohltat, das erste Bad in einer richtigen Wanne!

Meine Frau lebte damals in Büdelsdorf, einem Vorort von Rendsburg, in einem Zimmer mit Glasveranda. Wir blieben dort bis März 1950. Dann erhielten wir durch die Bemühungen der Universität eine geeignete Wohnung in Kiel. Wie schon erwähnt, machte ich Anfang Dezember 1949 meinen Antrittsbesuch beim Rektor, meinem theologischen Fakultätskollegen. Er hieß mich aufs herzlichste willkommen. Da ich Mitglied der Bekennenden Kirche gewesen war, machte die sogenannte Entnazifizierung nicht die geringsten Schwierigkeiten. Ich wurde nicht einmal überprüft. Viel arbeiten konnte ich noch nicht. Ich begann mit dem Studium von Bultmanns »Theologie des Neuen Testaments«, deren erster Teil 1949 erschienen war. Eine klassische Leistung, wie ich sogleich feststellte. Im Frühling 1950 verbrachten meine Frau und ich vier Wochen in Locarno Monti im Tessin unter blühenden Rosen und Mimosen. Meine ökumenischen Freunde hatten mich nicht vergessen und mir diese kostenlose Erholung verschafft. So gewöhnte ich mich allmählich an das neue Leben in der freien Welt, das mir geschenkt worden war. Der Kurator der Universität hatte mich bis zum 15. Mai 1950 beurlaubt. An diesem Tag begann ich zu meiner großen Freude mit meiner ersten Vorlesung in dem neuen Lebensabschnitt. Ich las über die Korintherbriefe, hatte ich doch hier noch am ehesten festen, verläßlichen Boden unter den Füßen. Damals gab es noch ehemalige Kriegsteilnehmer in Kiel, und es war eine wirkliche Freude, mit diesen gereiften und studienwilligen Studenten zu arbeiten. Wie oft habe ich später mit Sehnsucht an sie zurückdenken müssen.

Von nicht wenigen Freunden und Kollegen erhielt ich in jenen ersten Monaten nach meiner Heimkehr Briefe der Anteilnahme und der Freude. Ich spürte ihnen die mitfühlende Sorge um mein Schicksal ab, die sie so lange bewegt hatte. Doch einer fehlte, Martin Dibelius, der schon 1947, erst 64 Jahre alt, heimgerufen worden war. Ihn nicht wiedersehen zu dürfen, war ein tiefer und großer Schmerz für mich. 1970 widmete ich ihm meine »Ethik des Neuen Testaments«, für die ich so viel bei ihm gelernt hatte. Mit seiner Frau blieben wir bis zu ihrem Ende eng befreundet. In liebevoller Anteilnahme verfolgte sie meine Arbeit und unser Leben wie eh und je. Unser jährlicher Besuch bei ihr in Heidelberg war immer ein Festtag für uns.

Ich brauchte mehrere Jahre, um meine Vorlesungen umzuarbeiten und auf den neuesten Stand zu bringen. Die sozialethischen mußten wegen des großen Wandels in der politischen und sozialen Welt ganz neu geschrieben werden. Schon bald wurde ich auch wieder in die kirchliche Arbeit einbezogen, besonders in die Sozialarbeit der Kirche von Schleswig-Holstein, wo nun die Männer der Bekennenden Kirche die Leitung übernommen hatten wie anderswo auch.

Wenn ich meine Zeit in der russischen Kriegsgefangenschaft rückblickend überprüfe, so stellt sich mir die Frage, was sie mir eingebracht hat.

Da ist an erster Stelle die Erhaltung von Leben und Gesundheit zu nennen. Die jahrelangen Entbehrungen hatten mich nicht im Kern getroffen. Zwar mußte ich einige Male wegen schwerer »Distrophie« im Lazarett liegen, doch bin ich jedes Mal schnell wieder zu Kräften gekommen. Mein Kamerad, der Arzt Dr. Marsch, mit dem ich schon in Berlin-Steglitz zusammen das Gymnasium besucht hatte, betreute mich in der Übergangszeit vortrefflich und verhalf mir zu einer vernünftigen Lebensweise. So empfand ich es als gnädige Fügung, daß ich im Mai 1950 die geliebte akademische Arbeit gesund wieder aufnehmen konnte.

Und zweitens: ich hatte jahrelang mit Menschen aus allen Schichten des Volkes in nächster Nähe zusammengelebt und dadurch gelernt, in einfacher, klarer und verständlicher Sprache zu predigen – für einen Professor, der Tag für Tag in der Sprache der theologischen Wissenschaft lebt, ein großer Gewinn. Was Predigt und Seelsorge anbetrifft, so haben die russischen Jahre mit ihren Erfahrungen mein ganzes ferneres Leben, Denken und Arbeiten bestimmt. Es ist wohl nicht übertrieben, wenn ich sage, daß sie zu den wertvollsten und produktivsten meines ganzen Lebens gehören. Ich stand inmitten von harten Wirklichkeiten und diente den Menschen ganz unmittelbar. Für die wissenschaftliche Produktion waren diese Jahre zwar verloren, für den Menschen und den Christen jedoch keineswegs.

Drittens hatte ich in Rußland eine neue, umfassende Auseinandersetzung mit dem Marxismus begonnen, die ich in der Heimat auf alle »Konfessionen« des Marxismus ausdehnte, besonders auf den religiösen Sozialismus und den Neo-Marxismus. Dies hieß aber, meine Sozialethik auf neue Grundlagen zu stellen. 1950 erschien Tillichs Buch »Der Protestantismus«, das eine neue Beschäftigung mit diesem großen Theologen von mir erforderte, die dann 1954 durch eine neue persönliche Begegnung angefacht und verstärkt wurde.

Neue Anfänge

Wissenschaftliche Produktion

Von meiner ersten Vorlesung in Kiel nach der Heimkehr habe ich schon kurz berichtet. 1953 war es dann so weit, daß ich die normale wissenschaftliche Schriftstellerei wieder aufnehmen konnte. Zunächst schrieb ich eine Abhandlung über Wesen und Aufgaben des Diakonenamtes sowie seine Stellung in Kirche und Welt für ein Sammelwerk über die Diakonie der Kirche, das Herbert Krimm damals herausgab. Seit meinen Jahren im Johannesstift haben mich die Fragen der Diakonie immer wieder beschäftigt. 1954 erschien dann die längst fällige Neubearbeitung der Korintherbriefe. Während des Krieges und der Gefangenschaft hatte der Verlag die dritte Auflage von 1938 immer wieder nachdrucken müssen, wie ich nach meiner Entlassung mit Freude feststellen konnte. Wie die Bibliographien der beiden Jahrzehnte 1950–1970 ausweisen, begann damit eine ziemlich umfangreiche Produktion, insbesondere auf dem Gebiet der Sozialethik, die bis 1970 anhielt.

Da ich in Kiel bis zur Habilitierung von Willi Marxsen der einzige Dozent für Neues Testament war, mußte das Schwergewicht meiner Arbeit begreiflicherweise auf das Neue Testament fallen. Erst in zweiter Linie konnte ich mich der Sozialethik widmen. Den Universitätsgottesdienst hielten der schon erwähnte Heinrich Rendtorff, der nach dem Zusammenbruch nach Kiel gekommene Alttestamentler Hans Wilhelm Hertzberg und ich. Durch meine Vorträge kam ich nach und nach in alle Propsteien und lernte viele Pastoren kennen. Ich gewann gute Einblicke in die Zustände und Probleme der schleswig-holsteinischen Landeskirche.

Ab 1950 nahm ich auch meine ökumenische Arbeit wieder auf. Ich wurde Mitglied des Deutschen Ökumenischen Studienausschusses, eines von der Arbeitsgemeinschaft christlicher Kirchen in Deutschland gebildeten Organs, das die ökumenische Studienarbeit fördern und koordinieren sollte. Sein Sekretär war Pfarrer D. Wilhelm Menn, ein um die Ökumene in Deutschland hochverdienter Mann, zu dem ich bald in nähere Beziehung trat. Diesem Ausschuß habe ich über zwanzig Jahre angehört. Ferner wurde ich in den Ökumenischen Arbeitskreis katholischer und evangelischer Theologen hineingezogen, dessen Mitglied ich noch heute bin. Er arbeitet rein wissenschaftlich an den großen Problemen des Verstehens und der zukünftigen Einheit der römischen und der evangelischen Kirche.

Schließlich trat ich der Evangelischen Marxismus-Kommission bei, der ich als ihr Senior noch heute angehöre. Gegründet von der Evangelischen Studiengemeinschaft in Heidelberg, arbeitet sie an der Erhellung der Gesamtproblematik des Marxismus in seinen alten und neuen Spielarten. Sie hat wichtige Kontakte zu marxistischen Wissenschaftlern der Ostblockstaaten hergestellt. Eine ganze Reihe von ihnen konnten erfreulicherweise an unseren Tagungen in Deutschland teilnehmen. Die von dieser Kommission herausgegebenen und in sieben Bänden vorliegenden »Marxismus-Studien« haben im In- und Ausland, auch im kommunistischen, große Beachtung gefunden. Es liegt auf der Hand, daß diese Arbeit für meine sozialethische Tätigkeit sehr wichtig wurde, und daß ich ihr viele Anregungen verdanke.

Ein Ruf nach Mainz

Im Jahre 1951 erhielt ich einen Ruf an die Universität Mainz auf einen freien Lehrstuhl für Neues Testament. Als ich dem Kieler Universitätskurator davon berichtete, meinte er abschätzig, diesen Ruf könne er nicht anerkennen, zudem sei Mainz eine französische Neugründung, die er den anderen Universitäten nicht gleichstellen könne. Hierauf wurde ich energisch und legte dar, daß viele andere Kollegen, die der Bekennenden Kirche angehört hatten, schon 1945 und 1946 auf Lehrstühle berufen worden seien, ich dagegen sei erst Ende 1949 in die Heimat zurückgekehrt und insofern den ersteren gegenüber im Nachteil. Also müsse der Kurator aus Gründen der Gerechtigkeit den mir zugegangenen Ruf anerkennen. Meine Argumentation schlug durch, und der Kurator lenkte ein. Also reiste ich zu den üblichen Verhandlungen nach Mainz, gewann dort aber nicht die allerbesten Eindrücke. Die neue, in einer alten Flak-Kaserne provisorisch untergebrachte Universität befand sich noch im embryonalen Zustand. Die Bibliothek des Neutestamentlichen Seminars war sehr kümmerlich und unvollständig, man hatte offensichtlich zusammengekauft, was sich gerade anbot. Überdies konnte mir das Ministerium keine ins Gewicht fallende Verbesserungen bieten. Ich lehnte daher den Ruf ab, was von den Kieler Studenten, aber auch von den meisten Kollegen, lebhaft begrüßt wurde, so daß ich das gute und beruhigende Gefühl haben durfte, in Kiel schon wieder heimisch geworden zu sein.

Als ich wieder in Kiel anlangte, begrüßten mich die Studenten mit einem geistreichen Ulk. Die theologische Fachschaft nahm mich auf dem Bahnsteig in Empfang und geleitete uns – auch meine Tochter war zum Empfang erschienen – durch eine eigens für uns geöffnete Sperre in die Haupthalle des Bahnhofs, wo man in einem großen

Kreis Aufstellung nahm. Dann richtete stud. theol. Trutz Rendtorff, der Erfinder dieser köstlichen Unternehmung, eine wohlgesetzte *lateinische* Ansprache an mich, daß Mainz mit Kiel überhaupt nicht zu vergleichen sei und daß sie alle, die ganze Fakultät, auf mein Verbleiben in Kiel den allergrößten Wert legten. Man wünsche daher und bitte mich inständig, den Ruf nach Mainz abzulehnen (was ja denn auch geschah). Hierauf mußten meine Tochter und ich eine Kutsche besteigen. Von Polizei zu Pferde geleitet, die Studenten hinter dem Wagen, fuhren wir auf mancherlei Umwegen durch die Stadt, meiner Wohnung entgegen. Vom Bock blies ein Trompeter manch lustige Weise. Als wir aber beim Lutherischen Landeskirchenamt vorbeikamen, ertönte das Lied: »Wachet auf, ruft uns die Stimme . . .«, sehr sinnig und beziehungsreich ausgewählt. Von der Treppe meines Hauses hielt ich dann bewegten Herzens eine Dankrede. So geschehen anno 1951! Wirft dieses Ereignis nicht ein bezeichnendes Licht auf die gute Gemeinschaft zwischen Professoren und Studenten zu jener Zeit? Gott gebe, daß sie einst wieder lebendig werden möge! In der Stadt aber erzählte man sich in den nächsten Tagen, ein schon etwas älterer Professor sei mit seiner sehr jungen Frau von der Hochzeitsreise zurückgekehrt und in einer Hochzeitskutsche nach Hause gefahren worden . . . Wie verschieden doch die Interpretationen ein und desselben Vorganges sein können und wie lehrreich für den Historiker und den Exegeten.

Die Fakultät

Von H. Rendtorff und H. W. Hertzberg war schon kurz die Rede. Mit beiden verband mich ein gutes Vertrauensverhältnis. Von der alten Vorkriegs-Fakultät waren der Kirchenhistoriker Meinhold, Martin Redeker (Systematische Theologie) und Werner Schultz (Systematische Theologie), ein guter Kenner Schleiermachers und des deutschen Idealismus, nach wie vor Mitglieder der Fakultät. Hinzu trat mit seiner Habilitation für Neues Testament der aus Kiel stammende Willi Marxsen. Mit dessen Habilitation hatte es jedoch eine besondere Bewandtnis. Aus irgendwelchen mir nicht durchsichtigen Gründen war Redeker gegen diese Habilitation. Er versuchte alles mögliche, sie zu verhindern. Einer der Gründe war wohl sein ständiges Mißtrauen gegenüber allen Kollegen, von denen er etwas für seinen niemals großen Lehrerfolg befürchten zu müssen glaubte. Er ging schließlich so weit, daß er die Arbeit von Marxsen wochenlang in seinem Zimmer unter Verschluß hielt. Sie war damit gleichsam aus dem Verkehr gezogen, und alles stockte. Endlich riß mir der Geduldsfaden, war ich doch für Marxsen und seine Zukunft verantwortlich. Ich ging also zu Redeker und erklärte ihm kurz und kalt, ich würde sein Zimmer nicht eher verlassen, bis ich die Habilitationsschrift von Marxsen in den Händen hielte. Er schimpfte wie ein Rohrspatz, Marxsen könne nichts und verstehe nichts (!), er tobte und wütete, aber ich verharrte kalt und entschlossen. Schließlich blieb ihm nichts anderes übrig, als die Schrift herauszugeben. Als »Sieger« verließ ich sein Zimmer. Das Habilitationsverfahren nahm dann seinen geordneten Gang, und Marxsen wurde Dozent, wie er es verdiente. Obwohl ich vielen seiner sehr zugespitzten Thesen nicht folgen konnte, war ich von seiner hohen wissenschaftlichen Befähigung fest überzeugt. Die Zukunft bewies klar, daß *ich* recht hatte und nicht Redeker.

Immer wieder versuchte er, *seinen* Willen in der Fakultät durchzusetzen. Es fehlte darum nicht an Zusammenstößen. Hatte ich sachliche Gründe, trat ich ihm mit aller Entschiedenheit in den Weg. Gottlob war mir in Rußland die Menschenfurcht gründlich ausgetrieben worden, zumal in meinen Auseinandersetzungen mit den bolschewistischen Kommissaren. Als ich einmal in einer Fakultätssitzung auf das heftigste explodiert war, gingen Heinrich Rendtorff und ich – bedrückt über den Streit in unserer Fakultät – gemeinsam nach Hause. In seiner Wohnung beklagte ich mit kräftigen Worten mein starkes, leidenschaftliches Temperament. Ich erwartete eine seelsorgerliche Mahnrede, war doch Rendtorff immer um Frieden bemüht, auch Redeker gegenüber. Doch er faßte mich nur ruhig ins Auge und sprach: »Herr Wendland, Gott erhalte Ihnen Ihr Temperament!« Ich war verblüfft und schwieg. Danach wandte sich das Gespräch anderen Dingen zu. Heinrich Rendtorff war ein Seelsorger. Wie oft habe ich später an diesen Satz denken müssen. So lernte ich auch, daß ein Seelsorger *Unerwartetes* muß sagen können. Wohl dem, der solchen Seelsorgern begegnet.

Neue Formen der Sozialarbeit

In jenen Jahren entstand eine Evangelische Akademie nach der anderen. Eberhard Müller war mit der Gründung von Bad Boll vorangegangen. Dazu kamen kirchliche Sozialämter und Industrie- oder Sozialpfarrämter sowie die evangelischen Sozialsekretäre als die Vermittler zwischen Kirche, Arbeiterschaft und Gewerkschaften. Sie hatten und haben ihren Mittelpunkt in der Sozialakademie Friedewald im Westerwald. In gewisser Weise war Friedewald die Nachfolgerin der alten Evangelisch-Sozialen Schule im Johannesstift (Berlin-Spandau), wo ich mir meine Sporen in der Sozialarbeit verdient hatte. Deren Strukturen hatten sich nun freilich mächtig verändert. Das galt ja auch jenseits der Kirche in der ganzen modernen Industriegesellschaft. Jetzt gab es z. B. Einheitsgewerkschaften, das Streben nach der Mitbestimmung der Arbeitnehmer drang mächtig empor. Doch ich habe hier keine soziale »Landkarte« zu zeichnen und keine Analyse dieser Gesellschaft zu geben.

Ich will vielmehr berichten, daß mir die neuen Institutionen und Arbeitsformen der Sozialarbeit viele neue Möglichkeiten der Mitarbeit boten, durch die ich viel, sehr viel gelernt habe, gerade auch durch manches halb oder ganz gescheiterte Experiment wie die total ins Wasser gefallenen »christlichen Betriebszellen« unglücklichen Angedenkens oder der gänzlich verfehlte Versuch, von neuem »christliche Gewerkschaften«

zu schaffen, zu dessen Befürwortern ich nicht gehörte. Ich sah in den neuen Einrichtungen und Formen der kirchlichen Sozialarbeit neue *Positionen,* die auf die Dauer ein neues Verhältnis der Kirche zur Gesellschaft hervorbringen konnten und mir daher eine Menge neuer Einsichten schenkten. Meine Mitarbeit wurde wieder begehrt. So ergab sich für mich ein höchst fruchtbares Wechselspiel von Theorie und Praxis. Ein reiner Schreibtisch-Theoretiker bin ich glücklicherweise nie geworden und auch nie gewesen. Die vielfältigen Erfahrungen der Rußland-Jahre hatten mir die reine Theorie ganz unmöglich gemacht. Ohne den Kontakt mit Menschen aus möglichst vielen Gesellschaftsschichten konnte ich nicht Sozialethiker sein, ohne diese Kontakte auch keine neuen Einsichten gewinnen. So kam denn sehr viel auf gute Methodik und richtige Zeiteinteilung an. Ohne die Menschen in den genannten Institutionen hätte ich die Fülle dieser Kontakte niemals gewinnen können. Es lag mir daran, den jungen evangelischen Sozialsekretären in ihrer höchst schwierigen Mittlerstellung zwischen Arbeiterschaft und Kirche zum rechten Situations- und Berufsverständnis zu verhelfen. Ebenso wichtig war es mir, mit Betriebsräten »vor Ort« und Gewerkschaftsfunktionären zu sprechen, um im lebendigen Dialog in die soziale Wirklichkeit einzudringen und meinen Gesprächspartnern soweit als möglich ein besseres Verständnis der Kirche zu eröffnen. Hier war ich also wieder Lehrender und Lernender zugleich, und diese überaus fruchtbare Verbindung habe ich immer hoch geschätzt. Für eine moderne, realitätsbezogene Sozialethik fand und finde ich sie sehr hilfreich. Auf dem begrenzten Feld von Schleswig-Holstein, das kein Industrierevier ist, kam der neue Lernprozeß wegen der übersichtlichen Verhältnisse recht gut in Gang. Aus alledem ergab sich auch, daß neue Kategorien wie Partnerschaft, Mitbestimmung, Mitmenschlichkeit eingeführt und durchdacht werden mußten. Die alten wie z. B. Freiheit, Gerechtigkeit, christlich-sozial waren umzubilden und zum Teil mit neuem Inhalt zu füllen, wie er sich aus den konkreten Dialogen mit den gesellschaftlichen Gruppen ergab. Vor allem aber war m. E. die Neuformung des Kirchenbegriffs notwendig und zwar in Relation auf die Gesellschaft, in Erfassung der Unterschiede unter der Einheit beider. In meiner Abhandlung »Über die Einheit von Kirche und Gesellschaft« in der Festschrift für den bekannten katholischen Sozialwissenschaftler Oswalt von Nell-Breuning habe ich später diese Aufgabe zu lösen versucht.

Evanston

In der Zusammenarbeit mit der Studienabteilung des Ökumenischen Rates in Genf, besonders mit dem Department »Kirche und Gesellschaft« wurde ich zur Vorbereitung auf die Zweite Vollversammlung des Ökumenischen Rates der Kirchen herangezogen, die im Spätsommer 1954 in Evanston bei Chicago (am Michigan-See) stattfinden sollte. Das Hauptthema der Weltkonferenz lautete: »Jesus Christus, die Hoffnung der Welt«. Das war ein großer theologischer Fortschritt in der Geschichte der Ökumene. Christologie und Eschatologie rückten damit in den Vordergrund. Ich hatte die Aufgabe, mehrere Memoranden zum Hauptthema zu schreiben und die Beziehung des Eschatons Jesus Christus zu den verschiedensten Sphären und Dimensionen der Welt herauszustellen, dies alles in sozial-ethischer Hinsicht. Damit war ich zugleich in meinem Element und durfte wieder einmal erfahren, welche Erhellung und Bereicherung aus den ökumenischen Dimensionen in meine persönliche sozial-ethische Arbeit gelangte.

Die deutsche Delegation, der ich als Berater (consultant) angehörte, reiste mit dem schwedischen Schiff »Gripsholm« nach New York. Die zehntägige Fahrt über den Atlantischen Ozean benutzten wir zu gründlicher Vorbereitung, gleichwohl hatten wir noch genügend Zeit, See und Sonne zu genießen. Wir hielten uns einige Tage in New York auf, um wenigstens einiges von der Riesenstadt zu sehen und kennenzulernen. Mein alter Berliner Studienfreund Wilhelm Pauck, Professor der Kirchengeschichte am Union Seminary in New York, lud die deutsche Delegation in sein Haus ein. Schon in jungen Jahren war er in die USA gegangen, weil es in Deutschland zu viele Kirchenhistoriker gab. Nach fast dreißig Jahren sah ich ihn wieder. Schnell war der alte, gute Kontakt wiederhergestellt. Er hatte seinerzeit bei Holl mit einer lehrreichen Arbeit über Martin Buzers Werk »De regno Christi« promoviert.

Bei diesem Besuch war zu meiner großen Freude auch Paul Tillich zugegen. Er wollte die deutsche Delegation begrüßen. Leider nahm er nicht an der Weltkirchenkonferenz in Evanston teil, – ich weiß nicht mehr, aus welchen Gründen. Nach 22 Jahren erkannte er mich sofort wieder und erinnerte mich u. a. daran, daß wir beide 1938 an dem ökumenischen Sammelband »The Kingdom of God and History« mitgearbeitet hatten. Noch immer strahlte er den gleichen bezaubernden Charme aus wie zu Anfang der zwanziger Jahre in meinen Berliner Studententagen.

Von New York aus fuhren wir im Schlafwagen nach Evanston, wo wir in Studentenwohnheimen untergebracht wurden. Für die Hauptveranstaltungen hatte man ein Riesenzelt aufgebaut, das etwa 1500 Personen Platz bot. Außerdem fanden noch viele Komiteesitzungen und zahlreiche Beratungen im kleinen Kreise statt. Den einleitenden Hauptvortrag hielt der Heidelberger Systematiker Edmund Schlink über das Generalthema »Jesus Christus die Hoffnung der Welt«. Es war beste deutsche Theologie, für viele Delegierte allerdings zu schwer. Gleichwohl, auch in Amerika hatten sich erhebliche theologische Wandlungen vollzogen, nicht zuletzt durch das Wirken Reinhold Niebuhrs und Paul Tillichs. Von einem billigen Optimismus und Utopismus konnte nicht mehr die Rede sein. Die Macht des Bösen, des Dämonischen wurde neu entdeckt.

Ich selbst verdanke Paul Tillich den Begriff des Dämonischen im Sinne des sich in Ideologien und Institutionen realisierenden Bösen. Er wurde in den fünfziger Jahren ein Grundbegriff meiner Sozialethik, angefochten von denjenigen, die den hergebrachten, aber völlig unzureichenden individualistischen Begriff der Sünde nicht überwinden konnten. Es war ein sehr kühnes Unterfangen, der Weltkonferenz ein solches Thema aufzugeben, aber es hat sich gelohnt. Natürlich kann eine Vollversammlung des Ökumenischen Rates der Kirchen keine neuen theologischen Erkenntnisse gewinnen, aber das Thema wies unüberhörbar auf die wahre Lebensmitte der ökumenischen Christenheit, auf Jesus Christus, – eine dringend notwendige Konzentration in der unendlichen Vielfalt der Kirchen und gar erst der Theologien. Zugleich war damit auch für die theologische Begründung des Dienstes der Kirche in und an der »Welt«, der Gesellschaft usw. der rechte Weg gewiesen: sie mußte christologisch und eschatologisch gestaltet sein, eine damals für viele Christen und Kirchen fundamental neue Einsicht. Da der Ökumenische Rat bekanntlich keine kirchenregimentliche Gewalt besitzt, ist es um so wichtiger, daß er geistlich und theologisch zu führen, daß er neue Aufgaben zu zeigen und neue Wege zu weisen vermag. Sehe ich recht, so wird auch in Zukunft eben hiervon seine Bedeutung für die Kirchen der Welt abhängen. Evanston lenkte die mit Amsterdam begonnene neue weltweite Diskussion zwischen den Kirchen der Welt zwar nicht gänzlich in neue Bahnen – die großen Grundprobleme der Ökumene (z. B.: was ist Einheit? Wie gestaltet sie sich real-geschichtlich?) werden immer dieselben bleiben –, aber es setzte doch wichtige neue Akzente, vor allem in theologischer Hinsicht, und es strebte die verläßliche Begründung einer ökumenischen Sozialethik an. Das gab Arbeit für zwanzig Jahre.

Eben hierdurch aber bekam Evanston auch für mich große theologische Bedeutung. Denn ich erkannte den durchgreifenden *Welt*-Charakter aller sozialen Strukturprobleme der modernen Gesellschaft. Afrika und Asien traten in meinen Gesichtskreis, und ich begriff zum ersten Mal die Bedeutung einer überkonfessionellen, übernationalen, wahrhaft ökumenischen Sozialethik. Wie aber konnte sie begründet werden, die so überaus zahlreiche Grenzen überschreiten und überwinden mußte? Das Zentralthema von Evanston hatte dazu zweifellos den richtigen Weg gewiesen.

Besonders lebhaft war das Problem erörtert worden, wie sich denn die »große« Hoffnung auf die Vollendung des Reiches Gottes zu den »kleinen« Hoffnungen auf Freiheit, Gerechtigkeit und Menschlichkeit in der zukünftigen Gesellschaft verhalte. Wenn ich recht sehe, wurden die naheliegenden Extreme des radikalen, weltverneinenden Transzendenzglaubens und des innergeschichtlichen Glücks-Utopismus mit guten Gründen ausgeschaltet und vermieden. Wir strebten eine zugleich kritische und bejahende Haltung gegenüber der Welt an. Wir suchten kritische *Distanz* und *Solidarität* miteinander zu verbinden und zu vermitteln. Ich nannte es die »kritische Solidarität« mit der Welt. Evanston jedenfalls hat mir den Blick in die ganze Welt ermöglicht. Dazu trugen viele Gespräche mit den Delegierten aus anderen Kirchen und Ländern erheblich bei. Der enge europäische Horizont wurde – welch eine Wahrheit – endgültig gesprengt. Wenn in Evanston zahlreiche kirchliche und theologische Traditionen aufeinander stießen, erkannte ich mit ihrem positiven Wert zugleich auch ihre Relativität. Sie mußten in einem tieferen Grund jenseits ihrer selbst neu mit schöpferischer Kraft verbunden werden. Darin lag und liegt noch heute die Möglichkeit einer großen Befreiung und Erneuerung.

Die Grenzen Evanstons gegenüber Neu-Delhi (1961) und Uppsala (1968) sehe ich so: Erstens gehörten die orthodoxen Ostkirchen dem Ökumenischen Rat noch nicht an, obwohl sie natürlich schon ihre Stimme in Evanston erheben konnten. Zweitens war der neue Dialog mit der römischen Kirche, in dem wir heute stehen, noch kaum in Gang gekommen. Nur langsam hat sich Rom aus seiner Negation der ökumenischen Bewegung herausgearbeitet. In diesem Zusammenhang war es von großer Bedeutung für mich, dem Ökumenischen Arbeitskreis katholischer und evangelischer Theologen beizutreten, der nach dem Zweiten Weltkrieg aus Initiativen von Kardinal Lorenz Jaeger, Paderborn, und Bischof Wilhelm Stählin, Oldenburg, entstanden war. Denn hier wurden exegetisch, historisch und systematisch alle jene theologischen Probleme aufgearbeitet, die zwischen den Kirchen standen und stehen. Im Laufe von mehr als zwei Jahrzehnten kamen so alle loci der christlichen Dogmatik zur Sprache. Je schärfer die Unterschiede, ja die Gegensätze herausgearbeitet wurden – was wir als unsere Pflicht ansahen –, desto klarer kamen auch die Möglichkeiten des Verstehens und der Einheit zu Tage, ganz zu schweigen von der Brüderlichkeit, die in diesem Kreis herrschte, oder dem hohen geistigen Genuß, den das Anhören bedeutender Theologen der anderen Kirche wie Rahner, Ratzinger, Fries, Schnackenburg u. v. a. mit sich brachte. Entgegen der landläufigen Auffassung stellte ich fest, daß es auf dem Feld der Sozialethik viele, tief gegründete Gemeinsamkeiten gibt, die auf einer breiten ökumenischen Tradition beruhen und bis in die Zeit der ersten Kirchenväter, in einigen Stükken, z. B. dem Staat (Römer 13, 1–7) und der Ehe u. a. sogar bis in die Urchristenheit zurückreicht. Unter den katholischen Sozialethikern und Sozialwissenschaftlern verehre ich vor allem Oswald von Nell-Breuning, mit dem mich viele gemeinsame Überzeugungen verbinden. In Münster habe ich seit 1955 mit meinem Kollegen Joseph Höffner, dem jetzigen Kardinal und Erzbischof von Köln, gut zusammengearbeitet. Er hatte damals den Lehrstuhl für katholische Sozialwissenschaften inne und leitete das mit diesem verbundene Institut.

Nach Abschluß der Konferenz hatte ich die Gelegenheit, nahe an der kanadischen Grenze an einer Tagung lutherischer Studenten teilzunehmen, die in einem Lager abgehalten wurde, das aus Blockhäusern bestand und sehr schön an einem See gelegen war. Bei dieser Gelegenheit konnte ich auch die Niagara-Fälle bestaunen. Die unbeschreibliche Masse von internationalem Kitsch, die in den Läden längs der zu den Fällen führenden Straße aufgehäuft war, konnte mein Erlebnis von der Größe und Macht des Naturschauspiels nicht beeinträchtigen. Während der langen Autoreisen von Chicago nach dem Norden und zurück, sodann von Chicago nach New York durch das schöne bergige Hudson-Tal, lernte ich wenigstens etwas von diesem Riesenland und seiner großartigen Natur kennen. Ein Urteil über Amerika wage ich natürlich nicht abzugeben, dafür war mein Aufenthalt dort zeitlich wie räumlich zu eng begrenzt.

Auch auf der Rückreise fuhr ich mit einigen Freunden wieder auf der »Gripsholm« über den Atlantik. Vorher in New York und an Bord schrieb ich Berichte über die Konferenz für die kirchliche Presse in Deutschland. Die Überfahrt ging im wesentlichen bei schönem Wetter vor sich. Von der großen Arbeitslast der Konferenzwochen

befreit, genossen wir ausgiebig das Meer und den Sonnenschein auf unseren Liege-
stühlen auf dem Oberdeck. Nach zehn Tagen gingen wir – Anfang September, wenn
mich mein Gedächtnis nicht täuscht – in Bremerhaven an Land, um eine große Erfahrung mit weitreichenden Folgen reicher geworden. Ich hatte den Weg in die Weite der
Ökumene und damit zugleich der Welt gefunden.

Die Kirche in der modernen Gesellschaft

Im Jahre 1953 war ich Dekan der Kieler Fakultät gewesen und damit zu dem Recht gelangt, das Hitler uns widerrechtlich vorenthalten hatte. Nun hatte ich die Hände frei,
um endlich meine sozialethischen Grunderkenntnisse zu Papier zu bringen. Dies geschah in dem Buch »Die Kirche in der modernen Gesellschaft« (1956, 2. Aufl. 1958).
Evanston war ein, wenn auch nicht der einzige Anstoß dazu gewesen. Später stellte
sich heraus, daß ich damit gleichsam die Ouvertüre zu meinem Wirken an der Universität Münster gegeben hatte.

Einige Kritiker haben »Die Kirche in der modernen Gesellschaft« als eine Weg-
wende in der Entwicklung der modernen evangelischen Sozialethik bezeichnet. Dies
mag insofern gelten, als ich auf der ganzen Front die positiv-kritische Zuwendung zu
den sozialen und ethischen Problemen der modernen Gesellschaft, der technisch-wissenschaftlichen Zivilisation vollzog. Zum ersten Mal eröffnete ich dabei das Gespräch
zwischen Soziologie und Theologie, indem ich mich Gedanken Hans Freyers in seinem Buch »Theorie des gegenwärtigen Zeitalters« zuwandte und den Begriff der sekundären Systeme aufnahm, den ich jedoch nicht immer festhalten konnte, weil er
u. a. auf konservativen Voraussetzungen beruhte. Selbstverständlich wird heute dieser Dialog mit anderen Mitteln geführt als damals, doch einer mußte einmal den Anfang machen. Dies galt auch von der theologischen Grundlegung, der »Theologie der
Ordnungen«, wie sie Paul Althaus oder Emil Brunner, jeder auf seine Weise, vertraten. Sie war längst hohl und unbrauchbar geworden. Ich ging von dem Grundverhält-
nis Reich Gottes und Welt aus, also von dem universal-eschatologischen Ansatz, wie
er sich aus meinem bisherigen Denken ergab. Offenbar entsprach das Buch einem Be-
dürfnis der Zeit, denn es wurde viel gelesen und erlebte bald die zweite Auflage. Jüngere Theologen wandten sich jetzt den Problemen der Sozialethik zu, die vordem
ganz an der Peripherie gelegen hatte. Diese Erfahrung sollte sich mir in Münster an
meinen eigenen Schülern bestätigen, mit denen eine neue Generation auf den Plan
trat, um meine Einsichten aufzunehmen und fortzuentwickeln. Die lutherische Theologie jener Jahre konnte ich nicht zufriedenstellen, ich war ihr zu progressiv, zu modern, mein Begriff von der modernen Gesellschaft schien ihr unheimlich zu sein. Sie
konnte sich von ihren konservativen und patriarchalischen Vorstellungen nicht frei
machen und dachte nicht wirklich in der Gegenwart, noch weniger für die Zukunft.

Die wahrhaft revolutionären Ansätze Luthers in den großen Reformationsschriften bis etwa 1525 kamen gar nicht mehr zum Tragen, sie wurden von dieser Art von Lutheranern nicht mehr verstanden. Ich aber strebte schon damals, wenn auch noch unvollkommen, einer überkonfessionellen und ökumenischen Sozialethik zu. Der Beifall der Jüngeren konnte mir vollauf genügen, und zu meiner Freude und Genugtuung erhielt ich ihn. Für sie wie für mich selbst war mit diesem Buch ein neuer Schauplatz des Dialogs und der Arbeit betreten. Viele kleinere Arbeiten folgten und wurden erstmalig in dem Band »Botschaft an die soziale Welt« (1959) zusammengestellt. Doch erschien dieser erst in meiner 1955 beginnenden Münsterschen Lebensepoche.

Die besonders in der russischen Gefangenschaft von mir vollzogene endgültige Abrechnung und Auseinandersetzung blieb auch weiterhin eine der Voraussetzungen meiner Sozialethik, die nun allmählich Gestalt annahm. Die Bedeutung einer theologischen Kritik des Nationalsozialismus wurde mir erneut klar, als der führende deutsche Historiker Gerhard Ritter an der Kieler Universität über »die Ursachen des Nationalsozialismus« sprach. Er führte seinen Hörern eine ganze Reihe von Ursachen des Nationalsozialismus vor, aber des entscheidenden Phänomens wurde er m. E. nicht Herr, seine alten, abgekürzt gesagt, nationalliberalen Voraussetzungen aus der Zeit vor dem Ersten Weltkrieg gestatteten ihm dies nicht. Das übermoralische und transpolitische Problem wurde nicht erfaßt. Diese Art von Ideologie und Gewaltherrschaft kann ohne den Begriff des Dämonischen unmöglich begriffen werden. Aber diese Kategorie kannte Ritter nicht. Ebenso unbefriedigend finde ich heutige Versuche, Hitler rein soziologisch zu analysieren und einzuordnen. Auch hier ist der Überschuß der nicht erfaßten und noch unerledigten Probleme groß. Da wir heute in einem Zeitalter von Diktaturen leben, bleibt die christlich-theologische Kritik solcher Ideologien stets aktuell und notwendig.

Wieder in die Gegenwart führte mich eine Einladung an die Universität Lund in Schweden, wo ich über ökumenische Probleme zu sprechen hatte. Ich wohnte bei Bischof Anders Nygren, einem sehr bekannten schwedischen Systematiker, der auch nach Deutschland hineingewirkt hat. Er sprach und schrieb fließend Deutsch, und wir hatten gute Gespräche miteinander, die von der großartigen schwedischen Gastfreundschaft getragen wurden. Seit der ökumenischen Tagung in Sigtuna hatte ich Schweden nicht mehr gesehen. Um so mehr erfreute mich dieser neue theologische Kontakt. Soweit ich sehen kann, ist die schwedische Theologie stets im lebendigen Austausch mit der deutschen verblieben und ein sehr wichtiger Partner für die deutschen Theologen.

An der Westfälischen Wilhelms-Universität

Berufung nach Münster

Im Frühjahr 1955 erhielt ich einen Ruf an die Universität Münster, und zwar auf einen neuerrichteten Lehrstuhl für »Christliche Gesellschaftswissenschaften«, mit dem ein gleichfalls neu errichtetes Institut verbunden war. Die Bezeichnung war offenbar in Analogie zu dem Lehrstuhl für »katholische Sozialwissenschaften« gewählt worden. Schön früher hatte ich zweimal in Münster auf Einladung der Fakultät Gastvorlesungen über sozialethische Probleme gehalten und war dabei freundlich aufgenommen worden. Nach den üblichen Verhandlungen in Münster und Düsseldorf nahm ich im Sommer 1955 den Ruf an. Ich habe es nie bereut, denn es zeigte sich schon damals, daß ich mich in Münster viel stärker würde entfalten können als je zuvor in Kiel. Zwar versuchte mich der Kieler Universitätskurator zu halten, doch ich konnte seine Auffassung, daß ich auch in Kiel ein sozialethisches Institut haben könnte, ganz und gar nicht teilen. Pro forma gab es ein solches zwar auch in Kiel, aber sein Direktor hieß Martin Redeker. Geschickt wie er war, hatte er sich diese Einrichtung gesichert, bevor ich heimkehrte. An eine produktive, ersprießliche Zusammenarbeit war unter solchen Umständen gar nicht zu denken. Es wäre die größte Torheit meines Lebens gewesen, den Ruf nach Münster abzulehnen, mochte der finanzielle Gewinn auch nur gering sein. Ich verließ Kiel nicht ohne Schmerz, hatte ich doch in der Kirche und an der Universität viele gute menschliche Kontakte geknüpft. Zu Beginn des Wintersemesters 1955/56 nahm ich meine Tätigkeit in Münster auf. Trutz Rendtorff begleitete mich dorthin und wurde in Münster mein erster Doktorand und Assistent. Unsere große Chance war, daß das Institut vom Nullpunkt an aufgebaut werden mußte. Die Arbeit machte Freude. Noch sehe ich die ersten vier oder fünf Bände der neuentstehenden Institutsbibliothek vor mir. Jetzt, nach zwanzig Jahren, sind es über 9000. 1956 hielt ich meine öffentliche Antrittsvorlesung über ein in der gesamten traditionellen Theologie höchst ungewöhnliches Problem, »Das System der funktionalen Gesellschaft und die Theologie«. Kein Wunder, daß es auch Kopfschütteln erregte.

Auf dem Weg zur »Theologie der Gesellschaft«

Es dauerte längere Zeit, bis ich erkannte, was die Lektüre der russischen Marxisten Plechanow, Lenin, Maxim Gorki, Majakowski, Stalin, des jüngeren Tolstoi sowie Scholochow und die Auseinandersetzung mit ihnen für mich und meinen Dialog mit ihnen eigentlich bedeuten sollte und mußte, – und auch für jene kritische »Theologie der Gesellschaft«, an der ich nun arbeiten wollte. Mit der neulutherischen »Theologie der Ordnungen« (Paul Althaus, Emmanuel Hirsch und Werner Elert) hatte ich schon während des Krieges den Bruch vollzogen. Auch Emil Brunners großer Ethik »Das Gebot und die Ordnungen« von 1932, die den letzteren doch den Willen Gottes, des Schöpfers und Versöhners, das Gebot der Bergpredigt (Matthäus 5–7) und das »christliche Naturrecht« als kritische Maßstäbe entgegenhielt und demnach die »Ordnungen« Ehe, Familie, Staat und Nation zu begrenzen versuchte, um sie jeder falschen Apotheose zu entziehen (ein legitimes, reformiertes Motiv), konnte mich nicht mehr befriedigen.

Warum eigentlich nicht? *Alle* diese Ethiker schienen mir erstens die Wirklichkeit der modernen Industriegesellschaft nicht zu erreichen; sie wußten viel zuwenig von der ungeheuren Macht-Dynamik des von Werner Sombart dargestellten sogenannten »Hochkapitalismus«. Dieser nahm freilich schon seit der Mitte der fünfziger Jahre neue Züge an, weswegen man den heutigen Kapitalismus gern als »Spätkapitalismus« bezeichnet. Diesen an sich berechtigten Begriff müßte man genauer definieren, als es hier geschehen kann.

Jedenfalls kann kein Zweifel daran bestehen, daß der Spätkapitalismus sich von dem der letzten Jahrhundertwende oder demjenigen, den Karl Marx 1847/48, 1859 und 1869 vor sich hatte, als er seine grundlegenden- ökonomischen und geschichtsphilosophischen Einsichten entwickelte, zutiefst unterscheidet. Das zeigt allein schon das neuartige Verhältnis des Staates zur Wirtschaft, ohne dessen Währungs-, Konjunktur- und Weltwirtschaftspolitik die sogenannte »freie« Wirtschaft gar nicht mehr funktionieren könnte. Aus dem allgemeinen Geschrei nach der Hilfe des Staates klingt das gleiche heraus, gleichviel ob es sich um die Landwirtschaft oder um den Numerus clausus an den Hochschulen oder um die Bekämpfung der Massen-Arbeitslosigkeit handelt.

Von solchen Dingen liest man in den Ethiken der dreißiger und vierziger Jahre nichts. Zweitens war – so schien es mir – die Auseinandersetzung mit der gewaltigen Arbeiter- und Gewerkschaftsbewegung sowie mit den verschiedenen »konfessionellen« Formen des Sozialismus und des Kommunismus nach den in Rußland, im System Stalins verbrachten Jahren völlig verfehlt oder unzureichend. Hatten diese Ethiker wirklich Karl Marx und Friedrich Engels oder Lenin selbst gelesen? Ich gestehe offen, ich hegte Zweifel hieran. Hatten die Verfasser jemals einen modernen Industriebetrieb, z. B. eine Stahlwalzstraße, von *innen* gesehen? Hatten sie jemals mit den Männern auf der Steuerbühne gesprochen oder mit den Mitgliedern von Betriebsräten die

Mitbestimmung der Arbeitnehmerschaft auf allen Ebenen diskutiert, oder die Möglichkeiten der »Humanisierung« der Arbeit am Platz des einzelnen Arbeiters erforscht? Selbst später noch, in der Ethik von Karl Barth, die ganz in seine Dogmatik eingearbeitet ist, merkt man von derartigen Realitäten und Problemen so gut wie nichts, was ich bei einem ehemaligen religiösen Sozialisten doch höchst auffallend und seltsam finde. Hatte sich sozusagen immanent seine Abwendung vom religiösen Sozialismus doch noch »gerächt«? Barth konnte doch in anderen Dingen, z. B. politischen, sehr konkret werden.

Die Ethiker, von denen oben die Rede war, ob lutherisch oder reformiert, schienen mir noch allzu tief in den Denkformen und Traditionen des 16. und des 19. Jahrhunderts festzustecken. Sie hatten offenbar die Notwendigkeit der »Vergegenwärtigung« und der Annahme einer neuen, historischen Situation noch nicht vollzogen. Bei ihnen war die Welt von Wirtschaft und Gesellschaft noch relativ geordnet und intakt, weil sie ja Gott der Schöpfer gemacht hatte. Etwa gar Marxsche Begriffe wie z. B. den der »Entfremdung« oder der »Klasse« oder der »Ausbeutung« oder die fundamentale Einsicht, Kapitalmacht sei als solche, direkt oder indirekt, *politische* Macht – dergleichen in eine *christliche* Soziallehre aufzunehmen, dies kam ihnen überhaupt nicht in den Sinn –, trotz der Neuwerk-Bewegung und des religiösen Sozialismus. Für Brunstäd war der letztere nur eine »kulturreligiöse« Abgleitung und Verirrung, eine Art religiöse Verklärung der sozialen Bedürfnisse durch eine soziale Endreichs- und Glücksutopie. Fleißig zogen noch in den fünfziger und sechziger Jahren die Lutheraner gegen die »Schwärmer« zu Feld, als ob nichts geschehen wäre. Mir wurde all dies fast unbegreiflich. Die Ehe der Theologie, zumal der christlichen Ethik mit der hochkonservativen Romantik seit 1800, war offenbar auch 1955 oder 1965 nicht zu trennen, jene unselige und unheilige Allianz, durch welche die Kirche *bis heute* sich von der industriellen Lohnarbeiterschaft getrennt und schuldhaft abgespalten hat.

Mir indessen hatten die russischen Marxisten – und ihre großen Dichter will ich nicht vergessen – einen heilsamen, gewaltigen Stoß versetzt. Unmöglich konnte ich diesen verdecken oder gar rückgängig machen. Das heißt natürlich nicht, daß ich dem totalitären Kommunismus mit seiner Herrschaft einer absoluten, alles durchsetzenden Staatsbürokratie hätte verfallen können; denn dieser walzt alle Freiheit nieder, die des einzelnen so gut wie die der gesellschaftlichen Gruppen. Da das zugleich die Aufhebung der Personalität ist, die Verachtung und Auslöschung der Menschen, würde es praktisch die Qual und den Tod von Millionen Unschuldiger bedeuten, welche bespitzelt und hingemordet werden. In einer Anklage von ungeheurer moralischer Kraft und sachlicher Fundamentierung hat Alexander Solschenyzin wie ein Prophet sich gegen dieses Diktatursystem ewiger Menschenschändung erhoben, ein Vorgang, der nicht bloß in der russischen Literatur einzig dasteht. Man muß weit in die Welt der Geschichte zurückgehen, bis zu den Aufklärern und ihrer Kritik an dem korrupten ancien régime, bis zu den Frühsozialisten in England, Frankreich und Deutschland, zu Proudhon oder Babeuf oder Weitling oder bis zu Shakespeare, im Hamlet oder anderswo, um zu Vergleichbarem zu gelangen. Diesem totalitären, blutsaufenden

Kommunismus ist sein moralisches Urteil längst gesprochen, und die Weltgeschichte bestätigt es jeden Tag. Es scheint den welthistorischen Tatbestand gut zu treffen, wenn die Chinesen vom »sowjetischen Sozialimperalismus« sprechen, denn das ist dies russische System in der Tat, trotz aller Deklamationen für die Menschenrechte, wie die Niederschlagung des »Prager Frühling« durch die sowjetische Armee beweist. Dies hat den Schlußstein in das Beweisgebäude eingefügt. Wir alle, die die Freiheit lieben, sollten nie vergessen, was Dubcek und die Seinigen getan und gelitten haben, – für uns *alle,* für den wahren, den humanen Sozialismus. Übrigens bedeutet all dies nicht, daß ich mich den konservativen, politischen Meinungen Solschenyzins anschließen könnte, – weit gefehlt! Übrigens ist es Tradition in Rußland, spätestens seit Dostojewski und bei allen Panslawisten des 19. Jahrhunderts sowie in der russischen Religionsphilosophie desselben Jahrhunderts bei Chomjakow und Solowjow (wenn ich mich nicht irre), dem »Westen« den baldigen Untergang vorherzusagen. Denn dieser sogenannte Westen ist ja dekadent und totkrank: Atheismus und Nihilismus, Emanzipation, Revolution und verlogene Ideen der Freiheit des einzelnen, des Materialismus, die Vergötterung des Staates, den Tanz der Reichen und der Mächtigen um das goldene Kalb, die Verachtung Christi und seiner Gebote, die Loslösung des Protestantismus von der alleinigen Wahrheit der östlichen, der russischen Orthodoxie –, all diesen Teufelskram, all dieses dämonische Gift hat der Westen in die Welt gebracht. Darum muß der ungläubige und widergöttliche »Westen« vernichtet werden. Diese »messianische« Aufgabe fällt dem heiligen Rußland zu, dem Sitz und Hüter der Orthodoxie. Hören wir nicht bei Solschenyzin ähnliche Töne?

Doch wer wird den heute oder morgen verfallenden und zerfallenden »Westen« aus seiner Katastrophe erretten? Das kommunistische Rußland fällt ja weg, kann es doch *seine* Aufgabe nur leninistisch verstehen, es muß also den altrussischen, christlichen Messianismus für Wahn und »unwissenschaftlichen Aberglauben« erklären. Freilich liegt wohl schon jetzt offen zutage, daß sogar die brutalen, vor nichts zurückschreckenden Systeme nicht mit der immer noch überlebenden Religion fertigwerden; denken wir nur an das Wachstum der »Evangeliumchristen« in Rußland. Soll vielleicht die »Dritte Welt« jetzt die Sendung des diesseitigen Erretters der Welt übernehmen? – Ich will mit alledem nur das eine sagen: bis zu diesen Problemen der Gegenwart mußte meine neue Fragestellung von 1955 bis 1975 fortgeführt werden. Die neue Konzeption einer kritischen Theologie der Gesellschaft (zuerst 1956 in dem Buch »Die Kirche in der modernen Gesellschaft« vorgelegt, dies also ist nur die Erstgestalt) bedurfte noch anderer ebenso fundamentaler Grund-Abgrenzungen ab ovo et a limine: nämlich gegen den Konservativismus, den Hochkonservativismus und dessen böseste Form, die Reaktion.

Für mich und alle, die mir folgen wollten, mußte jetzt die bereits oben genannte unselige Allianz der politischen konservativen Romantik mit dem Pietismus der Orthodoxie, dem politisch gebundenen deutschnationalen Protestantismus (vgl. den »Evangelischen Bund« und seine flammenden, nationalen Ergüsse und nationalistischen Tiraden bis in die Ära des Nationalsozialismus hinein) in Frage gestellt werden.

Diese Allianz vor allem hat die Kirche das Vertrauen der industriellen Lohnarbeiterschaft seit etwa 1840 gekostet. Und noch *heute,* nach 135 Jahren Sozial- und Kirchengeschichte laufen Kirche und Arbeiterschaft nebeneinander her. Das berechtigte, abgrundtiefe Mißtrauen der Arbeiterschaft gegen die Kirche ist trotz aller rühmlichen katholisch-sozialen und evangelisch-sozialen Bewegungen und Anstrengungen seit 1848 noch nicht überwunden. Das ist eine Tatsache, an welcher die traditionelle Schwärmerei für die Volkskirche nicht vorbeikommt. Was soll denn das für eine Kirche sein, an der ca. 20 Millionen Arbeitnehmer vorbeigehen, um anderswo den Sinn des Lebens und der Arbeit zu suchen?

Es gibt heute noch eine Menge Superfrommer – sie nennen sich »Evangelikale«, als ob nicht jeder von uns, die wir unser Herz an das Evangelium gehängt haben, sich so nennen dürfte und könnte –, die ihre Augen noch immer vor der oben bezeichneten harten, ja niederschmetternden Tatsache verschließen. Ist dies nicht die alte, pharisäische Diffamierung und Verachtung der Nicht-Bekehrten, der Ungläubigen, die »ohne Gott in der Welt« sind, um es neutestamentlich auszudrücken? Hat diese Art von Frömmigkeit denn die Fähigkeit, selbst umzukehren, völlig verloren? Ist sie so verblendet oder feige oder beides, daß sie es nicht wagt oder nicht für nötig hält, die Frage nach der *eigenen Schuld* an diesem düsteren und verhängnisvollen Prozeß der neueren Kirchengeschichte zu stellen, und von *hier* aus den Sinn des religiösen Sozialismus und der heutigen, christlich-revolutionären Bewegungen in Latein-Amerika, Afrika und Europa zu stellen, bohrend und immer wieder aufs neue?

Statt dessen predigen viele Leute – und ich höre zahlreiche Predigten –, als ob wir *vor* 1848, *vor* 1789, *vor* der großen, industriellen und gesellschaftlichen Gesamtrevolution lebten, die schon Hegel 1821 (!) in seiner Rechtsphilosophie diagnostiziert hat, in welcher er die Herrschaft der Ökonomie, des Kapitals, der mechanisch zerlegten Arbeit unter dem Begriff »das System der Bedürfnisse« so unheimlich treffend beschrieben hat. Sogar J. H. Wichern konnte noch 1848 nach der »Wahrheit im Kommunismus« fragen, doch schon 1849 hatte er das wieder vergessen.

Keine noch so orthodoxe, pietistische, evangelische Theologie und Glaubensbewußtheit hat uns in den 135 Jahren geholfen, diese Tragödie der modernen Gesellschaft zu überwinden, in Europa nicht, in Latein-Amerika oder im ganzen, kommunistisch gewordenen Osten von der Elbe bis an das Chinesische Meer aber auch nicht.

Die Missionen, die amerikanischen (zumal in China) und die europäischen (in Afrika, in Südostasien etc.) tragen infolge ihrer Naivität des Mit- und Einschleppens der »westlichen« Zivilisation mitsamt der verengten sogenannten »Innerlichkeit« und subjektivierten Verengung bzw. einseitigen Zuspitzung des Glaubens-Verständnisses die Schuld an der Absperrung und Abschirmung gegenüber der ganzen sozialen Dimension der gesamtmenschlichen Wirklichkeit.

Vestigia terent! Derartige Erwägungen hatte ich anzustellen, als ich mich seit 1950 wieder auf das Feld der christlichen Soziallehre und der Sozialethik begab. Sie schienen mir nach 25 Jahren noch unausweichlicher zu sein.

Der Sozialismus der Freiheit

Ich hatte zunächst also die »via negationis« (Weg der Verneinung) beschritten, um mich eines mittelalterlichen Methodenbegriffs zu bedienen, der sich bis heute als nützlich erweist. Nach »links« (Bolschewismus) und »rechts« (Konservativismus und Reaktion) war die »Fahrrinne« (Helmut Thielicke) abgesteckt und gesichert.

Das Entscheidungsproblem hieß jetzt positiv gewendet: Wie hat der wahre, der eigentliche Sozialismus auszusehen? Er müßte ein Sozialismus unter den folgenden Leitbildern sein: erstens denjenigen der *Freiheit,* zweitens dem der *Personalität* des Menschen, welche als unantastbar zu gelten hat, drittens unter dem Leitbild der *Menschenwürde,* viertens dem der sozialen *Partnerschaft,* fünftens dem Leitbild der sozialen *Gerechtigkeit,* für alle Gruppen der Gesellschaft, nicht nur für die Mächtigen und Reichen, denen es sowieso ökonomisch und sozial gut geht, weil sie »oben« sind; sechstens unter dem Leitbild der *Mit*-menschlichkeit der inter- und über-personalen Humanität; siebtens unter dem alles vorstehenden, beherrschenden und durchdringenden Leitbild der christlichen *Humanität,* welche ihrerseits die menschengerechte, sachgerechte und geschichts- oder situationsgerechte Konkretisierung, Verleiblichung und Vergegenwärtigung der *Nächsten-* und *Feindes-Liebe* darstellt, wie sie Christus gelebt und verkündet hat (Matthäus 5.21 ff.; 25,31 ff.; 1. Korinther 13; Römer 12.1 ff.).

Mit dieser »konkreten Utopie« (Walter Dirks) war sofort ein weiteres Problem der »Theologie der Gesellschaft« gegeben, auf das mich natürlich die Rezensenten meiner ersten Entwürfe hinwiesen: es ist die Frage nach dem sogenannten »proprium« der christlichen Ethik und Sozialethik, d. h. nach dem sie allein auszeichnenden »Christlichen«, besser und deutlicher: nach dem Christusbezug der neuen Sozialtheologie bzw. »Theologie der Gesellschaft«. Dieses Problem habe ich von 1955–1970 in immer neuen Anläufen dialektisch zu lösen versucht, weil ja die christliche Ethik kein Ersatz der humanen Ethik sein kann und darf, welch' letztere der »Mann auf der Straße« versteht, z. T. auch anerkennt und für praktikabel erachtet. Im Grunde war ja dies Problem seit den Tagen der Apostel gestellt; ein Blick auf das 4. Kapitel des Philipperbriefes beweist dies schlagend. Denn Paulus legitimiert dort in großer Freiheit die Werte und »Tugenden« der spätantiken Umgangsmoral seiner Zeit. Christen haben diese zu beachten, an diesen Normen des allgemeinen Ethos ihr eigenes Handeln auszurichten, – gerade *sie.*

Darüber steht der höchste Maßstab der Liebe: »Lasset eure Güte kundwerden allen Menschen!« Und die letzte Begründung dieser »Ethik« ist eschatologisch: »Der Herr ist nahe!«

Läßt sich das vielumstrittene Problem überhaupt besser und präziser ausdrücken? Jedenfalls ist es total abwegig, die humanethischen Leitbilder außer Kraft setzen zu wollen. Hier zeigt sich die ganze Enge, Unfreiheit und jammervolle Menschenferne jeder pietistischen rein »evangelikalen« oder rechtgläubigen Ethik. Sie beruht auf einem Selbstbetrug, auf einer frommen Illusion. Die Diffamierung der »bloß« humanen Ethik schlägt auf uns zurück: sie erreicht nämlich nicht den Menschen von heute, inmitten seiner geschichtlichen, sozialen und moralischen Realität. Oder anders gesagt: sie bleibt dem negativen Dualismus verfallen. Sie kann keine Brücken schlagen zum wirklichen Menschen im wirklichen Heute. Darin besteht ihre fromme Ohnmacht.

Dies sind einige der Leitlinien, anhand derer meine Mitarbeiter und ich die neue Konzeption des »Christlich-sozialen« einschließlich der kirchlichen Sozialarbeit aufgebaut haben.

Kritik von allen Seiten

Ja, Kritik gab es von allen Seiten. War diese neue Sozialtheologie oder die »christlichen Gesellschaftswissenschaften« (so die Titulatur des neuen Lehrstuhls und Instituts seit 1955) nicht »links«, nicht »rötlich«? Wurde so nicht die sogenannte angeblich höchst nötige »Neutralität« der Kirche in Stücke zerrissen, die entscheidungslose, jeden konkreten, kritischen Dienst der Kirche an gesellschaftlichen Gruppen und Strukturen ausschließende »Neutralität«? Sie wurde z. B. mit dem Begriff der Volkskirche und ihrem Auftrag, allen zu dienen, begründet.

Schön und gut, aber es ist wirklich nicht einzusehen, warum und wieso hierdurch die in Matthäus 25.31 ff. verbis expressis gebotene Barmherzigkeit in guten Werken an den Nächsten, den Hungernden, den Gefangenen usw. aufgehoben werden könnte, an denen, die an den Rand des Menschseins und der menschlichen Gesellschaft gedrängt und diffamiert werden, wie all die zahllosen Elenden und Ermordeten, deren Qualen und furchtbares Geschick Alexander Solschenyzin im »Archipel Gulag« beschrieben hat, oder wir deutschen Kriegsgefangenen in Rußland zu Stalins Zeiten, diffamiert als Faschisten, als Christen bespitzelt um des Glaubens willen: Ja, es sind die »Verdammten dieser Erde«, wie Karl Marx sie treffend genannt hat, – ihnen allen gilt der Dienst der »gesellschaftlichen Diakonie« der Kirche.

Diesen letzten Begriff will ich noch zur Abrundung erwähnen. Er hat sich im kirchlichen und allgemeinen Sprachgebrauch erstaunlich schnell durchgesetzt, obgleich er von Vertretern der traditionellen Diakonie im »Diakonischen Werk der Evangelischen Kirche« höchst mißtrauisch beäugt, ja sogar strikt, im Namen der »Einzelhilfe« zurückgewiesen wurde, angeblich war er »unevangelisch«, »im Neuen Testament nicht begründet« usw. Diesen Anwürfen lag und liegt selbstverständlich die *individualistische* Tradition der Auslegung und Bergpredigt und der apostolisch-neutestamentlichen Ethik zugrunde. Doch eben *diese* Interpretation muß aus den Angeln gehoben werden. Spricht Paulus etwa nicht von jenen übermenschlichen, dämonischen Gewalten und Mächten, die sich des Menschen und seiner gesellschaftlichen Strukturen bemächtigen, diese sozusagen besetzen, um den ganzen Menschen erfassen, beherrschen und zum Götzendienst verführen zu können?

Jesus seinerseits redet nicht bloß einzelne an, sondern die Jüngerschaft – »ihr seid das Licht der Welt« etc. (Matthäus 5.13 ff.), die Pharisäer, die Sadduzäer, das ganze Volk Israel, – also ist keine Rede von einer individualistischen Ethik. Die eschatologische Reich-Gottes- Verkündigung ist nicht nur auf »einzelne« gemünzt. Dieser isolierte einzelne ist eine protestantische Erfindung, die Pietismus, Romantik und nicht zuletzt Sören Kierkegaard aufs äußerste zugespitzt hatten.

Mir wurde immer klarer, dieser Individualismus müsse ausgetrieben werden, und auch diese kritische Idee gehörte fortan zu den Leitlinien der neuen Theologie der Gesellschaft. Allen traditionsverhärteten christlichen Individualisten war diese neue Konzeption von Herzensgrund zuwider. So hat es dem Verfasser dieser Memoiren seit 1955 an Gegnern und Kritikern aller Arten und Konfessionen wahrhaftig nicht gefehlt, bis zum Erscheinen meiner letzten Ausführungen in den Festschriften für Walter Künneth, Erlangen, und für Joseph Kardinal Höffner in Köln, oder in meiner Schrift »Krisis der Volkskirche – Auflösung oder Gestaltwandel?«, die in den Vorträgen der Rheinisch-Westfälischen Akademie der Wissenschaften (Klasse Geisteswissenschaften 1971) erschienen ist.

Natürlich habe ich manchen Kritikern auch für gute, sachgemäße Hinweise und für berechtigte Kritik zu danken. Meine Münsteraner Institutsmitarbeiter und ich standen doch 1956, ja noch zehn Jahre später, erst am Anfang der Entfaltung und der theologischen sowie sozialwissenschaftlichen Begründung unserer Gedanken.

Es konnte aber und durfte nicht und nie meine Absicht sein, ein »System der Ethik« zu schaffen. Mochte man dergleichen vor und nach dem Ersten Weltkrieg getan haben, – unsere Prinzipien der »Offenheit«, der Situationsbezogenheit, der Einsicht in den dynamischen Wandel der Gesellschaft, besonders seit 1945, der noch heute ununterbrochen anhält, das vor allem von Hermann Ringeling (Bern) entwickelte »Prinzip der Modernität« verbot und verbietet uns die Nachahmung einer heute ganz verfehlt wirkenden Tradition, nach der ich eigentlich hätte »meine Ethik« schreiben müssen.

Dieses m. E. falsche theologische Bewußtsein lag mir meilenfern und es widersprach von Grund auf der ganzen neuen Konzeption von Ethik und Sozialethik, die wir u. E. erarbeiten sollten und mußten. Ein Nachfolger der Wilhelm Hermann, Reinhold Seeberg, später Helmut Thielicke, Wolfgang Trillhaas u. a. konnte ich nicht, durfte ich nicht werden! Der Rückweg in diese protestantische Tradition war für mich verschlossen.

Warum Theologie der Gesellschaft?

Weil die Sache, um die es uns ging, relativ neu war, weil ich nach dem Urteil von Freunden seit 1956 »allerlei in Bewegung gesetzt« hatte, so suchte ich nach neuen Begriffen für die sozialkritische Konzeption. So sprach ich z. B. von »Sozial-Theologie«, um auszusagen, daß es sich ja eben *nicht* nur um Sozial-»Ethik« handeln könne, also nicht nur um die Aufstellung und Ableitung von sozial-ethischen Normen (Maßstäben). Bei einer solchen Normen-Ethik wollten wir, meine Mitarbeiter und Mitstreiter und ich, gerade nicht stehenbleiben.

Mit der altlutherischen Formel »Gesetz und Evangelium« war in unserer Problematik schon gar nichts auszurichten. Dieser Satz befremdet oder erschreckt begreiflicherweise alle traditionsgebundenen lutherischen Theologen. Nur wer die Strukturen, Probleme, Lasten und Nöte der modernen Industriegesellschaft von innen her kennt, sieht sofort, daß derartige, früher einmal gut greifende Formeln heute eine stumpfe und unbrauchbare Waffe sind, die uns – durch ihren unhaltbaren Dualismus – geradezu von den Menschen unserer Gesellschaft entfernen.

Solche uralten Begriffe, mögen sie noch so ehrwürdig sein und durch die große Autorität Luthers gleichsam geheiligt, wirken in einer modernen, kritischen Theologie der Gesellschaft oft geradezu wie die Faust aufs Auge. Denn diese Formeln – nur eine haben wir als Beispiel für viele herausgegriffen – entstammen dem *vortechnischen* Zeitalter. Mit anderen Worten: die große Menschheitswende, die mit den neuzeitlichen technischen Erfindungen beginnt (mechanischer Webstuhl, Dampfmaschine, Zerlegung der Arbeitsvorgänge), ist in diese theologisch-ethischen Begriffe noch gar nicht eingegangen, noch gar nicht in Sicht gekommen, noch gar nicht verarbeitet. Ob Luther, Calvin oder Zwingli: zu ihrer Zeit gab es keine technische Revolution, und also ist von ihrer Begrifflichkeit auch keine Verarbeitung derselben zu erwarten. Dies ist vielmehr unsere, der Heutigen, Aufgabe.

Gewiß hatten es die Reformatoren schon mit den Anfängen der kapitalistischen Wirtschaftsweise und dem dieser entsprechenden Profit-Denken zu tun, mit dem überseeischen Fernhandel mit den neuentdeckten »Goldländern« in Mittel- und Süd-Amerika und dgl. Zu solchen Problemen finden sich sowohl bei Luther als auch bei Calvin höchst bemerkenswerte Passagen gegen den Wucher, über das Zinsproblem überhaupt, über das Verhältnis des Menschen, des Christen, zum Kapital, zum Vermögen, zum Grundbesitz u. a. m. Hier finden sich denn auch bleibende Einsichten von hohem Rang und Wert.

Warum hier die Erwähnung dieser historischen Dinge? Weil die kritische Theologie der Gesellschaft nicht auf dem *einen* Bein des Prinzips der Modernität steht, sondern zugleich auf dem *zweiten* Bein der ökumenischen Tradition der christlichen Soziallehre, die über die Reformation, Thomas von Aquin, Augustin und andere Kirchenväter bis ins Neue Testament zurückreicht: bis zur Bergpredigt (Matthäus 5–7), bis zu Paulus (1. Korinther 5 und 6; Römer 12 und 13 – dies sind nur einige Beispiele), bis zur Ordnungs-Ethik der Pastoralbriefe, in denen die bürgerlich-christliche Ethik, eine Art von »Mittelstands-Ethik«, zum ersten Mal in der Geschichte des Christentums auftaucht.

Wie dem auch sei, diese wahrhaft ökumenische Tradition, auf welche die römisch-katholische Soziallehre so gut angewiesen ist wie die freilich wenig ausgebildete orthodoxe Ethik oder die evangelische Theologie der Gesellschaft, – wir alle, Kirchen und Theologen, haben unsere historische Tiefendimension, unser geschichtliches Woher, eine via vitae (Weg des Lebens), welche Gott die Kirche geführt hat. Wer diese Tradition, wer sein geschichtliches *Woher* verachtet, der muß entgleisen und zwar deswegen, weil er – angeblich ohne Woher – der Zukunftsillusion, der falschen Utopie verfallen wird (es gibt auch eine wahre Utopie, wie uns vor allem Paul Tillich gezeigt hat).

Wollte man also die neue, von mir anvisierte Theologie der Gesellschaft mit dem Argument abschließen, sie sei theologie- und kirchengeschichtlich ohne Grund und Boden, so geht dieser Schuß ins Leere. Er ist auch von solchen abgegeben worden, die von Sachkenntnis ungetrübt waren und die Arbeit unseres neuartigen Instituts bzw. meine Schriften nur vom Hörensagen kannten. Immerhin, auch an mir und meinen Anfängen in Münster seit November 1955 erwies sich das Sprichwort als richtig: aller Anfang ist schwer. Es galt, den dicken Nebel, der uns umgab, von Mißtrauen, Mißverständnissen und Verständnislosigkeit zu durchstoßen und womöglich aufzulösen. Der Anfang des Weges in Münster war hart, steinig und steil. Es mußte viel Schweiß vergossen werden, – und Friedrich Schiller behielt auch in meinem Fall recht: ». . . doch der Segen kommt von oben« (im Lied von der Glocke).

Mehr als neue Worte

War dieser H.-D. Wendland denn ein »Neutöner«, der neue Worte und Formeln für altbekannte Dinge und Wahrheiten einsetzen wollte? War es eine Spielerei mit Worten?

Der herkömmliche Begriff »Sozialethik« konnte mir und uns unmöglich genügen. Denn es ging ja gar nicht nur um sozialethische Normen und Anforderungen, wie oben schon angedeutet, sondern um die *vorgängige,* theologisch-sozialkritische Analyse der Strukturen, der Baugefüge der modernen Gesellschaft. Wir konnten dies Geschäft nicht auf die Sozialwissenschaften abschieben; denn die Theologie kann eben nicht unkritisch deren Vor-Entscheidungen und Vor-Urteile akzeptieren. Eine mißverstandene und entstellte Zwei-Reiche-Lehre wollte uns solchen Dualismus des Verfahrens empfehlen. Aber dagegen setzte ich mich energisch zur Wehr; ich fand Waffenhilfe bei Karl Barth und einigen seiner Schüler, bei Ernst Wolf und Helmut Gollwitzer. Mit Ernst Wolf arbeitete ich seit 1951 im Deutschen Ökumenischen Studienausschuß zusammen, dort habe ich ihn hochschätzen gelernt. Er wahrte zunächst kühle Distanz; als scharfer Polemiker war er mir seit langem aus seinen Arbeiten bekannt. Aber seine staunenswerte Gelehrsamkeit, sein Scharfsinn, seine Kenntnis der ökumenischen Gesamt-Problematik machten ihn zu einem unschätzbaren Ratgeber des oben genannten Gremiums, einem der besten, die es je gehabt hat.

Universal und konkret zugleich mußte der neue Begriff sein –, also: Theologie der

Gesellschaft mit dem Ausblick auf den Horizont der Menschheit, konkret im Eingehen auf die Einzelheiten einer begrenzten, geschichtlich-gesellschaftlichen Situation bis hin zur Einzel-Existenz des arbeitenden Menschen.

Heins Eduard Tödt (Heidelberg) hat vor langen Jahren in der Zeitschrift für Evangelische Ethik (seit 1957; ich gehöre zu ihren Mitbegründern) den traditionellen Begriff der Sozialethik gegen mich verteidigt, doch ich konnte ihm nicht folgen. Auch meine öffentliche Antrittsvorlesung an der Universität Münster (1956) über »das System der funktionalen Gesellschaft und die Theologie« ging den oben bezeichneten Weg entschlossen und folgerichtig weiter.

Ich meine auch zu sehen, daß H. E. Tödts eigene Arbeiten und seine Entwicklung seit dem Ende der fünziger Jahre mir inzwischen Recht gegeben haben. So ist doch ein christlich-theologischer Beitrag zur vieldifferenzierten heutigen Friedensforschung nur möglich unter der Bedingung der Universalität des christlichen Denkens, also müssen die allzu engen Grenzen der Sozial-Ethik entschieden überschritten werden.

Hatte Paul Tillich schon in den zwanziger Jahren in großartigen Entwürfen von der »Theologie der Kultur« gesprochen, so redete ich jetzt seit 1955 von der Theologie der Gesellschaft. Mit Recht hatte Tillich diese Theologie der Kultur keineswegs auf Ethik beschränkt, dasselbe gilt von seiner Konzeption des religiösen Sozialismus, die auf eine umfassende, sozialkritische Analyse der kapitalistischen Wirtschaft- und Unternehmer-Gesellschaft tendierte und einen neuen Sozialismus umschrieb, der nicht mehr im bürgerlichen Materialismus und Rationalismus des Zweiten Kaiserreichs hängenblieb, und sich entschieden von dem romantisch-konservativen »Ursprungsmythos« absetzte (Blut und Boden, Rasse, Verklärung des Nationalstaats usw.)

Auch bei Tillich ging also der Weg zwischen abgewiesenen Abgleitungen hindurch, in der »Mitte«. Diese hat aber nicht mit faulen Kompromissen zu tun, nicht mit den Schwankungen des ewig Unentschiedenen, – es ist die schöpferische Mitte, der geschichtliche Ursprung eines so noch nie dagewesenen »Sozialismus«, der weder mit dem Revisionismus aus dem Anfang unseres Jahrhunderts noch mit den alten »Christlich-Sozialen«, noch gar mit dem totalitären russischen Kommunismus etwas zu tun hat. Vielmehr ist Tillich ein großartiges Vorbild, dem nachzustreben ich mich bemühte. Umsonst ist unsere Mühe offensichtlich nicht gewesen. Die in Gang gesetzte Theologie der Gesellschaft gewann an Boden; sie differenzierte sich: Neue Schüler und Mitarbeiter brachten neue Probleme und Ideen hinzu.

Wir hatten wohl alle das Gefühl, in einen dynamischen, unbeirrbar fortschreitenden Lern- und Wachstums-Prozeß hineingeworfen zu sein. Glückliche Jahre! »Die Wissenschaften blühen, es ist eine Lust zu leben« (Ulrich von Hutten).

Ein Bauplan für das Institut

Die Firmenbezeichnung »christliche Gesellschaftswissenschaften« war gewählt worden in Anlehnung an das Schwester-Institut »für katholische Sozialwissenschaften«. Man hatte aber m. E. glücklicherweise eine konfessionelle Note vermieden; dafür war ich dankbar; denn zu meiner ökumenischen Haltung und Arbeit (seit 1934) paßte nun einmal der Konfessionalismus ganz und gar nicht, in keiner Form. Das schuf dem Institut und mir viele Freunde (von Kyoto in Japan über Kopenhagen, Straßburg und Zürich in Europa bis nach Madras in Südindien). Die deutschen Konfessionalisten, die noch immer nicht die alten Latten und Zäune von ihren lutherischen oder reformierten Sonder-Grundstücken wegräumen konnten oder wollten, – waren dem Institut, seinen Mitarbeitern und mir nicht »grün«. Ich erwiderte solchen Kritikern, ich verträte ein »ökumenisch aufgeweichtes Luthertum«.

Dies war insofern korrekt, als ich ja tatsächlich aus der Tradition einer lutherischen Kirche und Theologie stammte, doch wie oben dargestellt, hatte die Ökumene schon seit 1925, vollends seit der Pariser Studienkonferenz von 1934, mein Herz längst gewonnen.

Damit war auch die Marschrichtung des Instituts in dieser Hinsicht eindeutig klar und festgelegt.

Ursprünglich war eine Assistentenstelle vorgesehen. Diese erhielt nach seiner Promotion in Münster Dr. Trutz Rendtorff, der mir aus Kiel gefolgt war, der jüngste Sohn des Kieler Professors der Praktischen Theologie D. Heinrich Rendtorff, weithin bekannt durch seine volksmissionarische Arbeit. – Aber beide Institute wuchsen im Laufe der Jahre. Was dem einen recht ist, ist dem anderen billig. Schließlich verfügten wir über drei Assistentenstellen, eine für einen Akademischen Rat bzw. Oberrat, zwei bis drei wissenschaftliche Hilfskräfte und mindestens ebensoviele studentische Hilfskräfte, endlich eine Mitarbeiterin (Sekretärin) im Geschäftszimmer. Die »Wissenschaftlichen« Hilfskräfte sind natürlich auch Studenten, haben aber eine längere Arbeitszeit im Institut und sind gemeinhin höhere Semester. Sie haben viel für die Bibliothek, die Zeitschriften u. a. zu tun.

Entsprechend dem über die »kritische Theologie der Gesellschaft« oben Gesagten gliederten wir das Institut in mehrere Hauptreferate:

1. Protestantismus und Politik, theologische Ethik des Politischen; die reformatorischen Lehren über Staat und »Obrigkeit«. Dies Referat fiel Dr. Dr. Theodor Strohm zu (jetzt Professor in Zürich).
2. Sozialwissenschaften, im besonderen allgemeine Soziologie, Religions- und Kirchensoziologie. Dies Referat verwaltete Dr. Karl-Wilhelm Dahm, mein jetziger (zweiter) Nachfolger auf meinem alten Lehrstuhl.
3. Ethik der Sexualität, des Eros und der Ehe; Begründung der Ehe in ihrer neuzeitlichen Krisis mit Neubildung der theologischen Tradition; das Gespräch der Konfessionen, Kirchen über das christliche Verständnis der Ehe; Soziologie der Fami-

lie. In diesem Problembereich arbeitete Dr. Hermann Ringeling (jetzt Professor der christlichen Ethik und Anthropologie in Bern).

4. Wirtschaftswissenschaften und theologische Wirtschaftsethik: Dr. Hartmut Weber, Akamischer Rat. Dieser war und ist der Wirtschaftsfachmann in unserem Kreise, doch bei Ernst Wolf u. a. auch zum »Laien-Theologen« gebildet und erzogen.

Als Günter Brakelmann zu uns stieß, widmete er sich dem großen Problembereich Protestantismus und Sozialismus.

Es wäre ungut gewesen, die Arbeitskräfte und -möglichkeiten des Instituts über diese Problemgebiete hinaus auszudehnen. Außerdem muß man sich der Begabung, dem Interesse und der Neigung der Mitarbeiter anpassen. Man muß das arbeiten in den Wissenschaften, was den Betreffenden Freude macht, dann wird man auch produktiv sein. Hiernach sind wir verfahren, und zwar mit dem besten Erfolg, zu unserem und anderer Nutzen. Theodor Strohm hat einmal – sei es bei seiner Habilitation in Münster, sei es aus Anlaß des 70. Geburtstages des Verfassers – gesagt: »In unserem Institut hat die Hochschulreform gleich bei seiner Begründung stattgefunden.«

Das ist wahr, und wir dürfen uns heute, nach 20 Jahren, diesen Ausspruch zur Ehre anrechnen. Denn ich legte unserer und meiner Arbeit die folgenden Prinzipien zugrunde:

1. Das Prinzip der Freiheit. Jeder Mitarbeiter sollte seine wissenschaftlichen Fähigkeiten frei entfalten können. Der Assistent ist nicht dazu da, bloß dem Herrn Direktor zuzuarbeiten.

2. Das Prinzip der Partnerschaft anstelle der sonst 1955 noch allgemein üblichen hierarchisch-autoritären Stufung mit den entsprechenden Verhaltensweisen. Also Kooperation auf der Basis der Gleichheit. Denn angesichts der wissenschaftlichen Aufgabe und im wissenschaftlichen Erkenntnisvollzug sind Lehrer und Schüler gleich, Direktor und Assistent haben die gleiche Basis, ein- und denselben Ausgangspunkt des Denkens und der Methode.

Das bedeutet: die alte Ordinarien-Hierarchie und Hegemonie haben wir nicht mehr anerkannt, obwohl noch alle unsere Universitäten damals in dieser schon 1955, geschweige denn 1960 überlebten, weder zeit- noch sachgerechten Struktur verharrten, – zu ihrem eigenen schweren Schaden weder reform-willig noch aus eigener Kraft reform-fähig.

Da unser Institut nicht in die Reihe der Theologischen Seminare einbezogen worden war – worauf ich bei meiner Berufung großes Gewicht gelegt hatte –, konnten wir uns in der Tat die *Freiheit* zur *Freiheit* leisten. Studenten, Assistenten, Mitarbeiter und Direktor: sie alle hatten Nutzen und Vorteil davon. Wir haben gern zusammengearbeitet und die Arbeit – an verschiedenartigen Problemen und Gegenständen – hat uns Spaß gemacht. So soll es sein, und ich sehe mit Dankbarkeit und Freude, daß diese Art, dieses Verhalten, diese »Gründer-Tradition« auch noch 1976 voll lebendig ist.

Ein schwerer Anfang

Als ich in Münster in meinem ersten Semester über »Die Theologie des Staates und des Politischen« las, hatte ich ganze fünf Hörer. Damals befanden wir uns auf dem Höhepunkt der Herrschaft der Exegese und hermeneutischen Theologie. Ja, die ganze Theologie schien sich in reine Hermeneutik aufzulösen. Die Sozialethik war entweder unbekannt oder mißachtet, ein völlig überflüssiges Anhängsel an die traditionellen Hauptfächer der Theologie, an die man gewöhnt war. Man begriff gar nicht, welche Fülle wahrhaft erregender Probleme eine modern aufgefaßte Sozialethik in sich barg. Erst Mitte der sechziger Jahre änderte sich diese Lage merklich. Nun füllten sich meine Seminare, »man ging« jetzt zu Wendland. Vorher hatte ich 10 bis 15, in einigen Fällen auch 20 oder 22 Mitglieder im Seminar gehabt, für die gemeinsame Arbeit eine ausgezeichnete Zahl. Da konnte ich jeden einzelnen zur Mitarbeit heranziehen. Je nach dem Thema, das wir gewählt hatten, unterstützten mich abwechselnd die Assistenten. Nach meinen eigenen schlechten Erfahrungen als Student in Berlin hielt ich nichts von langen Referaten der Studenten, vielmehr bevorzugte ich das lebendig hin und her gehende Arbeitsgespräch, bei dem jeder zu Worte kam und befragt wurde. Natürlich hat es auch Kurzreferate mit Themen, die ein Student überschauen konnte, gegeben. Wir sprachen über Krieg und Frieden, das Kommunistische Manifest, die lutherische Zwei-Reiche-Lehre, den religiösen Sozialismus, die Theologie des Politischen, die soziale Struktur der Kirche, die Strukturen der modernen Industriegesellschaft, die theologischen Grundlegungsfragen der Sozialethik u. a. Die Zahl der Schüler und Doktoranden mehrte sich mit den Jahren erheblich. Ein wohlwollender Freund sagte zu mir: »Wendland, Sie müssen eine Schule bilden!« Aber auf eine »Wendland-Schule« habe ich nie Wert gelegt, wohl aber auf eine größere Schülerschar.

Aufs Ganze gesehen hatte ich mit der Berufung nach Münster großes Glück. Ein Neuanfang mit 55 Jahren – wem ist dies wohl vergönnt?! Zugleich bedeutete dieser Neuanfang die Erschließung eines riesigen Arbeitsfeldes. Um so wichtiger war es, daß ich junge Mitarbeiter und Mitstreiter bekam, denn die Erschließung des unbeackerten Landes überstieg die Kräfte eines einzelnen bei weitem. Da war der allmähliche Ausbau des Instituts eine wertvolle Hilfe. Parallel-Institute gab es in Tübingen und Marburg, Lehrstühle dagegen mehrere, so z. B. in Berlin, Bochum, Bonn und München. An den meisten Fakultäten ist die Sozialethik immer noch an die systematische Theologie angebunden. Dort kann sie aber gar nicht zu der freien, höchst notwendigen Selbstentfaltung gelangen. Dies muß unbedingt geändert werden. Erfreulicherweise ist in jüngster Zeit eine engere Zusammenarbeit der sozialethischen Institute und Lehrstühle in Gang gekommen. Damit wird auch die dringend erforderliche Aufgabenteilung ermöglicht. Innerhalb der Ökumene ist die deutsche Theologie in der sozialethischen Arbeit viel zu schwach vertreten, obwohl es doch gerade hier eine Fülle höchst lehrreicher Probleme gibt, man denke nur an die enge Verbindung des Rassengegensatzes mit sozialem Widerstreit und kulturellen Differenzen wie etwa in der Südafrikanischen Union. Hoffentlich gelingt es in Zukunft besser und gründlicher als bisher , diesem Mangel abzuhelfen. Die langsam werdende Einheit der Kirche muß sich auch in der wachsenden Einheit des sozialethischen Denkens und Handelns realisieren. Die großen Probleme, die unsere technisch-wissenschaftliche Zivilisation aufgeworfen hat, gehen quer durch alle Nationen, Kontinente und Kirchen hindurch und sind daher heute uns *allen* aufgegeben.

Belastungen bei der Berufung

Mit Berufungen hat man begreiflicherweise nicht immer Glück, zumindest nicht in dem Maße, wie es mir mit der Berufung nach Münster zuteil wurde. In Heidelberg und Hamburg konnte ich nicht Ordinarius für Neues Testament werden, weil ich nicht das richtige »Gesangbuch« hatte. In Hamburg kam ich nicht in Frage, weil ich kein richtiger, höchstens ein ökumenisch aufgeweichter Lutheraner war, in Heidelberg nicht, weil ich nicht der Bultmann-Schule angehörte. An einer dritten Fakultät wäre es vielleicht mein Fehler gewesen, kein Barthianer zu sein. So saß ich also zwischen sämtlichen Stühlen. Bei der Berufungspolitik in den Fakultäten spielte die Schulzugehörigkeit eine erhebliche Rolle. Jetzt wurde nicht mehr nach »positiv« oder »liberal« gefragt, sondern, ob man zur Barth- oder zur Bultmann-Schule gehörte. Glücklicherweise stellte es sich heraus, daß zwischen den Thronen der von ihren Schülern umgebenen Schulpatriarchen noch sehr viel Platz für mein theologisches Stühlchen vorhanden war. So konnte letzten Endes dieses höchst fragwürdige und ärgerliche Schuldenken meiner akademischen Laufbahn und Arbeit nicht schaden. Eine gewisse Befriedigung darüber, daß dem so war, kann ich nicht unterdrücken, und daß ich auch ohne die Hilfe solcher Schulen meinen Weg gemacht habe und »etwas geworden« bin, wie ein verständnisvoller Freund es ausdrückte. Man hatte natürlich immer Argumente bei der Hand. Entweder hieß es, man sei zu alt, der Finanzminister würde eine derartige Berufung ablehnen, oder man habe angeblich nicht genug geleistet oder publiziert und dergleichen mehr. Oft waren das nur Scheinargumente, die der betreffenden Schule und ihrem Kandidaten zum Siege verhelfen sollten. Es ist gar nicht zu leugnen, daß es in diesen Schulen tüchtige, ja bedeutende Männer gab und gibt. Das ist aber kein Grund, die Schulzugehörigkeit zum ausschlaggebenden Urteilsgrund zu erheben. Im Gegenteil, eine solche Verfahrensweise ist – weil zutiefst unsachlich – verfehlt und gefährlich. Muß denn, weil in einer Fakultät ein Bultmann-Schüler sitzt, der nächste freiwerdende Lehrstuhl alsbald wiederum mit einem Mann derselben Schule besetzt werden? Das ist doch Unfug! Oder muß der Lehrstuhl eines lutherischen Dogmatikers wieder mit einem dezidierten Lutheraner besetzt werden? Unsinn! Können nicht zwei Gelehrte von ganz verschiedener Farbe, theologischer

Herkunft und Arbeitsweise einander vortrefflich ergänzen? Gerade die Verschieden-
heit könnte eine Fakultät bereichern und anziehend machen. Durch die bornierte
Schulpolitik ist viel Unglück angerichtet worden. Natürlich hätte ich mich einer der
großen Schulen anschließen können, vielleicht hätte man mich dort gern aufgenommen und willkommen geheißen. Das lag aber nun einmal nicht in meiner Art und war
nicht das Gesetz, nach dem ich angetreten und dem ich folglich nicht entfliehen konnte. In meinem Fall war es gut, daß ich meiner Art gehorchte und darum auch meine
Bestimmung erfüllen und mein Ziel erreichen konnte, soweit dies auf Erden möglich
ist. Zudem liegt klar auf der Hand, daß ich weder in der Barth- noch vollends in der
Bultmann-Schule das hätte verwirklichen können, was ich unter »Theologie der Gesellschaft« verstand. Denn beide Schulen boten keine Voraussetzungen für diese Art
von Sozialethik, was aus meinen Schriften klar hervorgeht. Eine Rückkehr in den lutherischen Traditionalismus war mir erst recht unmöglich. Heute gibt es keine großen
Schulen und Herrschergestalten in der Theologie mehr. Das hat auch sein Gutes, obwohl wahrlich gegen große Theologien nichts einzuwenden ist. Aber die, die sich an
die Großen hängen, sind oft vom Übel, weil sie – wie abwegig! – aus der Größe des
Meisters Schulgrenzen herausziehen.

Der sechzigste Geburtstag

Der sechzigste Geburtstag (22. Juni 1960) ist eine wichtige Wegmarke, ein Tag des
dankbaren Rückblicks und der kritischen Selbstprüfung. Die gesamte Fakultät, ange-
führt vom Dekan, erschien zur Gratulation. Wir hatten kaum Stühle genug. Friedrich
Karrenberg, Fabrikant in Velbert (Rheinland) und Vorsitzender des Sozialethischen
Ausschußes der Rheinischen Kirche sowie Professor Wolfgang Schweitzer von der
Theologischen Hochschule Bethel überreichten mir eine reichhaltige Festschrift mit
dem Titel »Spannungsfelder der evangelischen Soziallehre«, an der viele Freunde und
Kollegen mitgearbeitet hatten. Sie ist noch heute lesenswert. Das kollegiale Klima in
Münster war ausgezeichnet, und ich habe schnell gute Kontakte gefunden, auch über
die eigene Fakultät hinaus, so z. B. zu dem Philosophen Joachim Ritter, dem Althi-
storiker Erich Stier, dem Juristen Hans Julius Wolff und später zu dem Staatsrechtslehrer Friedrich Klein. Aus dem Kontakt mit Klein entwickelte sich eine regelrechte
Freundschaft, die bis zu seinem frühen Tod bestand.

Universitätsreform?

In den Jahren nach dem Zweiten Weltkrieg hatte sich die Westfälische Wilhelms-Universität sehr stark ausgeweitet, was zum guten Teil auf eine Reihe glücklicher Berufungen zurückzuführen ist. Heute zählt die Universität etwa 30 000 Studenten, sie ist damit die zweitgrößte der Bundesrepublik (1976) und vor eine Fülle unlösbarer Probleme gestellt, sowohl in Lehre, Didaktik und hinsichtlich der Studienpläne als auch der Unterbringung der Studenten, die zum Teil erhebliche Entfernungen zurückzulegen haben, da sie weit draußen auf dem Lande wohnen. Das Ganze bietet den trostlosen Anblick einer Universität, wie sie nicht sein soll. Sie droht zu einer Massenabfütterungsanstalt herabzusinken und zudem durch verfehlte Konstruktionen in ihrer Verfassung die Universitätslehrer mit einer unbeschreiblichen Fülle von Sitzungen und Verwaltungsarbeit zu überlasten. Spätestens Anfang der sechziger Jahre hätte man eine Konzeption zur durchgreifenden Hochschulreform erarbeiten müssen. Aber die Professorenschaft und die Hochschulverwaltungen haben allenthalben gegenüber dieser großen Aufgabe versagt. Das Ergebnis ist das heutige Chaos. Auf das Ideal der alten Humboldtschen Universität vor 1933 eingeschworen, hat man den Wandel der Zeit und der Gesellschaft nicht begriffen. Mit den Studentenunruhen von 1968 endete unwiderruflich die ruhmreiche Geschichte der alten deutschen Universität. Ob die neue, formlos und hilflos wie sie ist, auch nur annähernd so wissenschaftlich produktiv und gestaltungskräftig sein wird wie die viel beschimpfte alte, steht dahin. Eine Vorhersage kann ich nicht wagen. Der Konservativismus der überwiegenden Mehrheit der Professoren hat sich bitter gerächt, und die revolutionär-radikalen Tendenzen in einem Teil der Studentenschaft waren und sind die historisch notwendige Antwort darauf. Die heute betriebene »Demokratisierung« führt allerdings zu einer Polarisierung der Gruppen und damit unweigerlich zur Paralysierung des gesamten Organismus.

Vorlesungen und Wirkungen

Wenn man 60 Jahre alt geworden ist, liegt der größte Teil des Lebens und der Arbeit schon hinter einem. Ich erwog, was noch getan werden könnte, falls Gott mir noch zehn oder zwölf Jahre hinzuschenken würde. In meinen Vorlesungen wollte ich wie bisher die Sozialethik in der Verklammerung mit den drei Hauptthemen Gesellschaft, Wirtschaft, Staat behandeln. Dies hatte sich bewährt. Dazu waren kleinere Spezialvorlesungen getreten und eine außerordentlich hohe Zahl von Vorträgen in den verschiedensten Organisationen und Institutionen bis in die Ökumene hinein. Von der Sexual- und Familienethik angefangen bis zur Wirtschaftsethik und zur Theologie des

Politischen kamen alle Probleme und Nöte unserer Gesellschaft zur Sprache. Ich gab der bekannten These von Karl Marx, daß die Welt nicht interpretiert, sondern verändert werden müsse, eine christliche Deutung. Die Kategorie der Veränderung in Hinsicht auf Freiheit, Gerechtigkeit, Partnerschaft und Humanität trat entscheidend in den Mittelpunkt, desgleichen die reale, geschichtlich zu verwirklichende Humanisierung der Gesellschaft. Solche Grundgedanken fanden in den sechziger Jahren eine gute Aufnahme und Verbreitung, besonders unter jüngeren Theologen. An der allzu einfachen Entgegensetzung von Kirche und Gesellschaft in meinem Buch »Die Kirche in der modernen Gesellschaft« konnte ich freilich nicht mehr festhalten. An deren Stelle mußte eine differenzierte Dialektik treten, wie ich in meiner O. von Nell-Breuning gewidmeten Abhandlung »Über die Einheit von Kirche und Gesellschaft« aufgezeigt habe. Meine zweimal gehaltene Vorlesung über »Atomwaffen und christliche Ethik« fand guten Zuspruch. Doch hätte man annehmen sollen, daß bei diesem höchst aktuellen und existentiellen Thema noch sehr viel mehr Hörer erschienen wären. Mein Freund, der Physiker und Mathematiker Dr. Günther Howe, hatte auf diesem Gebiet besonders viel zu sagen. Er gab das eine Zeitlang führende Sammelwerk »Atomzeitalter – Krieg und Frieden« heraus. In den sechziger Jahren versuchte ich, in immer neuen Anläufen dem Begriff der »Veränderung« und der »realen Utopie« für die irdische Zukunft der Gesellschaft eine christliche Fassung und Begründung zu geben, wie z. B. in meiner »Einführung in die Sozialethik« (1963, 2. Aufl. 1970), oder in dem Buch »Die Kirche in der revolutionären Gesellschaft« (1967, 2. Aufl. 1968). Für das Verhältnis von Personen und Gruppen in der durchweg rationalisierten Gesellschaft der Gegenwart führte ich den Begriff »Partnerschaft« ein und entwickelte an diesem wie an anderen das dialektische Verhältnis von humaner und christlicher Ethik.

Auch jetzt blieb mein Interesse beim Handeln der *Kirche* an und in der Gesellschaft. Ich beschrieb daher u. a. die Rolle und Bedeutung des Kirchenbegriffs in der Sozialethik. Das Verhältnis und Verhalten der Kirche zur Gesellschaft faßte ich in den Begriff der »gesellschaftlichen Diakonie« zusammen, der seither allgemein üblich geworden ist und die am Einzelfall orientierte, karitative Diakonie ergänzt, ein dringendes Erfordernis in der heutigen Gesellschaft. Im Laufe der Jahre prägte sich mein christlicher Realismus schärfer aus, weil ich die tiefen Schäden der modernen Gesellschaft, insbesondere des Spätkapitalismus immer besser erkannte. Leider war es mir nicht mehr vergönnt, solchen Gedanken systematischen Ausdruck zu geben.

1957 gründete ich mit einigen Freunden und Kollegen, darunter Klaus von Bismarck, Friedrich Karrenberg und Wolfgang Schweitzer, die noch heute erscheinende »Zeitschrift für evangelische Ethik«. In ihr wurde eine große Arbeitsfülle an prinzipiellen und aktuellen Problemen behandelt. Daher ist sie für viele – gerade auch Nicht-Theologen – zu einem unentbehrlichen Hilfsmittel geworden. Dieser Zeitschrift stellte sich die Schriftenreihe »Studien zur evangelischen Sozialtheologie und Sozialethik« zur Seite. Sie fand viele Leser und stand auch guten Dissertationen offen.

Langsam, aber stetig nahm die Zahl der jungen Theologen zu, die sich für die Sozialethik interessierten. Die »Studien zur evangelischen Ethik«, die Rendtorff, Tödt und ich herausgeben, bilden die Fortsetzung der älteren Reihe. Ich arbeitete mit dem Furche-Verlag, dem Gütersloher Verlagshaus Gerd Mohn, dem Verlag Vandenhoeck & Ruprecht und erfreulicherweise auch mit dem katholischen Verlag Bachem zusammen. Ohne die ökumenische Bewegung wäre letzteres nicht möglich gewesen, es zeigt den Wandel der Zeiten an. Heute arbeiten mehrere evangelische und katholische Verlage eng zusammen.

Im Spätsommer 1959 führte mich mein Weg zum ersten Mal in meinem Leben nach Griechenland. Auf den Höhen über Saloniki fand in einem großen, wegen der Ferien leerstehenden Schulinternat eine ökumenische Studien- und Experten-Konferenz statt. Ihr Thema waren die durch den »raschen sozialen Umbruch (rapid social change)« hervorgerufenen Fragen. Es waren etwa 120 Teilnehmer versammelt. Unsere Gedanken waren vor allem auf Afrika, Asien und die großen dort stattfindenden Umwälzungen gerichtet. Ich hielt das einleitende Referat über den kritischen christlichen Humanismus und versuchte, eine für alle annehmbare Basis zu schaffen. Die Konferenz eröffnete vielen von uns, auch mir, neue Horizonte. Wir sahen, daß wir neue Kategorien brauchten, um die anstehenden gewaltigen Fragen behandeln und bewältigen zu können. Nach dieser höchst bewegenden Konferenz besuchte ich Athen, wo mich ein griechischer Schüler von mir aufs freundlichste beherbergte, ferner Eleusis, Alt-Korinth, Delphi und das Kloster Hosios Lukas mit seinen eigenartigen Mosaiken. Ich schritt über den Markt von Korinth, über den einst Paulus geschritten war, dessen Briefe an die korinthische Gemeinde ich meinen Studenten so oft ausgelegt hatte. Hier wurden mir die Spätantike und die ersten christlichen Gemeinden lebendiger als je zuvor. Auf den Stufen der antiken Tempel begriff ich die ungeheure Macht der alten Götter. Wie recht hatte doch Adolf Deissmann, wenn er von der schier unendlichen Bedeutung der *Anschauung* solcher Stätten für die Exegese des Neuen Testaments sprach. Neben der Akropolis machte Delphi den stärksten Eindruck auf mich. In der Morgenstille, vor den Touristenströmen, betrat ich die alten Stätten, überwältigt von ihrer Schlichtheit und Größe.

Auch in Münster wurde ich dem Neuen Testament nicht untreu. Ich las wieder über die Korintherbriefe und hielt eine ganz neu erarbeitete und dem Gedenken an Martin Dibelius gewidmete Vorlesung über die Ethik des Neuen Testaments. Sie ist 1970 im Druck erschienen und erlebte 1975 ihre zweite Auflage. Inzwischen ist auch eine französische, italienische und portugiesische Ausgabe des Buches erschienen.

Die Konferenz in Saloniki war eine Art Vorstufe zu der großen Genfer Konferenz vom Juli 1966, die über 400 Fachleute, Soziologen, Politologen, Wirtschaftswissenschaftler, Theologen, Pädagogen usw. sowie Teilnehmer aus zahlreichen Kirchen und Ländern in sich vereinigte. Zum ersten Mal in der Geschichte der Ökumene stellte die »Dritte Welt« mehr als die Hälfte der Teilnehmer, so daß man deren Problemen endlich gerecht werden konnte. In Genf wurden fast alle großen Probleme unseres für Gesellschaft und Kirche so revolutionären Zeitalters behandelt. Ich hatte einen der drei Einleitungsvorträge zu halten und sprach über »Kirche und Revolution«. Es ging mir vor allem darum, endlich ein positives (d. h. nicht unkritisches) Verhältnis der Kirche zur Revolution zu gewinnen und über die begrenzten älteren Begriffe von Revolution hinaus die Wirklichkeit der heutigen *totalen* Revolution zu erfassen. Es gab hitzige Debatten. Die fast nur aus Laien bestehende Konferenz zeigte große christliche Urteilsreife und gab gute Analysen der überaus verwickelten Probleme. Ich meine, daß die zum Teil vortrefflichen Einsichten und Anregungen dieser Konferenz bei weitem noch nicht ausgeschöpft sind. Natürlich mußte man in mehreren Sektionen und Subsektionen arbeiten, um die Vielzahl der Probleme aufgliedern zu können. Die Kirche muß sich freihalten von der einseitigen Bindung an die Vergangenheit, ohne andererseits der Utopie der absoluten Revolution zu verfallen. So spielte denn auch das heute noch immer heiß umkämpfte Problem der Gewaltanwendung in der Revolution eine große Rolle. Eine jahrelange Debatte über die Zulässigkeit, die Grenzen und die Mittel der Revolution war die Folge dieser höchst instruktiven Genfer Tagung. In Europa wie in der »Dritten Welt« erhob sich die Woge der »politischen Theologie«. Das Ergebnis all dieser Auseinandersetzungen darf jedoch keineswegs eine politisierte Theologie sein. Allerdings müßte eine weltferne abstrakte Transzendenz-Theologie und -Ethik künftig ausgeschlossen werden.

Allmählich wurde unser Institut in Münster im Lande und über seine Grenzen hinaus bekannt. Meine Mitarbeiter stießen in die verschiedensten Richtungen vor. Die Zahl und Thematik ihrer zahlreichen Veröffentlichungen zeigen am besten, was sie dachten und arbeiteten. Wir kooperierten ständig mit vielen kirchlichen und profanen Organisationen und hielten zahlreiche Vorträge, u. a. auf den Evangelischen Akademien. Lange Jahre hindurch war ich Mitarbeiter beim Sozialamt für die Evangelische Kirche von Westfalen, besonders auf Kursen für junge Gewerkschaftler, die von uns in die evangelische Sozialethik und Sozialarbeit eingeführt wurden. In Arbeitsbeziehungen stand ich auch mit der Evangelischen Sozialakademie Friedewald (Westerwald). Dort versuchte ich vor allem, den evangelischen Sozialsekretären eine Konzeption ihres Dienstes in der Vermittlung zwischen Kirche und Gesellschaft zu geben. So blieb vieles in mir lebendig, was ich von 1925 bis 1929 auf der alten Ev.-sozialen Schule im Ev. Johannesstift gelernt hatte. Im Oktober und November 1955 hielt ich vor Theologiestudenten aus vielen Ländern und Kirchen im Ökumenischen Institut Bossey bei Genf sechs Wochen lang Vorlesungen über Kirche und moderne Gesellschaft. Besonders fruchtbar waren Seminare und Gespräche. Die Vielfalt der Denktraditionen sowie die Eindeutigkeit und Gleichheit der uns fordernden Gegenwartsprobleme durchdrangen sich gegenseitig. Das machte diese Arbeit so ungemein interessant und ergiebig. Ich trug in Bossey die Grundzüge meines Buches »Die Kirche in der modernen Gesellschaft« vor. Die Zuhörer aus Afrika und Amerika fesselte offenbar die Verbindung des ökumenischen Denkens mit den großen Traditionen der europäischen Christenheit in besonderer Weise. In den Pausen genoß ich den Anblick des Genfer Sees, der hinter den alten Mauern des Schloßgartens im Sonnenglanz aufleuchtete.

1961 wurde ich durch den damaligen Ministerpräsidenten Meyers in die »Arbeitsgemeinschaft für Forschung des Landes Nordrhein-Westfalen« (Klasse Geisteswissenschaften) berufen. Sie wurde später in die Rheinisch-Westfälische Akademie der
Wissenschaften umgewandelt. Ich hörte dort viele erstklassige Vorträge und gewann
wertvolle Kontakte zu bedeutenden Gelehrten wie dem Staatsrechtler Ulrich Scheu-
ner oder dem Philosophen Ludwig Landgrebe. Auch Joachim Ritter, Erich Stier und
Karl Heinrich Rengstorf begegnete ich von neuem in diesem Kreis. Ich selbst sprach
in der Akademie über die Themen »Christlich-sozial«, »Die ökumenische Bewegung
und das Zweite Vatikanische Konzil« sowie über »Die Krisis und den Gestaltwandel
der Volkskirche«, womit die evangelische gemeint war, da auf katholischer Seite eine
genaue Entsprechung fehlt. Diese drei Vorträge sind in der Vortragsreihe der Akademie erschienen.

Mitarbeit in der Kirche

Mit der Diakonie blieb ich auch in Münster in guten Beziehungen. Oft war ich Gast
im Diakonissenmutterhaus mit Predigten und Vorträgen. Mit der vortrefflichen
Oberin Dorothea Petersmann verbanden mich viele gemeinsame Überzeugungen.
Über die Zukunft dieses aussterbenden Standes gab sich diese klarblickende Frau keinen Illusionen hin. Die Neubildung einer kleinen geistlichen Gemeinschaft, die sich
selbst regiert und verwaltet, also des patriarchalischen Vorstehers nicht mehr bedarf,
und dies in neuen Formen auf dem Boden der Freiheit, oder ein weltlicher Verein be-
rufstätiger Frauen wie andere auch, – dies schien mir die Alternative zu sein, zu der
man sich trotz gewisser Einzelreform noch nicht durchgerungen zu haben scheint.
    Seit Anfang der fünfziger Jahre kämpfte ich zusammen mit Theologen wie Ernst
Wolf u. a. sowie mit hervorragenden Frauen wie Christine Bourbeck und Elisabeth
Haseloff um die Durchsetzung des Pastorinnenamtes. Überhaupt war ich für die
Theologinnen als eine Art theologischer Patron tätig. Der Kampf war schwierig und
die Menge der konservativen Vorurteile enorm. Doch zeigt die Gesetzgebung mehrerer evangelischer Landeskirchen immerhin, daß wesentliche Fortschritte gemacht
wurden. Ich sprach auf der Westfälischen und Rheinischen Landessynode über dies
Problem, ebenso im Geistlichen Ministerium der Hamburgischen Kirche und – steter
Tropfen höhlt den Stein – auch auf Kreissynoden. Dadurch kam ich mit vielen kirchlichen Persönlichkeiten in Kontakt.

Dann und wann predige auch ich in der nach dem Zweiten Weltkrieg aus den Trümmern der ehemaligen Franziskanerkirche neuerbauten Evangelischen Universitätskirche und in der Apostelkirche. Da sich in der Universitätskirche etwa 20 Professoren
und Dozenten am Predigen beteiligten, kam der einzelne nur selten an die Reihe, und

das hatte etwas Unbefriedigendes. Bis in die sechziger Jahre hinein waren diese Universitätsgottesdienste gut besucht, wozu auch die ungewöhnliche Anfangszeit 10.30 Uhr beitrug.

Den Abschluß meiner kirchlichen »Laufbahn« bildete eine dreijährige Tätigkeit als Presbyter, wie es in Westfalen heißt, in der Matthäus- bzw. Jakobus-Gemeinde nach der Verselbständigung der letzteren. Begonnen hatte meine kirchliche Tätigkeit bereits, als ich 18 Jahre alt war als Kindergottesdiensthelfer in der Gemeinde meines Vaters in Berlin-Steglitz. In der Jakobus-Gemeinde in Münster sollte bzw. mußte der durch den unglückseligen Streit um einen Pastor zerrissene Frieden wieder hergestellt werden. Ich lernte die ganze Mühseligkeit des kirchlichen Alltags in einer an Kräften überaus beschränkten Ortskirchengemeinde kennen und habe deren Sterilität und Wandlungsunfähigkeit in meiner Schrift »Die Krisis der Volkskirche« zu beschreiben versucht. Längst ist ja der überlieferten Parochie der Bezug zur Gesellschaft, zur umgebenden Öffentlichkeit verlorengegangen.

Ich begriff von neuem, wie verfehlt es ist, die weithin jeder Art von Dynamik entbehrende Parochie als die *einzige,* das Monopol besitzende kirchliche Gemeindeform anzusehen. Leben und Geist waren offensichtlich an andere Orte ausgewandert, u. a. in die in den beiden letzten Jahrzehnten immer lebendiger wachsenden Bruder- und Schwesternschaften, ein vollständiges Novum auf dem sozial bisher so unfruchtbaren Boden des neuzeitlichen Protestantismus. Ohne tiefgreifende neue Krisen ist an eine Neubelebung der traditionellen Ortskirchengemeinde gar nicht zu denken. Mit der noch so treuen Bewahrung des kirchlichen Erbes ist es nicht getan. Bewahrt werden kann nur, was sich im Feuer der Umwandlungskrise *heute* bewährt.

Über Höhen und Tiefen hinweg blieb für mich der Dienst an und in der Kirche eine Selbstverständlichkeit, für die ich niemandes Dank begehrte. Aber es wäre kein Schade, wenn die evangelischen Kirchenleitungen und -verwaltungen den Dienern der Kirche einmal dankten. Vom Dank gegen Gott kann man in dieser Kirche zwar immer wieder hören, vom Dank gegen die Menschen, die Tag für Tag die Last des Dienstes in der Kirche tragen, dagegen fast nie. Sie gehört wohl auch zum Vollzug der Nächstenliebe. Wehe der Kirche, in welcher der Geist der Bürokratie und des leblosen Schematismus siegt!

Das Rektorat

Ende Mai 1964 wurde ich vom Konvent unserer Universität mit einer stattlichen Mehrheit zum Rektor designatus für das Rektoratsjahr Oktober 1964 bis Oktober 1965 gewählt. Damals ging noch alles nach den alten Regeln und Riten vor sich. Man mußte schon sehr feine Ohren haben, um den Totenwurm im Gebälk der alten Universität klopfen zu hören. Ich nahm sogleich an den Senatssitzungen und anderen Gremien teil, wie dies für den designierten Rektor üblich war, z. B. am sogenannten Koordinierungsausschuß, der die Arbeit der akademischen Selbstverwaltung (Rektorat) mit der staatlichen Verwaltung des Kurators abzustimmen hatte. So konnte ich mich gut in die neue Aufgabe einleben. In der feierlichen Rektoratsübergabe sprach ich über das Thema »Protestantismus und Nationalismus als Problem der christlichen Ethik«. Die Feier fand in Ermangelung einer großen Aula im Theater statt. Der Lehrkörper nahm in seinen Talaren auf der Bühne Platz, ebenso die Rektoren der anderen Universitäten des Landes, die übrigen hohen Gäste in den ersten Reihen des Parketts. Den Anfang machte der Jahresbericht des scheidenden Rektors, es folgte die Investition des neuen Rektors mit Mantel, Barett und Amtskette. Auf die Investition, die mit den Worten: »Ave, Rektor magnifice« endete, folgte die Rede des neuen Rektors. Anschließend fand das festliche Senatsessen mit den geladenen Gästen (Abgeordneten, Präsidenten von Behörden, Vertreter des Kultusministeriums u. a.) statt. Mit dem Typus einer dieser Feier hat die »neue« Universität eine Gelegenheit ihrer Selbstdarstellung in der Öffentlichkeit – offenbar unwiderbringlich – verloren. Man hätte diese Tradition ja auch reformieren können, z. B. durch die Mitwirkung der Studenten. Ich halte es jedenfalls für eine Torheit, diese Feier ersatzlos zu streichen. Ich habe nie zu den Konservativen gehört, vollends nicht auf der Universität, aber auf die Methode, das Gute durch Reformen zu bewahren, darauf konnte ich nicht verzichten, man hätte sie in den kritischen Jahren seit 1968 praktizieren müssen, statt daß sich wie seitdem die Konservativen und die Radikalen gegenseitig handlungsunfähig machen.

1964/65 gab es mit den Studenten noch gar keine Schwierigkeiten. Der Vorsitzende des Allgemeinen Studentenausschusses, 28 Jahre alt, war schon in einem Beruf tätig gewesen und sah die Dinge nüchtern und vernünftig an. Wir trafen uns wenigstens einmal wöchentlich zur Besprechung der gemeinsamen Angelegenheiten. So kamen wir gut miteinander aus und standen in bestem Einvernehmen. Allerdings bemerkte ich bald die großen Mängel unserer alten Universitätsverfassung. Der Rektor stand fast machtlos zwischen der traditionellen Autonomie der Fakultäten und der Macht der staatlichen Verwaltung. Nur große Energie und moralische Autorität konnten ihm helfen, etwas durchzusetzen, was *er* für vernünftig und notwendig hielt. *Ein* Jahr Rektor – welch ein Unsinn unter den modernen Verhältnissen! Man konnte fast nichts planen, geschweige denn etwas realisieren und ging unbefriedigt aus einem Amt, das seinem Träger so wenig Spielraum und Bewegungsfreiheit läßt.

An irgendeinem Zipfel aber mußte irgendeiner die großen Probleme doch sichtbar machen und etwas in Bewegung setzen. So legte ich im Mai 1965 dem Akademischen Senat ein Memorandum über die Reform der Akademischen Selbstverwaltung vor. Ich wollte mit meinen Vorschlägen vor allem die Stellung des Rektors stärken (Amtszeit zwei Jahre), aber auch die des Prorektors, und zwar durch dessen Betreuung mit bestimmten sachlichen Aufgaben. Ferner wollte ich die vorsintflutliche technische Ausstattung der Fakultäten verbessern. Der Rektor sollte nicht mehr in allen Kommissionen den Vorsitz führen. Es galt vielmehr, ihn zu entlasten und an seiner Stelle bewährte Kollegen zu wählen. Die noch weitere Einzelheiten enthaltende Denkschrift fand im Senat breite Zustimmung. Ich besprach sie mit dem Kurator und schickte sie an den Kultusminister und die Westdeutsche Rektorenkonferenz. Doch alles war vergeblich, sie verschwand in den Aktenschränken. Vor allem der Konvent, daß maßgebende parlamentarische Gremium unserer Universität, ließ keine einzige Reformmaßnahme zu, mit Ausnahme der m. E. notwendigen Wiederwahl meines Amtsnachfolgers, des Staatsrechtlers Friedrich Klein, für ein zweites Amtsjahr. Der Berg kreiste, und ein Mäuslein ward geboren. Der Zeitpunkt für die *rechtzeitige* Hochschulreform wurde verpaßt. An den anderen Universitäten stand es nicht besser. Dabei drängten die Probleme von Tag zu Tag mehr. Wie kann man sich da eigentlich wundern, daß die Studenten sich sagten: »Die Professoren sind verkalkt, sie tun nichts, also müssen *wir* die Dinge in die Hand nehmen«, womit sie einfach recht hatten, – eine Feststellung, die keine Zustimmung zu einem geschichtslosen Radikalismus bedeutet. Es bleibt noch hinzuzufügen, daß auch die Hochschulverwaltungen nichts unternahmen: sie waren unvorbereitet und ohne jede Konzeption. Ein jammervoller Anblick, diese Pleite auf der ganzen Linie. Und dabei begann doch schon Mitte der sechziger Jahre die Riesenlawine von Abiturienten auf die Hochschulen herabzustürzen. Doch man rührte sich nicht, von einzelnen abgesehen, die sich gegen die große konservative Mehrheit der Professoren nicht durchsetzen konnten. Völlig begreiflich, daß jetzt auch die öffentliche Kritik an der Universität wie eine Flut losbrach, bis hin zu jenen Extremisten, die – nicht ohne gute Gründe – unter dem Schlachtruf »In den Talaren / Muff von tausend Jahren« alles Historische hinwegfegen wollten. Jedenfalls war die alte »Ordinarien-Universität« am Ende ihres Lateins. Wer rechtzeitige maßvolle Reformen verhindert, provoziert die Revolution.

Die Tagungen der Westdeutschen Rektorenkonferenz führten mich in viele Hochschulorte, so u. a. nach Heidelberg, Würzburg und Clausthal-Zellerfeld. Die Schwäche dieser Konferenz war offenkundig: sie konnte nur Vorschläge machen und Anregungen aussprechen, aber nichts, gar nichts entscheiden.

Ein Höhepunkt in meinem Amtsjahr als Rektor war die 600-Jahr-Feier der ruhmreichen Wiener Universität Anfang Mai 1965, ein im besten Sinne des Wortes glanzvolles Fest trotz des kalten und regnerischen Wetters. Beim Festzug der Rektoren von der Oper zum Stephans-Dom leuchtete allerdings die Sonne vom blauen Himmel herab. Die Wiener Bevölkerung, die Schulkinder zumal, nahmen den lebhaftesten Anteil. Sie bewunderten die farbigen alten Talare und brachen immer wieder in Beifall aus. Am Grabe des Stifters im Dom wurde ein Kranz niedergelegt, Kardinal König von Wien hielt eine ausgezeichnete Ansprache, und ein gewaltiges Tedeum durchbrauste die hohe Kirchenhalle. Die ältesten Universitäten Europas führten unseren Zug an, Bologna, Padua, Paris und Oxford, Prag und Heidelberg folgten. Auch waren erfreulich viele osteuropäische Hochschulen vertreten. Münster (Gründungsjahr 1784) und Bonn marschierten etwa in der Mitte des großen Zuges. Es wäre ermüdend, hier die Fülle der einzelnen Veranstaltungen abzuhandeln. Als erinnerungswert haftet im Gedächtnis jene würdige Feierstunde, in der zahlreiche Wiener Ehrendoktorwürden verliehen wurden, u. a. auch an unseren Göttinger Kollegen Ernst Wolf. Bei anderer Gelegenheit begrüßte uns der machtvolle Chor der Wiener Studenten mit dem alten Lied »Gaudeamus igitur . . .«. In einem solchen Rahmen hatte es seinen Sinn und wurde nicht als romantische Sentimentalität empfunden. Noch heute habe ich den frohen, kraftvollen Gesang im Ohr. Die Rückreise – wir waren im Dienstwagen des Rektors nach Wien gereist – führte uns über das berühmte Kloster Melk, das wir besichtigten, an der Donau entlang nach Passau und Regensburg, eine Region, die ich noch gar nicht kannte. Besonders Regensburg machte mir großen Eindruck durch die Fülle ehrwürdiger schöner Bauten. Auf der weiteren Rückfahrt lernte ich auch den Spessart ein wenig kennen.

Ende Mai 1965 feierte die Christian-Albrecht-Universität in Kiel ihr 300-jähriges Jubiläum. Ich war sowohl als Rektor von Münster wie als ehemaliger Professor der Kieler Universität eingeladen und freute mich, die Stätte meines früheren Wirkens wiederzusehen. Dort hörte ich u. a. einen interessanten Vortrag des Historikers Erdmann über die Kieler Universität im »Dritten Reich«. Er konnte jedoch den Eindruck erwecken, als ob allein die Juristische Fakultät als NS-Modell-Fakultät das Hauptwerkzeug zur »Gleichschaltung« der Gesamtuniversität gewesen sei. Doch dem war nicht so, vielmehr sind Naturwissenschaftler und Mediziner geradezu tollwütige Nationalsozialisten gewesen. Die Ideologisierung dieser Wissenschaften durch den Naturalismus und Positivismus des 19. Jahrhunderts trug giftige Früchte. Es ist ein tiefgreifender Irrtum, daß empirische und experimentell arbeitende Wissenschaften allein durch ihre Methodik vor der Ideologisierung bewahrt blieben. Während dieser Kieler Festtage verstarb zu meinem Schmerz der Alttestamentler Hans Wilhelm Hertzberg. Auf einer Veranstaltung der Theologischen Fakultät sprach der Kieler Dekan Peter Meinhold gute und würdige Worte des Gedenkens. Ich habe Hertzberg immer sehr hoch geschätzt. Er war ein ganzer Mann, wir hatten Vertrauen zueinander. Auch in der Universitätsgeschichte gehen Leid und Freud bunt durcheinander.

Von wissenschaftlicher Arbeit konnte während des Rektorats keine Rede sein. Das Institut konnte ich vertrauensvoll meinen Assistenten und den übrigen Mitarbeitern überlassen, dort ging alles seinen Gang. Am Ende meiner Rektoratszeit schied ich nicht ohne Resignation aus diesem Amt. Zwei Jahre blieb ich Prorektor und war dazu noch der »hochschulpolitische Beauftragte« des Senats, den es im Wirrwarr der Hochschulpolitik zu informieren galt. Im Jahre 1968 änderte sich plötzlich alles. Die Studentenunruhen griffen um sich, die Professoren standen ihr in der Mehrzahl erschrocken und hilflos gegenüber. Allzu eilfertig wurde eine neue Universitätsverfassung gezimmert, die sich sehr bald als schlecht, sehr schlecht herausstellte. Es ist mir unbegreiflich, daß die daran mitarbeitenden Juristen die schweren Mängel dieser Satzung nicht bemerkt haben. Die Überfälle der Gremien produziert eine Masse von unnötiger Verwaltungsarbeit, von Sitzungen und Papier. Natürlich sind es Forschung und Lehre, die darunter erheblich zu leiden haben.

Glanz und Elend der alten Universität

Von diesem Thema ist schon mehrfach die Rede gewesen, direkt und indirekt. Was mich betrifft, so habe ich weit mehr von der Größe, dem geistigen Reichtum und der erzieherischen Kraft der alten Universität erlebt und erfahren, als von ihrer Schwäche und ihrem Elend. Ich bin und bleibe ihr Schüler, sie hat mich zum Universitätslehrer und Wissenschaftler gebildet. Dafür bleibe ich ihr immer großen Dank schuldig. Unterdrückung habe ich auf dieser Universität nie erlebt, und viele andere vor mir und neben mir auch nicht. Alle meine Lehrer waren human und respektierten meine Eigenart, auch in den Jahren, als ich noch Student war. Gleichwohl weiß ich, daß an dem Schlagwort »Ordinarien-Universität« viel Richtiges ist. Denn die alte Universität hatte eine herrschaftliche und patriarchalische Struktur von oben bis unten. Klinik- und Institutsdirektoren regierten souverän und ließen niemanden hochkommen, der ihnen nicht genehm war. Die Privatdozenten rangierten tief unter den Ordinarien. Die Assistenten und ihre wissenschaftliche Zukunft hing weitgehend von den Direktoren ab, sie konnten sogar zum nächsten Termin auf die Straße gesetzt werden. Klinikdirektoren zogen oft ein Vermögen aus der Arbeit ihrer Ober- und Assistenzärzte. Wahrlich, dies alles konnte nicht ewig so bleiben. Es war eine historische Notwendigkeit, daß sich eine große Bewegung erhob, die eine prinzipiell *freie* Stellung der Dozenten und Assistenten forderte sowie deren und der Studenten rechtlich gesicherte Mitbestimmung in allen Angelegenheiten der Universität. Da man sowohl bei den Ordinarien, die ihre Rechte bedroht fühlten, als auch bei den Hochschulverwaltungen auf starken Widerstand stieß, nahm die neue Bewegung immer radikalere Formen an. Die alten Gefüge zerbrachen zusehends unter ihrem Druck. Es ist hier nicht der Ort, die vielfältigen Einzelforderungen der Studenten auf ihr Recht oder Unrecht zu prüfen. Ich spreche nur von dem, was ich selbst erlebt habe. Ich war stets auf der Seite der vernünftigen Reformer mit ihren sachgemäßen Forderungen. Mit den Illusionisten, die meinen, alles zur tabula rasa machen zu können und den angeblichen Nullpunkt erreichen wollen, habe ich jedoch nichts gemein. Je mehr Massen von Studenten in die Hochschulen strömten, desto schwächer wurde die integrierende Kraft der Universität. Der Verfall hatte begonnen. Die Planung besserer Studiengänge, die Reduzierung der Semesterzahl, d. h. der Länge des Studiums, die neuen Bauten, die neuen Satzungen, all das kam um viele Jahre zu spät. Das Elend der alten Universität hatte sich immerhin noch in Grenzen gehalten, das Elend der neuen ist bis auf weiteres unbewältigt. Alle Beteiligten haben sich viel zuwenig darum gekümmert, daß die Universität ein soziales Gefüge ist, daß sie der Normen und Ordnungen für ein *menschliches* Zusammenleben bedarf. Man kann nicht, wie es der Idealismus versuchte, aus der Idee der Wissenschaft die ganze Universität mit all ihren Institutionen ableiten. Die Anwendung von Soziologie und Sozialpsychologie hätte hier wirklich nichts geschadet, noch weniger die entscheidende Frage nach den Kräften der Integration, nach dem Verhältnis von Berufsbildung und Wissenschaft. Nun umgibt uns eine

Menge von Reformliteratur, von Entwürfen, Richtlinien und Experimenten – wer aber soll sich da noch hindurchfinden?

Die verschiedenen Gruppen gehen in verschiedene Richtungen. Manche bilden den neuen Typus der »Hochschulsekte« heraus, wie ich dies Phänomen nennen möchte, mit festen ideologischen Grenzen. Die »Gruppen-Universität«, von der man spricht, ist jedoch das *Ende* der Universität, denn ihr fehlen Idee und Kraft der Integration.

Auch die Theologische Fakultät ist selbstverständlich von all diesen Krisen in Mitleidenschaft gezogen, wenngleich in viel geringerem Maße als die anderen Fakultäten, weil sie um ein Vielfaches kleiner ist. Doch leiden ihre Dozenten unter den gleichen Belastungen, von denen oben die Rede gewesen ist. Innerhalb der Theologie geht der Streit von neuem darum, ob sie überhaupt eine Wissenschaft ist. Mit den Prinzipien und Methoden der modernen Wissenschaft als solcher ist dieser Streit schon gegeben. Er hat also nichts Befremdliches mehr an sich. Vielleicht tritt gerade durch ihn das wahre Wesen der Theologie, die von keiner Theorie der Wissenschaften völlig umfaßt und aufgenommen werden kann, um so klarer hervor. So kann der Streit um den Wissenschaftscharakter der Theologie auch sein Gutes haben. Es gibt glücklicherweise auch heute junge Theologen, denen es um »echte«, wirkliche Theologie geht und nicht nur um eine allgemeine, den modernen Humanwissenschaften angepaßte Religionstheorie, womit gegen das neu erwachte Interesse an der Religionsphilosophie, Religionssoziologie etc. nicht das mindeste gesagt ist. Es liegt zudem auf der Hand, daß angesichts des raschen Wandels der Wissenschaften das Verhältnis der Theologie zu diesen immer neu geklärt werden muß. Der paradoxe Tatbestand ist der, daß die Theologie immer dieselbe bleibt und bleiben muß, was mit ihrem Hauptthema Jesus Christus gegeben ist, und sich doch in jeder Wissenschaftsepoche mannigfaltig wandelt. Dies gehört zu ihrem geschichtlichen Charakter. Viele theologische Methoden – und auch Moden – hat es in den fünfzig Jahren gegeben, von denen hier berichtet wird, und doch hat sich letzten Endes Theologie immer wieder als Theologie erwiesen. Auch dies gehört zu meinem Thema »Erlebte Theologie«. Wenn mich noch immer der Streit und die »reine« Theologie (K. Barth) oder um die »antwortende und die philosophische« Theologie (P. Tillich) beschäftigt, so mag ich nach der Meinung der Jüngeren hinter den Erfordernissen der Zeit zurückgeblieben sein, aber ich glaube doch zu sehen, daß dieser Methodenstreit tief in die *Sache* und das Wesen der Theologie hineinführt und deshalb immer neu zu bedenken ist. Das bringt jedem beteiligten Theologen Gewinn an Erkenntnis. Ohne Übertreibung darf ich sagen, daß ich immer mit Leidenschaft Theologe gewesen bin und dies bis zum Ende bleiben werde, aber dies hindert mich nicht zu sehen, daß heute vor allem das Verhältnis der Theologie zu den Humanwissenschaften neu geklärt werden muß. Dabei vergesse ich nicht, daß die Theologie als scientia praktica immer von der Sorge um den *Menschen* und nicht nur um die Wissenschaft beherrscht sein muß.

Weg ins Weite: Südafrika

Ein gutes Freundeswort aus dem Jahre 1960 lautete: »Gott hat Dein Leben ins Weite geführt.« So war es in der Tat. Das Wort bezog sich auf meine erste Reise nach Südafrika, die ich im Spätsommer 1960 antrat. Die kleine »Christliche Akademie« in Johannesburg hatte mich eingeladen. Zwar bestand sie damals nur aus einem jungen deutschen Pastor und seiner Sekretärin, doch leistete sie nützliche Arbeit mit dem Versuch, Verbindungen zwischen den verschiedenen Kirchen Südafrikas herzustellen, die damals noch unverbunden nebeneinander herlebten. Ich sprach u. a. auf einer Freizeit für deutsche evangelische Gemeindemitglieder aus Pretoria und Johannesburg, auf Missionarskonferenzen und in verschiedenen anderen Kreisen. Schöne Fahrten, die mich dies unendliche Land etwas kennen lehrten, fehlten nicht. Der Eindruck dieser großartigen Unendlichkeit erfüllt mich noch heute. Ich erlebte dort den Vorfrühling und den Frühling bis Ende September, für den Europäer eine angenehme Zeit für Reisen in dem riesigen Land. Ich lernte neue Farben und Formen, neue Bäume und Blumen und einen neuen Sternenhimmel, mit dem Kreuz des Südens, kennen. An einen Ausflug zu den Kaskins-Bergen mit ihren seltsamen bizarren Felsformationen denke ich besonders gern zurück, zumal an die herrlichen Farben der Berge und der Landschaft bei Sonnenuntergang. Erholsam und erquickend sind die frühen Morgenstunden vor der drückenden Hitze des Tages. Das Hotel, in dem ich wohnte, bestand aus einem etwa in der Mitte des Geländes gelegenen Bau mit Speise- und Klubräumen, sowie aus einer Anzahl von zerstreut auf dem Rasen liegenden »Rondels«, wie die Buren sagen. Sie enthalten jeweils Schlaf- und Badezimmer für ein oder zwei Personen. Eine angenehme und praktische Bauweise, so lebt man ungestört für sich.

Grell traten mir die schweren Nöte entgegen, unter denen das ganze Land leidet, hervorgerufen durch Ungerechtigkeiten und Unmenschlichkeiten der starren Apartheid-Politik der Regierung und der herrschenden Nationalen Partei. Die Bantu werden in sozialer Unmündigkeit und politischer Ohnmacht gehalten. Unheilvoll verflechten sich mit dem Rassengegensatz die kulturellen Differenzen und sozialen Unterschiede. Es war ein großes Erlebnis für mich, die von Europa und Deutschland so völlig verschiedene Problematik dieses großen Subkontinents zu studieren.

Wie groß sind allein die Probleme, die durch den Mangel an Wasser hervorgerufen werden. Millionen könnten neu angesiedelt werden, wenn es genügend Wasser gäbe. Bei Pretoria habe ich einen großen Stausee gesehen, der nur noch aus einigen größeren Pfützen bestand. Fünf Jahre Trockenheit in Transvaal, und hunderttausende Stück Vieh gehen elend zugrunde. Nur wenige reiche Farmer können es sich leisten, ihr Vieh mit der Bahn zu grünen Weideplätzen zu schicken. Ich sah große Orangenpflanzungen, die völlig verdorrt waren, ein trostloser Anblick. Es fehlt allenhalben an Tiefbrunnen, um die Pflanzungen zu bewässern. Jetzt erst begriff ich so recht, welche Bedeutung das Wasser hat, das die Bibel zum Symbol des Lebens erhebt.

Ich besuchte Pretoria und einige kleinere Städte, auch das berühmte »Vortrek-ker«-Denkmal, das zur Erinnerung an die ersten burischen Eroberer und Besiedler erbaut wurde. Kein Zweifel, daß sie und ihre Nachkommen Großes geleistet haben. Aber berechtigt dies zu einer Ideologie der Notwendigkeit weißer Vormundschaft und Vorherrschaft, mit dem üblen Mißbrauch der Bibel, besonders des Alten Testaments? Gott hat nie und nirgends ewige Rassengrenzen festgesetzt, vollends haben sie in seiner Kirche keine Bedeutung. Doch die liberalen Kräfte waren bisher schwach in diesem Land. Der Glaube der meisten Weißen, zur Weltherrschaft berufen zu sein, ist eine Pest. Der neu entstandene schwarze Nationalismus ist nur die begreifliche Antwort auf das Laster und den Aberglauben der weißen Rasse, auf ihren unchristlichen Hochmut.

Ich war ohne Vorurteile nach Südafrika gekommen, nun aber festigte jeder Tag meine entschlossene Absage an die Apartheid. Verschiedene Eingänge für Bantu und Weiße, verschiedene Busse für die beiden Rassen, der ganze Alltag ist mit immer neuem Haß erzeugenden Trennungsgesetzen beladen und verfremdet. Man kann nicht stehen oder gehen, ohne auf Schranken und die Willkür des Polizeiregimes zu stoßen. So bedurfte es z. B. stundenlanger Verhandlungen, um für mich die Erlaubnis zu einer Predigt in einer schwarzen Vorortgemeinde von Johannesburg zu erwirken. Mit allen Schikanen versucht der Staat, die weißen Christen von den schwarzen fernzuhalten. Der Gottesdienst war überfüllt, die Gemeinde sang mit einer Kraft und Begeisterung, die mich staunen machte. Ich predigte in deutscher Sprache, mein Freund Dean Peter Sandner übersetzte in den Stammesdialekt der Sothos, den er vollkommen beherrschte. Nach dem Gottesdienst folgten die herzlichsten Begrüßungen und Danksagungen. Diese schwarzen Christen haben einen starken Sinn für die ökumenische Gemeinschaft zwischen den Christen aller Rassen und Bekenntnisse. Sie lieben Christus mit einer kindlichen Kraft der Hingabe und erfüllen wörtlich die apostolische Mahnung: »Seid gastfrei ohne Murren!« Dies erlebte ich sogleich nach dem Gottesdienst im Hause und am Tisch des schwarzen Pastors, der mich persönlich bediente. All dies geschieht dort in der ungezwungensten Herzlichkeit, die man sich denken kann. Ich wurde wie ein Freund behandelt, den man seit langen Jahren kennt und liebt. Dies habe ich in Südafrika immer wieder in unvergeßlicher Weise erlebt.

In einem anderen Vorort von Johannesburg sah ich eine im Bau befindliche Kirche, die nach den Plänen meines Freundes, des Architekten Gerhard Langmaack-Hamburg, erbaut wurde. Peter Sandner führte mich in die vielschichtigen Probleme des Landes und seiner Kirchen ein. Die lutherische Kirche war durch ihren überalterten Obrigkeitsglauben schwer gehemmt. Sie wagte es damals in ihrer Lauheit nicht, öffentlich zu den großen Problemen in Südafrika Stellung zu nehmen. Die katholische und die Bischöfliche Kirche waren auf Grund ihrer Tradition viel mutiger. Wie schon erwähnt, fehlte es zunächst fast ganz an ökumenischen Verbindungen. Peter Sandner bemühte sich in harter Arbeit, sie neu aufzubauen. Wie ich 1966 bei meiner zweiten Reise nach Südafrika feststellte, machten sie allmählich Fortschritte. Welche Mühe kostete es allein, die getrennten und zersplitterten lutherischen Kirchen zusammenzuführen! Mir schien, als ob die weißen lutherischen Pastoren nie in ihrem Leben etwas von dem einen Herrn, der einen Kirche, dem einen Glauben usw. gehört hätten. In einem Theologischen Seminar der Hermannsburger Mission erzählten mir die Studenten, sie hätten durch mich zum ersten Mal Näheres über die werdende Ökumene erfahren. Entweder wußten ihre Lehrer selbst nichts von ihr oder hatten ihnen aus innerer Ablehnung vorenthalten, was sie wußten. Ich erzählte ihnen daher um so ausführlicher von der Entwicklung der Ökumene und von den Arbeiten derjenigen Konferenzen, die sich mit den Problemen der »Dritten Welt« befaßten. Die Dankbarkeit der schwarzen Studenten war geradezu bewegend. Ihr Sprecher sagte mir, urplötzlich seien sie in die ganze Weite der Wirkung Christi und seines Geistes geführt worden. Jetzt fühlten sie sich als Glieder der einen großen Christenheit. Wohl dem, der solche Erlebnisse und Einsichten vermitteln darf.

Im Jahre 1966 fuhr ich zum zweiten Mal nach Südafrika, und zwar wiederum im August. Diese Reise hatte insofern einen etwas anderen Charakter, als mich die Theologische Abteilung des Lutherischen Weltbundes in Genf gebeten hatte, in den südafrikanischen theologischen Colleges Vorlesungen zu halten. So flog ich zunächst nach einem kurzen Aufenthalt in Johannesburg weiter nach Windhoek im alten deutschen Südwestafrika. Von dort holte mich einer der Dozenten des Paulinum mit dem Wagen ab und brachte mich nach Otjimbingwe in der Mitte von Südwestafrika, der ersten Missionsstation der Rheinischen Missionsgesellschaft in diesem Land. Dort ist der Sitz des Theologischen Seminars Paulinum, das für die verschiedenen Stämme des Landes Pastoren und Katecheten ausbildet. Ich blieb acht Tage in Otjimbingwe und hielt morgens, bevor die große Hitze einsetzte (ich erlebte dort 35 Grad im Schatten), Vorlesungen über sozialethische Probleme, die teils in die Stammessprachen, teils in Africaans, die burische Nationalsprache, übersetzt wurden. Mit den Dozenten, zu denen auch ein Schwede gehörte, gab es viele gute Gespräche über drängende theologische und kirchliche Probleme. Meine Forderung nach gesellschaftlicher Diakonie seitens der Kirche fand viel Aufmerksamkeit, besonders deswegen, weil sie den zu engen lutherischen oder pietistischen Missionsbegriff aufsprengte.

In einer ganz einsam auf der Hochebene bei Otjimbingwe gelegenen alten und winzigen Missionskirche überbrachte ich den Hörern die Grüße des Lutherischen Weltbundes, des Ökumenischen Rates der Kirchen und der deutschen evangelischen Kirchen. Das wurde mit großer Dankbarkeit aufgenommen. Übersetzungen in mehrere Stammessprachen waren notwendig. Gut die Hälfte der Gemeinde saß oder stand draußen vor der Kirche. Nach dem Ende des Gottesdienstes fragte mich ein alter Neger, der noch die deutsche Kolonialzeit miterlebt hatte – er sprach sogar noch etwas Deutsch –, ob das Schloß des Kaisers in Berlin noch stehe und jetzt der Sohn des Kaisers die Regierung führe. Meine Antwort betrübte ihn, doch waren wir uns darin einig, daß Christen um die Vergänglichkeit irdischer Macht wissen. Auf einem Tagesausflug lernte ich eines der ältesten Gebirge der Erde kennen. Es besteht aus reinem Granit. In glühender Hitze stiegen wir zu den Felswänden empor. Sie waren mit

höchst lebendigen und meisterhaften Tierbildern bedeckt, die vermutlich dem Jagd-
zauber dienten. Wie erquickend nach dem mühseligen Abstieg ohne Weg und Steg das
Mahl im Schatten, den uns ein riesiger Felsblock spendete. Wir lasen Holz zusammen
und entzündeten ein Feuer, rösteten Ziegenfleisch und aßen Brot und Tomaten dazu,
etwas ganz Köstliches nach einer solchen Anstrengung. Auch in Otjimbingwe waren
die Spaziergänge in der Morgenfrische ein besonderes Erlebnis, ebenso die Gespräche
mit meinen Gastgebern nach Sonnenuntergang auf der Terrasse des Hauses. Es wurde
dann schlagartig kühl, und wir sprachen unter dem hohen Sternenhimmel über Gott
und die Welt. Die Aufgeschlossenheit und Wißbegierde meiner schwarzen Zuhörer
war groß. Eines Abends erzählte ich vor der ganzen Gemeinde von der Ökumene, besonders von der großen Konferenz über Kirche und Gesellschaft in einem revolutionären Zeitalter, an der ich 1966 im Juli teilgenommen hatte.

Auf der Rückreise lernte ich Windhoek näher kennen. Ich bestaunte die deutschen
Straßennamen sowie das Reiterdenkmal zur Erinnerung an die Kämpfe der Schutz-
truppe in Südwestafrika zur Zeit der deutschen Kolonialherrschaft. Es zeugt von An-
stand und Würde, daß die neuen Machthaber es haben stehenlassen. Windhoek hat
eine vorzügliche deutsche Buchhandlung, in der ich in deutscher Sprache bedient
wurde, als ich mich mit Literatur über Südwestafrika versorgte. Scheußlich sind die
Slums mit ihrer ganzen Verwahrlosung. Ich sah aber auch neue reinliche Wohnviertel
für die schwarze Bevölkerung. Mit echtem Schmerz nahm ich Abschied vom Paulinum und diesem Land mit der eintönigen und großartigen Hochebene, den Riesen-
farmen, den Karakulschafen und den Halbedelsteinen. Afrika ist mir unvergeßlich,
und ich bin von der großen Zukunft dieses Kontinents fest überzeugt, auch von der
kommenden Freiheit der Bantu in Südafrika, wenn sie auch nach 1966 noch viele Jahre
als Unfreie und Gedemütigte vor sich hatten.

Von Windhoek ging es zunächst wieder nach Johannesburg. Auch dort hatte ich
Vorträge zu halten, so z. B. in ökumenischen Kreisen, die sich inzwischen gebildet
hatten (1960 gab es sie noch nicht), oder in einem Kreis für »Industrie-Mission« (indu-
strial mission), der viel Verständnis für moderne sozialethische Fragestellungen zeigte. Auf einem Pastoren- und Missionarkursus in der Nähe von Johannesburg gab es
eine heftige Debatte, als ich die deutsche nationalistische Religion der Befreiungskrie-
ge, z. B. den »deutschen Gott« (E. M. Arndt), scharf kritisiert hatte. Der Pfarrer der
Gemeinde in Johannesburg verteidigte mit großem Eifer die traditionelle Synthese
von Christentum und Nationalidee. Er konnte sich jedoch nicht durchsetzen, so sehr
er auch die Autorität von Bischof Otto Dibelius beschwor. Zu meinem großen Erstaunen und Mißvergnügen mußte ich in diesem Zusammenhang feststellen, daß es in
Südafrika noch viele deutsche »Nazis« gab, die sich dorthin geflüchtet hatten, außerdem viele Konservative, die noch völlig in der Ära Wilhelm II. lebten. Man sollte es
nicht für möglich halten! Wen wundert es, daß sie auch tapfere Verteidiger der Apartheid sind.

Das nächste Seminar, in dem ich Vorlesungen zu halten hatte, war Marang bei

Rustenberg in West-Transvaal, in der Nähe des »Eisenberges«, wie ihn die Schwarzen nennen. Dort wird Erz im Tagebau gewonnen. Marang gehört zur höchst konservativen lutherischen Hermannsburger Mission. Auch hier waren sozialethische und ökumenische Probleme an der Tagesordnung. Ich mußte bei den Studenten die gleiche von ihnen beklagte Unwissenheit in Sache Ökumene feststellen, wie in Otjimbingwe. Auch in pädagogischer Hinsicht fand ich das Seminar in Marang rückständig. Die Studenten wurden wie Schüler behandelt. Ein älterer Missionar vertrat mir gegenüber die Meinung, die Schwarzen seien faul, unbegabt und würden es nie zu etwas bringen. Ich erwiderte ihm u. a., er möge sich einmal ausrechnen, wie viele Jahrhunderte wohl die Europäer gebraucht hätten, um zu ihrer heutigen Zivilisation zu gelangen. Schlimm, daß solche Leute heute noch von den Kirchen als theologische Lehrer und Erzieher geduldet werden. Das Seminar in Marang hat in meinem Schlußbericht an den Lutherischen Weltbund eine schlechte Note bekommen. Ich stand aber mit meinem Urteil in Südafrika nicht allein. Derselbe Missionar, von dem ich soeben sprach, war ein passionierter Botaniker und hatte in Marang ein Wäldchen mit zahlreichen afrikanischen Bäumen angepflanzt. Sein Ehrgeiz war es, dort alle in Afrika vorkommenden Bäume anzusiedeln. Aber diese Tugend entschuldigt nicht seine unchristliche Borniertheit – schrieben wir nicht das Jahr 1966? Hoffentlich ist inzwischen in Marang ein anderer Geist eingezogen.

Das letzte Ziel meiner großen und erlebnisreichen Reise war Umpumulu in Natal, der Ostprovinz der Südafrikanischen Union am Indischen Ozean. Peter Sandner und ich fuhren einen ganzen Tag lang durch die Weiten Transvaals und blickten endlich von einer kleinen Passhöhe auf das schöne grüne Natal nieder, die Früchtekammer Südafrikas. Hier gibt es Bananen, Orangen, Zitronen, Ananas und viele andere Früchte und Güter für das leibliche Wohl der Menschen. Umpumulu ist ein lutherisches theologisches College, das noch am ehesten den Vergleich mit einer europäischen Fakultät aushält. Die Studenten sind intelligent, aufgeschlossen und wißbegierig. Besonderes Interesse erregten meine Vorlesungen über das mir gestellte und in Südafrika höchst heikle Thema »Der Christ als Staatsbürger«. Die Diskussion wurde mit Leidenschaft geführt: »Was reden Sie hier vom Staatsbürger? Wir sind keine Staatsbürger! Wir sind unfrei, rechtlos, ohne politische Vertretung und Mitbestimmung, ohne eine Spur von politischer Macht!« Meine erzürnten und entrüsteten Hörer hatten zweifellos recht. Sie lebten in einer Situation, die nur Haß, Wut und Resentiments hervorrufen kann, dazu die Überzeugung, daß den Weißen nur mit Gewalt die Herrschaft entrissen werden könnte. Viele fragten: »Was sollen wir als Christen tun? Sollen wir uns an der bewaffneten Revolution beteiligen?« Diese und ähnliche weltweit verbreitete Fragen hatten auch schon auf der Genfer Konferenz von 1966 eine große Rolle gespielt. Ich mußte warnen vor Rassenhaß und Nationalismus als schwarze Anti-Ideologie, aber durchaus kritische Solidarität mit diesen Studenten üben. Sie waren bzw. sind in einer fatalen und unglückseligen Lage. Die Fülle der in den Alltag und in das Leben der Kirchen aufs stärkste eingreifenden Apartheidsgesetze läßt ihnen kaum einen Raum zu eigenem Handeln. Eine verlorene Generation?

Ich kann es nicht glauben. Auch ist in den letzten Jahren in den Bantu ein stärkeres politisches Selbstbewußtsein erwacht. Sie müßten die Möglichkeit zur Bildung einer weithin noch fehlenden, aber dringend erforderlichen Mittelschicht von Akademikern, Beamten, Kaufleuten, Journalisten, Ingenieuren usw. haben. Ohne diese Mittelschicht wird es keine politische Führerschaft geben. Eine einzelne große Gestalt wie Luthuli läßt sich schnell verbannen und mundtot machen. In den Studenten von Umpumulu steckte offensichtlich etwas vom Potential für eine solche Führerschaft. Während wir im College solche Fragen durchkämpften, glänzte draußen der warme, fruchtbare Frühling von Natal. Im Vorgarten des Bischofs der schwedischen Kirchenmission, in dessen Haus ich wohnte, erblühten die ersten Rosen, und mächtige, über und über mit Blühten besäte Azaleenbüsche schmückten die Anlagen. Aber der Frühling macht vor dem sozialen Elend nicht Halt. Im Spital der Kirchenmission sah ich halbverhungerte afrikanische Kinder mit erschreckend abgemagerten Gliedmaßen. Als Grund wurde mir von den Schwestern teils unzureichende, teils falsche Ernährung angegeben.

Leider ging es schon nach acht Tagen wieder zum Flughafen von Durban, aber ich lernte so noch ein Stück der Ostküste Südafrikas und die große Hafenstadt selbst kennen. Im Straßenbild fielen mir die überaus zahlreichen, Handel und Gewerbe beherrschenden Inder mit ihren goldgeschmückten Frauen auf, ebenso die indischen Rikschahs. Damals lebten etwa 300 000 Inder in Durban. Die Fahrt durch das grüne, von dem aus Osten kommenden Regen befruchtete Land war durch den Wechsel der vielen Pflanzungen von großem Reiz. Nach etwa $^3/_4$ Stunden Flugzeit landete ich wieder in Johannesburg, wo ich noch fast eine Woche Zeit für private Besichtigungen hatte. Ich genoß den weiten Rundblick über die Riesenstadt und ihre Umgebung und besuchte den Botanischen Garten mit seinen afrikanischen Blumen und Pflanzen. Ein Kuriosum war eine Gemälde-Ausstellung unter freiem Himmel, wo die Künstler ihre Schöpfungen selbst verkauften. Ich habe der großen Gastfreundschaft von Peter Sandner und seiner Frau viel zu verdanken.

Alles in allem war Südafrika ein überwältigendes Erlebnis für mich, ob ich nun an seine Natur, seine Menschen oder seine Kirchen denke. Zum ersten Mal in meinem Leben gewann ich direkte Kontakte zu einer fremden Rasse. Die schweren Konflikte des Landes und der Menschen, diese unentwirrbar scheinende Problematik, wurde mir vertraut. Ich konnte ein wenig mitdenken und mitberaten. Letzteres betraf vor allem die Bantu-Pastoren, und aus einem besonderen Grunde die älteren unter ihnen. Diese sagten mir öfters: »Was sollen wir tun? Wir wurden einst für einfache Dorfgemeinden mit der alten vortechnischen Agrarwirtschaft ausgebildet. Und jetzt müssen wir plötzlich in Großstädten und in Barackenlagern mit vielen Tausenden von Industriearbeitern und neu aus dem Boden schießenden Industriesiedlungen arbeiten. Wir können das einfach nicht.« Damit hatten sie recht. Man mußte sie in die sozialen und geistigen Umbildungsprozesse der heutigen Industriegesellschaft einführen und sie mit zahllosen neuen Tatsachen vertraut machen. In der Tat: diese Pastoren müssen eine völlig neue Ausbildung haben unter Einbeziehung aller ungelösten sozialethischen Probleme des großen Landes und seiner Kirchen. In meinem Reisebericht an den Lutherischen Weltbund habe ich diese Notwendigkeit so klar wie möglich herausgearbeitet. Wiederum hatte ich für meine Sozialethik neue weltweite Perspektiven gewonnen, doch ist die Zeit für eine Gesamtdarstellung der ökumenischen Sozialethik noch nicht gekommen.

Politik

Meine politische Entwicklung habe ich nie von meiner theologischen trennen können. Dies galt schon von meinen Jugendjahren, als ich noch ganz von den nationalen Traditionen beherrscht war. Seit etwa 1930 begann ich mich eifrig um eine Theologie der Politik und des Staates zu kümmern, die ich schon damals von einer politisierten Theologie scharf abgrenzte. Dazu kam das leidenschaftliche Interesse für das politische Zeit- und Tagesgeschehen. Es folgte dann die Abrechnung mit dem Nationalismus und Nationalsozialismus und seit 1945 die intensive Auseinandersetzung mit dem Marxismus, insbesondere dem klassischen. Seit etwa 1950 begann sich endlich die eigene Position herauszukristallisieren, nämlich die eines freiheitlichen, demokratischen Sozialismus unter kritischen Bedingungen, die jeden illusionären Utopismus und Radikalismus ausschlossen, nicht jedoch den Geist der radikalen, gleichwohl auf die geschichtliche Realitäten bezogenen Refrm. Ich war und bin der Auffassung, daß dies im Einklang steht mit meinen sozialethischen Einsichten, welche die Absolutsetzung jedweder politischen Idee unmöglich machten. Der SPD trat ich nicht bei, um meine sozialethische Arbeit nicht unnötig zu belasten, aber ich wählte sie in kritischer Solidarität mit ihren Vorzügen und Schwächen. Ich bin also kein Mitläufer, der zu allem Ja und Amen sagt. Diese Haltung kommt auch in dem Aufsatz zur Geltung, den ich seinerzeit in der »Neuen Gesellschaft« über »Sozialethische Probleme in einem Parteiprogramm« geschrieben habe. Sie bedeutet die Absage an den Polizeistaat, an den totalitären Kollektivismus, sie bejaht jedoch jede Veränderung der Gesellschaft unter den Normen der sozialen Gerechtigkeit, der Freiheit, der Solidarität und der Partnerschaft. Eine solche Politik ist nie geschichtslos, aber immer zeit- und sachgemäß, und dies dürfte die wahre und notwendige Modernität in Staat und Politik sein. Damit ist auch dem Anarchismus eine klare Absage erteilt, der in seiner Geschichtslosigkeit glaubt, den in Wirklichkeit illusionären Nullpunkt, von dem aus sich angeblich die totale neue Gesellschaft aufbauen läßt, durch allseitige Zerstörung erreichen zu können. Eine Politik, die von der Reformbedürftigkeit und Reformierbarkeit der Gesellschaft ausgeht, muß sich auch ihrerseits verändern können, zumal in unserer sehr differenzierten und immer neue Konzeptionen verlangenden modernen Gesellschaft.

Was den Staat betrifft, so hat mich die schon durch die Dauerkrise der Weimarer Republik hervorgerufene Frage nach seinen letzten Grundlagen sehr intensiv beschäftigt. Ich hielt immer an der paulinisch-lutherischen Hauptthese fest, der Staat sei eine Anordnung Gottes, aber ich zog daraus keine konservativen und patriarchalischen Folgerungen, sondern war der Auffassung, daß auch der demokratische Staat nach Römer 13 als Anordnung Gottes zu verstehen sei. Daraus leitete ich das Recht her, nach wie vor von »der Hoheit« des Staates zu sprechen und blieb insoweit der älteren deutschen Staatslehre treu. Diese Hoheit drückt sich aber nicht in erster Linie in der Macht aus, wie uns die deutsche nationale Geschichtsschreibung des 19. und 20. Jahrhunderts von Heinrich von Treitschke bis Dietrich Schäfer lehrte, sondern im *Recht*. Der Staat ist Hüter und Wahrer des Rechts, er steht aber unter und nicht über der Norm des Rechts. Dies ist das genaue Gegenteil zur Staatsauffassung des Nationalsozialismus, der alles Recht aus der angeblich höchsten Norm des absoluten Führerwillens ableiten wollte und damit dem totalen Unrechtsstaat den Weg ebnete.

Der Staat muß also verändert werden, wenn er der Norm des Rechts nicht mehr entspricht. Recht aber ist nicht das, was »dem Volke nützt«, wie die Nationalsozialisten meinten, sondern was dem Gemeinwohl dient im Sinne der Charta der Menschenrechte. Da wir in einer Zeit der Krise der Demokratie und in einer Epoche der Diktaturen leben, ist es keineswegs überflüssig, wenigstens nicht in Deutschland die Abgrenzung gegen den Nationalsozialismus immer wieder bewußt zu machen. Die Staatsidee wird zur politischen Religion, wenn der Staat die Kirche zerstört und sich an deren Stelle setzt. Das geschichtliche Gegenüber von Staat und Kirche ist für beide heilsam und gesund. Gemäß dem universal-eschatologischen Ansatz meiner Ethik und Sozialethik ist die entscheidende Begrenzung des Staates die eschatologische. Im vollendeten Reiche Gottes bedarf es keines Staates mehr, so wie es dort auch die Kirche nicht mehr gibt. Innerhalb der Geschichte jedoch ist die Kirche die fragmentarische Erscheinung des Reiches Gottes, als solche vom Staat zu respektieren, wobei die Freiheit der Kirche in die Grundordnung des Staates aufzunehmen ist.

Diese meine Grundgedanken über Staat und Politik wollten das Bild meiner theologischen und sozialethischen Entwicklung lediglich abrunden. Auch der Staat bleibt stets der sozialethischen Kritik unterworfen, von Staatshörigkeit darf keine Rede sein.

Unter der Kanzel

Im Laufe eines langen Lebens habe ich den Segen zu spüren bekommen, der im Hören guter Predigten und in der Begegnung mit bedeutenden Predigern liegt. Allzu dicht sind diese nicht gesät. Man hat aber bei der Beurteilung von Predigten und Predigern zu bedenken, daß Predigen die höchste und schwerste Kunst ist, die es auf Erden gibt.

Da ich mich selbst ein Leben lang in dieser hohen Kunst geübt habe, so spreche ich hier aus Erfahrung. An die Spitze stelle ich Helmuth *Schreiner*. Seine Kraft war unübertroffen. In seiner Rostocker Zeit, als Professor der Praktischen Theologie, strömten die Menschen in Scharen zu seinen Predigten. Der Mut, mit der er den Nationalsozialisten begegnete, war außerordentlich.

Der Nächste, den ich nennen muß, ist Bischof Wilhelm *Stählin,* da ich mit ihm durch die Mitgliedschaft in der Ev. Michaelsbruderschaft verbunden war, bis er im höchsten Alter von 92 Jahren heimgerufen wurde. Dieser Prediger hatte seine Eigenart m. E. in der Anschaulichkeit, Bildhaftigkeit und Symbolkraft seiner Sprache, die mit den großen Bildern der Heiligen Schrift wie mit denjenigen der Schöpfung, der Natur vollgesogen war. Er hat nie die Predigt mit dem theologischen Vortrag verwechselt. Er konnte, allem Pietismus so fern als nur möglich, doch den Hörer ins Herz treffen. Und darauf kommt es immer an in der Verkündigung des Evangeliums bis ans Ende der Welt. Es gibt sehr viele Menschen, die diesen Prediger nicht vergessen können. Obwohl ich viele Urteile Stählins über unsere Zeit nicht teilen konnte, rechne auch ich mich zu den dankbaren, ihn nicht vergessenden Hörern in Münster, auf Konventen und Festen der Evangelischen Michaelsbruderschaft und anderswo.

Vom Predigthören gilt zumeist: »aus den Augen – aus dem Sinn«. Groß darf man menschlich geredet diejenigen Prediger nennen, deren Wort haften blieb, – oft über Jahre hinweg. Helmut *Thielicke* ist auch in diese Kategorie zu rechnen. Nur selten hatte ich das Glück, ihn zu hören. Doch die Verbindung scharfer, kritischer Zeit- und Menschenanalyse, die doch nie unbarmherzig war, mit Antworten aus der Tiefe des Evangeliums, war bzw. ist glaubwürdig und oft geradezu meisterhaft gelungen. Den riesigen »Michel« in Hamburg mit 2000 bis 3000 Hörern zu füllen, das ist wahrlich mehr als eine »Leistung« im technischen Sinne des Wortes. Im lebendigen Umschmelzen großer kirchlicher und theologischer Traditionen gibt Thielecke dem Trost des Evangeliums neue überzeugende Worte.

Wenn ich mich noch an Kiel erinnere, so denke ich an Hans Wilhelm *Hertzberg*, Professor des Alten Testaments in der Kieler Theologischen Fakultät. Vordem hatte er schon als hessischer Prälat ein hohes kirchliches Amt bekleidet. Er predigte kraftvoll, nüchtern und doch zugleich herzhaft; er stand immer mitten in der Gemeinde Christi, als die er die zum Gottesdienst Versammelten ansah: »Gemeinde des Herrn« war dann oft seine Anrede an die Mitchristen unter der Kanzel. An Hertzberg war der schlichte, glaubensvolle Ernst des Mannes das Wohltuende und Erquickende für den Hörer.

Bischof Wilhelm *Halfmann* gehört ohne Zweifel auch in diese Reihe, der sich in den schwierigen Zeiten des Kirchenkampfes in Schleswig-Holstein durch Standfestigkeit und Verläßlichkeit bewährt hatte. Halfmann war ein sehr gediegener Theologe (was man nicht immer von Bischöfen sagen kann), seine besondere Stärke war die Kirchengeschichte. Exempla aus der Vergangenheit der Kirche kamen auch in seinen Predigten vor, aber dann war es immer lebendige, zum Heute gewordene Geschichte, Leben und Kampf der Christen ehedem wie heute. Die Gedankenführung war klar und fest; man sah sich auf ein Ziel verwiesen, das der Prediger fest im Auge behielt, ohne Abwege, ohne jede Spur von frommen Phrasen. Das war wirklich gut »lutherisch« im positiven Sinn des Wortes einer großen Tradition, die ich von jedem Konfessionalismus mit seinen notorischen Anti-Komplexen unterschieden wissen möchte.

Wer etwas von der Bekennenden Kirche von 1934–1945 weiß, der fragt natürlich auch nach Hans *Asmussen*. In seiner Zeit als Propst von Kiel habe ich ihn in der von Gerhard Langmarck kraftvoll-modern wiedererbauten St. Nikolai-Kirche des öfteren gehört. Asmussen war originell, aber für mein Urteil verließ er sich allzusehr auf seine Einfälle aus der Originalität, anstatt sich gründlich exegetisch vorzubereiten; da kam ihm der Text der Predigt mitunter ganz aus dem Sinn. Manchmal traf seine Originalität gut mit dem Text zusammen; dann hatte der Hörer »Glück«. Diese Kritik stellt nicht sein mannhaftes Bekennertum im Kirchenkampf in Frage, auch nicht wichtige theologische Einsichten, welche z. B. die Ämter der Kirche betrafen. Asmussen kam mir immer vor wie ein alter Wikinger, der auf eigene Faust losgeht und in den Kampf zieht; in eine Gemeinschaft ihn zu integrieren, das hatte immer seine Schwierigkeiten.

Was Bischof Hanns *Lilje* betrifft, so kann ich nicht wagen, ihn als Prediger zu charakterisieren, weil ich leider nur selten Gelegenheit hatte, ihn zu hören, wenn mein Weg mich nach Hannover führte oder bei ökumenischen Anlässen. Aber so viel darf ich noch sagen: seine eminente Kenntnis der Weltliteratur einschließlich der modernsten Schriftsteller und Dichter, sei es nun Ingeborg Bachmann, Max Frisch, Heinrich Böll, Marie Luise Kaschnitz usw., machte es ihm möglich, mit Aussagen dieser Literaten Probleme und Nöte des Menschen unserer Tage, eindringlich zu erfassen und zu erfahren, um von diesen aus zu biblisch-christlichen Erkenntnissen zu gelangen, die ja gleichfalls in die Tiefe der menschlichen Natur führen. Der Kontakt muß hergestellt werden, aber ohne Künstlichkeit, ohne jemandem oder der Sache Zwang anzutun, was alles verderben würde. Den Hörer führen, ohne ihn zu vergewaltigen, ohne aus dem Evangelium wieder ein Joch, ein neues schreckendes Gesetz zu machen, das ist die »Kunst«, auf die es ankommt, und Bischof Lilje beherrschte sie.

Manchen mag es überraschen, auch eine Frau in dieser Runde anzutreffen. Doch das Charisma der Predigt wird auch Frauen verliehen, nirgends steht geschrieben, daß die Gnadengaben des Heiligen Geistes nur Männern verliehen werden können. In einer die Männerherrschaft kultivierenden, hierarchischen Gesellschaft wie der Römischen Kirche, bis zum II. Vatikanum (und auch noch danach) liegt freilich die soeben abgelehnte Interpretation gefährlich nahe.

In unserem Falle handelt es sich um Pastorin Dr. Elisabeth *Haseloff* in Lübeck, die mitten aus reicher Wirksamkeit im Alter von 60 Jahren durch den Verkehrstod jäh hinweggerafft wurde. Elisabeth Haseloff war eine tüchtige Exegetin; das Gespräch mit dem Urtext spürte man all ihren Predigten an. Die Mitte der Heilsbotschaft zu vergegenwärtigen, jetzt und hier zum Sprechen zu bringen, in die Mitte der menschlichen Existenz mit dem Evangelium vorzustoßen, das war ihr Anliegen und zugleich ihre große »Kunst«. Viele seelsorgerliche Erfahrungen und Beobachtungen, besonders in dem von ihr gegründeten Ev. Müttergenesungswerk Bahrenhof (bei Bad Oldesloe in Holstein) machten es ihr möglich, ganz konkret von den Leiden, Konflikten und Erschöpfungszuständen der Frauen unserer Zeit auszugehen und das Herz der Hörenden zu treffen, die oft Jahrzehnte hindurch kein Wort von Evangelium und Kirche, von Jesus Christus vernommen hatten. Es ist nicht abzumessen, welch ein Segen von solchem Kontakt und einer derartigen Aktualisierung der Botschaft ausgeht, welche die Situation des Hörers verändert. Der Einsatz großer persönlicher Kraft und Entschiedenheit, die Glaubwürdigkeit einer Predigerin, die selbst von der letzten Wahrheit durchdrungen war, – dies alles machte vielen Christen und Menschen, welche die Pastorin E. Haseloff in St. Jakobi zu Lübeck gehört haben, zu einer unvergleichlichen, großen Erfahrung.

Oft wandelte mich auf meinem Gang durch Steppen und Wüsten unserer Zivilisation die bange Frage an, ob der Geist erloschen, und ob die Kirche infolgedessen zum Ab- und Aussterben verurteilt sei. Aber die Begegnung mit Verkündern des Evangeliums, denen die Kraft nicht nur des menschlichen Wortes, sondern des Charisma gegeben ist, hat mich aus der Angst um die »sterbende Kirche« immer von neuem befreit.

Begegnungen

Der Große Reichtum der Jahre 1955–1970 bestand nicht zuletzt in der Begegnung mit einer ganzen Reihe herausragender und bedeutender Persönlichkeiten; z. T. arbeitete ich mit ihnen zusammen.

In erster Linie ist hier Klaus von Bismarck zu nennen, der seinerzeit das Sozialamt der Ev. Kirche von Westfalen in Haus Villigst bei Schwerte/Ruhr leitete; mit den Gaben zur Menschenführung ausgerüstet, doch fern von jeder Art von autoritärem oder hierarchischem Anspruch, verband er einen auf Partnerschaft und Kooperation angelegten Stil. Dieser paßte zur Sozialarbeit der Kirche wie angegossen. Dazu war Klaus von Bismarck erfindungs- und ideenreich. Es war eine Lust, mit ihm auf der Basis gemeinsamer Überzeugungen zusammenzuarbeiten, wozu auch die gemeinsame Kritik an der Wirklichkeitsferne der Kirche beitrug. Von Bismarck hatte einen klaren Blick für die traditionellen Schwächen der evangelischen Kirche. In der gemeinsamen Sozialarbeit der beiden Konfessionen im Bergbau, in zahlreichen Kontakten mit den Gewerkschaften, in Lehrgängen für junge Gewerkschaftler, in denen wir diese mit der ev. Sozialethik und der praktischen Sozialarbeit der Kirche vertraut zu machen suchten, fand er immer neue Mittel und Wege, die Glieder der Kirche in die soziale Wirklichkeit hineinzuführen und sie von althergebrachten Vorurteilen (z. B. denen gegen die Gewerkschaften) zu befreien, welche das Gesichtsfeld der Diener der Kirche verzerrten und verschoben.

Im Sozialausschuß der Ev. Kirche von Westfalen wirkten damals Frauen und Männer mit, die später zu hohen Führungspositionen aufstiegen: so Heinz Oskar Vetter, der heutige Führer der Gewerkschaften und die Vizepräsidenten des Deutschen Bundestages, Frau Lieselotte Funcke, Menschen, die ein starkes kirchliches Engagement erkennen ließen. Klaus von Bismarck hatte bzw. hat die Gabe, Menschen zusammenzubringen und sie zum Aufeinanderhören anzuleiten, ohne daß man irgendeinen pädagogischen Zwang spürte. Es war eine große Freude für mich, daß ich ihm als Dekan die Würde eines Ehrendoktors der Theologie unserer Münsterischen Fakultät überreichen konnte; kaum einem christlichen »Laien« stand diese Würde so gut an wie ihm. Wenn ich des öfteren von »Laien-Theologen« unserer Tage gesprochen habe, so war er einer der ersten unter diesen, weil er Fragen sah und stellte, die nur durch eine »Umrüstung« der christlichen Ethik und Erwachsenenbildung zu beantworten wären. Kurz, er war ein *Pionier* der neuen kirchlichen Sozialarbeit. Diese ging auf soziale Partnerschaft aus, auf Abbau des Klassenkampfes, ohne die Realität von vorhandenen Elementen desselben zu leugnen. Klaus von Bismarck stand als »ehrlicher Makler« zwischen den Gruppen (um ein Wort des großen Otto v. Bismarck zu zitieren). In meiner Jugend im Johannesstift hatte ich den Vater Klaus von Bismarck's, Gottfried von Bismarck, kennengelernt, einen hochgebildeten Mann, der nicht nur die Fragen der damaligen Land- und Gutswirtschaft vollkommen beherrschte, sondern darüberhinaus, z. B. hinsichtlich der sozialen Verantwortung des Gutsbesitzers im besten Sinne des Wortes fortschrittlich war und die alte Überlieferungen neu formte, ohne sie je zu diffamieren. Im Handeln des Sohnes habe ich oft den Vater wiederzuerkennen geglaubt. Es lag auf der Hand, daß ein Mann von solchem Format nicht sein Leben lang Leiter der kirchlichen Sozialarbeit von Westfalen bleiben konnte, daß vielmehr größere Aufgaben im öffentlichen Leben auf ihn warteten. Als wir 1957 die »Zeitschrift für evangelische Ethik« begründeten, war Klaus von Bismarck in der Schar der »Stifter« neben Friedrich Karrenberg, Wolfgang Schweitzer u. a. Durch seine starke Antriebskraft erwies er sich auch in diesem wissenschaftlichen Kreis als ein Mensch voll Dynamik.

Wenn ich mich frage, wer unter den Kollegen an der Universität Münster starken Eindruck auf mich gemacht hat, so muß ich den Philosophen Joachim Ritter nennen, der nicht mehr unter den Lebenden ist. Seine Diskussionsbeiträge in der Rheinisch-Westfälischen Akademie der Wissenschaften, sein großartiges Buch über Hegel und die französische Revolution, seine Aristoteles- und Hegel-Studien zur Philosophie der Politik und des Staates machten großen Eindruck auf mich, so daß ich des öfteren zu diesen Schriften zurückkehrte. In der Hegel-Kommission der Akademie trug er Sorge für die neue kritische Hegel-Ausgabe. Ritter hat mich zu Hegel zurückgeführt; er hat die theologischen Vorurteile und Schlagworte über Hegel kritisch ad absurdum geführt. Auf der Rückfahrt von Düsseldorf (dem Sitz der Akademie) nach Münster haben wir viele Gespräche über Hegel und die Hegelforschung, über die Wissenschafts- und Hochschulpolitik geführt, die als kostbares Vermächtnis in meiner Erinnerung leben.

Der Philosoph war ein »praktizierender« evangelischer Christ. Doch wurde er mit zunehmendem Alter immer kritischer gegen die empirische ev. Kirche und ihre Prediger; eine Reihe von negativen Erfahrungen unterbauten diese Kritik. Ich glaube, ich konnte ihn gut verstehen und mit ihm in die Gründe seiner Kirchenkritik hinuntersteigen. Gründe genug, sich von der faktischen Kirche zu entfernen.

Das nach Ritters Richtlinien angelegte »Historische Wörterbuch der Philosophie«, großzügig entworfen und bis in die Einzelheiten scharf durchdacht, wird seinen Namen zu vielen künftigen Generationen weitertragen. Der Ernst des Denkens, der ihn prägte, ist mir unvergeßlich. – Freilich, ich bedaure es, daß Joachim Ritter enorm viel Kraft und Zeit für den Wissenschaftsrat und die Gründungssenate neuer Hochschulen geopfert hat. Ich verkenne nicht, wie Bedeutendes er für die Erhaltung eines echten wissenschaftlichen Ethos geleistet hat. Wer hätte aber nicht gern mehr von seiner Ästhetik oder seiner Rechtsphilosophie gelesen und erfahren, deren Echo aus seinen stark besuchten Vorlesungen zu mir drang? Andere werden es besser wissen als ich, wie solche Fragen zu beantworten sind, wenngleich das Geheimnis der Person immer undurchdringlich bleibt. Individuum est ineffabile.

Willem Visser't Hooft, dem ersten Generalsekretär des Ökumenischen Rates der Kirchen, bin ich im Laufe meiner aktiven Teilnahme an der Studienarbeit der Ökumene auch häufiger begegnet. Ich schätze an ihm die ganz seltene Verbindung des Kirchen-Diplomaten großen Stils, des kraftvollen, weit denkenden Organisators, mit dem ausgezeichneten Theologen, dem Schüler und Freunde Karl Barths, ohne ihn damit etwa als »Barthianer« im Schul-Sinn abstempeln zu wollen. Seine lebendige Autobiographie zeigt, wie eine geheime Fügung dieses sein Leben von Jugendtagen an auf die große ökumenische Führungsaufgabe vorbereitet und hingeleitet hat. Er ist in alle Weiten der Welt und der Christenheit geführt worden. Doch das alles liest man besser in seinen Erinnerungen und Schriften als hier.

An Lorenz Kardinal Jaeger denke ich, sobald das Stichwort Ökumene fällt, an den Mitbegründer des »Ökumenischen Arbeitskreises katholischer und evangelischer Theologen«. In eben diesem Kreise lernte ich ihn aus der Nähe kennen: eine wahrhaft priesterliche Gestalt, mehr Seelsorger als Verfechter der Bedeutung oder der Interessen einer Institution, echter Sachwalter der ökumenischen Bruderschaft der Kirchen, doch ganz in und aus den großen Traditionen der Römischen Kirche lebend. Für mich war er vor allem ein lebendiger Zeuge jener christlichen Frömmigkeit, die uns in jene Tiefen führt, in der das »Katholische« und das »Evangelische« eins sind, ja sogar dasselbe, – vor und jenseits aller konfessionellen Scheidungen und Spaltungen. In dieser schlichten ursprünglichen Frömmigkeit hat mich dieser Kardinal manchmal an Papst Johannes XXIII. erinnert, dessen durch und durch evangelische Frömmigkeit allen theologischen Begriffen weit voraus ist; von beiden Männern ging und geht für mich eine große Anziehungskraft aus. Dies kann nur der recht verstehen, der wie der Verfasser ein Leben lang unter dem Hader, unter der ererbten Verständnislosigkeit, dem aufgehäuften Berg von Vorurteilen, den falschen Ansprüchen, der sog. Konfessionskirchen gelitten hat.

Als eine wirklich markante Persönlichkeit, die den Durchschnitt evangelischer Kirchenmänner weit überragt, nenne ich Bischof D. Hermann Kunst, den Bevollmächtigten des Rates der Ev. Kirche Deutschlands bei der Bundesregierung; er ist lange Jahre auch der evangelische Militärbischof gewesen. Ich bin ihm zum ersten Male im Krieg in Riga begegnet, auf einer Konferenz von Heeres- und Marinepfarrern, auf der viele Probleme der Seelsorge an den Soldaten zur Sprache kamen. Mich zog die kraftvolle Gestalt und die gediegene Theologie lutherischer Prägung an, die Hermann Kunst auszeichnet, seine Gabe, der Gewissensberater und Beichtvater derer zu sein, die sich ihm anvertrauen. Wir sind uns nach dem Kriege von neuem begegnet. Als Bischof Stählin die Leitung des Ökumenischen Arbeitskreises katholischer und evangelischer Theologen niederlegte, wurde Bischof Kunst sein Nachfolger, und ein besserer konnte nicht gefunden werden. In seinem Bonner Amt als »evangelischer Nuntius« dünkte er mich immer ganz unersetzlich zu sein. Denn er hat sich in allen Parteien, bei Bundeskanzlern, Ministern, Abgeordneten und hohen Beamten ein so großes Maß von Vertrauen erworben, daß es wohl kaum auf einen anderen übertragbar sein dürfte. Mit Takt und großem diplomatischen Geschick verbindet er Redlichkeit und die seltene Fähigkeit, über das Anvertraute zu schweigen und zugleich als Botschafter der Kirche zu reden, wo und wann es nottut. Die Weite der Ausstrahlung dieses Bischofs im wahren Sinn des Wortes ist besonders bemerkenswert, – dies konnte ich häufig selbst beobachten. Die evangelische Kirche hat ihm mehr, viel mehr zu danken als den meisten anderen Kirchenführern unserer Tage; der Tag seines Ausscheidens aus seinem anspruchsvollen Amt macht das offenbar.

Es war eine große Freude für mich, daß ich die Festschrift für Oswalt v. Nell-Breuning mit einer Abhandlung »Über die Einheit von Kirche und Gesellschaft« eröffnen durfte; hier wurde die allzu einfache, dualistische Position von 1956 (»Die Kirche in der modernen Gesellschaft«) erheblich korrigiert und versucht, der Dialektik von Kirche und Gesellschaft besser als bisher Rechnung zu tragen. O. von Nell-Breuning ist im Gegensatz zu seinem Ordensgenossen, dem konservativen Gundlach, der noch ganz dem »Pianischen«, dem vor-konziliaren Zeitalter zuzurechnen ist, im schönsten

Sinn des Wortes »progressiv«, ohne einer Sozialutopie oder Fortschrittsideologie je zu erliegen. Er ist der beste, würdigste Vertreter der christlichen Soziallehre, der mir in 50 Jahren begegnet ist: grundgelehrt, klar und scharf in der Sache, gütig gegen die Mitmenschen und Mitchristen. Immer war und ist er noch im höchsten Alter tätig auf der Seite all' derer zu finden, die unter sozialer Ungerechtigkeit, Nichtbeachtung oder Diffamierung zu leiden haben, all' derer, welche in den öffentlichen Institutionen von Staat, Wirtschaft und Kirche vergessen worden sind. Von Nell-Breuning stellt sich praktisch unter die Weisung des Herrn in Matthäus 25.31 ff., allen Elenden und Armen die guten Werke der Barmherzigkeit zu erweisen. Der katholische Soziallehrer unseres Jahrhunderts macht zugleich die große, ökumenische und wahrhaft »katholische« Tradition der Kirche lebendig und gegenwärtig. Ich kann nur wünschen, daß junge Generationen in seiner und unserer Kirche sich des Erbes und des Schatzes von Einsichten würdig erweisen möchten, die Oswalt von Nell-Breuning in einem langen und gesegneten Leben aufgehäuft hat und noch vermehrt. Die Universalität, mit der er alle Fragen der Wirtschafts- und Sozialwissenschaften beherrscht, ist bewunderungswürdig.

Siegt der Traditionalismus?

Auch nach dem Zweiten Weltkrieg bestimmten Karl Bernhard Ritter und Wilhelm Stählin, die beiden großen Väter, Weg und Geschick der Ev. Michaelsbruderschaft, – zu deren Wohl wie zu deren Schaden. Es gelang den Genannten, wie auch den leitenden Gremien der EMB (Rat und Kapitel) aufs ganze gesehen nicht, dem dynamischen Wandel unserer Gesellschaft zu folgen, die Probleme der jüngeren Nachkriegsgenerationen zu erkennen und zu verarbeiten. Dies hatte einst die »Berneuchener Konferenz« faktisch geleistet. Jetzt aber gelang es nicht mehr, trotz der Anläufe, die jüngere Brüder, vor allem Günther Howe, unternahmen. Dieser war mit einem geradezu seismographischen Feingefühl für geistige Veränderungen und Erschütterungen ausgestattet, dem ich viele Einsichten verdanke. Wohl verarbeiteten eine Anzahl von Mitgliedern der EMB, was Howe ihnen darbot, aber das Geschick der Bruderschaft haben sie nicht zu wandeln vermocht. »Der Traditionalismus hat gesiegt«, so schrieb ich 1976 hart und knapp in einem Brief. Hoffentlich gibt die nähere Zukunft mir Gelegenheit, dies Urteil zu ändern. Zweifellos aber ist die EMB überaltert. Wenn wir von »jüngeren Brüdern« sprechen, so sind diese bei Lichte besehen, 40 und darüber; Ausnahmen bestätigen die Regel. Wenn nicht eine Art Wunder, eine Umkehr geschieht, so wird um das Jahr 2000 nur noch ein bescheidener Rest von Alten vorhanden sein.

Die Jugend zieht es nach Taizé, – vermutlich tut sie recht daran, dorthin zu gehen. Denn dort ist das Leben aus der Herzmitte des Sakraments und der Liturgie mit der

Offenheit für die heutige Weltproblematik, für die großen sozialen Erschütterungen, für das politische Engagement der Jugend aufs glücklichste verbunden. Die Fortsetzung der ökumenischen Tätigkeit der Bruderschaft gibt etwas Hoffnung auf Erweiterung und Verflüssigung ihres eigenen Lebens. Sie kann nicht allein von der Fortbildung der Evangelischen Messe, des Tagzeitengebetbuches oder von den – bedeutsamen – neuen Ansätzen in der Praxis der Meditation leben, so sehr die heutige »meditative Welle« unserem frühen Versuchen in den dreißiger Jahren auf ihre Weise recht gibt. Jedenfalls fordert der überspitzte und aufs äußerste verfeinerte, technologische Rationalismus unserer Zeit und Zivilisation die heilende Gegenkraft der Meditation geradezu heraus. Daß es in der EMB Versuche und Experimente gibt, neue »Methoden« der Meditation zu erproben, das ist bemerkenswert, es darf nicht übersehen werden. Solche Korrekturen an dem oben zitierten, brieflichen Urteil besagen allerdings nicht, das die Entscheidungsschlacht wider den Traditionalismus schon geschlagen wäre. D. h. gegen das Festgefahrensein in den Riten und Gebräuchen, die dieser Gemeinschaft eigen sind, und mögen sie für sich betrachtet noch so schön und sinnvoll sein. Glücklicherweise steckt in jeder Prognose ein Element des Unberechenbaren, des Unvorhersehbaren, des unerwarteten Neuen. Es kann nicht der Sinn dieses kritischen Rückblicks sein, uns auf eine pessimistische Vorschau festzulegen. Andererseits muß sie angesichts der in der EMB bei vielen herrschenden Romantik auf ihren Wirklichkeitsverlust hin nüchtern und kritisch analysiert werden. Als soziale Gruppe hat auch eine Kommunität wie diese Bruderschaft vollen Anteil an den Bewegungs- und Erstarrungstendenzen, die für die heutige Gesellschaft kennzeichnend sind, an denjenigen, welche die derzeitige Kirche beherrschen. –

Karl Bernhard Ritter war ein großer »Liturgiker«, der nie dem Historismus der Liebhaberei oder Fachwissenschaft »Liturgik« erlegen ist. Sprachliche Schöpferkraft befähigte ihn zur Neugestaltung uralter gottesdienstlicher Handlungen und Texte. Dies führte freilich auch dazu, daß er der EMB immer wieder Neues aus seiner Werkstatt anbot, oft nicht ohne sanften Druck. Die entgegengesetzte Tendenz auf eine bleibende, gültige Form der Eucharistiefeier hatte und hat dem gegenüber auch ihr relatives Recht. Mit seinen romantischen Vorstellungen einer Art Ordenskleidung für die Bruderschaft und der Angleichung der Regel der Bruderschaft an große altkirchliche oder römische Vorbilder, auf die wir oben schon angespielt haben, stieß er auf die von der Wirklichkeit gezogenen Grenzen. Die alte Bruderschaftsregel von 1937/38 erwies sich im Lauf der Jahrzehnte in einer Menge von Punkten als unvollziehbar, weil sie zu gesetzlich verfuhr, man mußte sich selbst manche Freiheit gegen die Weisungen der Regel herausnehmen, weil man z. B. durch die Überfülle von Feiern und Gottesdiensten auf den Michaelsfesten bis an die Grenze der religiösen Übersättigung geführt wurde.

Um die psychischen Möglichkeiten des Christen kümmerten sich Ritter und seine Anhänger sehr wenig oder gar nicht; ihnen stand immer nur die kultische Hochform mit ihrer ganzen Fülle vor Augen. Das war groß, aber auch gefährlich.

Das »Helferamt«, das für jedes Glied der Bruderschaft einen Betreuer und »episko-pos« vorsah, der sich des anderen annimmt, und sich um den Anbefohlenen kümmert, ist in der Breite nie realisiert worden. Die Gegenwirkungen der sozialen Realität und der örtlich-räumlichen Trennung der einzelnen voneinander waren viel zu stark, als daß diese Utopie hätte voll und durchgreifend zu Gestalt und Leben gebracht werden können.

Umwege und auch Abwege kennt die Geschichte jedes Ordens, jeder Kommunität, jeder geschichtlich existierenden Einzelkirche. Doch hätte mancher Abweg vermieden werden können, ohne nachher den Zwang der geschichtlichen Wirklichkeit (nach Jahren) noch erleiden zu müssen.

Ritters und Stählins politische Grundhaltung war konservativ, und es konnte nicht ausbleiben, daß dieser Konservativismus unmerklich zwar, doch tatsächlich die Bruderschaft mitbestimmte und ihr die Möglichkeit nahm, den dynamischen Wandel in der modernen Industriegesellschaft, ja der ganzen Weltgesellschaft (rapid social change) mit seinen neuartigen sozialethischen, politischen und ökonomischen Problemen so weit auszunehmen und zu verarbeiten, daß die Bruderschaft der Jugend der fünfziger und sechziger Jahre hätte nahekommen und begegnen können. Das war und ist eine fatale Weichenstellung und man fragt sich, wie eine solche, fast stillschweigende Entscheidung aufgehoben werden kann.

Eine Bruderschaft ist keine Gesellschaft für Sozialreform und Gesellschaftspolitik – das ist klar. Doch wenn dies so ist, dann hätten die unkritisch mitgeführten politischen Vor-Urteile und Vor-Entscheidungen einer kritischen Prüfung unterzogen werden müssen. Nichts dergleichen geschah; die beiden Stifter-Väter schlossen sich sogar einer hochkonservativen, katholischen Gesellschaft zur Erhaltung und Erneuerung des christlichen Abendlandes an (»Abendländische Akademie«). Von drei oder vier Brüdern abgesehen, hat man diesen Schritt entweder gar nicht bemerkt oder durch Stillschweigen gutgeheißen. Wie paßt dies zu einer Gemeinschaft, aus deren Kreis einmal die bedeutendste kritische Kirchenreformschrift (das »Berneuchener Buch«) hervorgegangen war, eine Schrift, die weit über die Kirche hinaus in das Leben der Arbeitsgesellschaft eingriff, kritisch und gestaltungsfreudig zugleich? Konnte nicht auch einmal aus der konservativen Wendung der Bruderschaft die Folgerung gezogen werden, daß demokratischer Sozialismus und vollends die »politische Theologie«, welche unter bestimmten Bedingungen die Notwendigkeit revolutionärer Veränderungen der gegebenen Gesellschaft bejaht, a limine unchristlich seien, in dieser Bruderschaft mit ihren Prinzipien nicht verträglich?

Natürlich sind solche Fragen weder klar gestellt noch beantwortet worden. Was ich zweiundeinhalb Jahrzehnte hindurch auf dem ökumenischen Felde wie in der Heimatkirche vertreten habe, eine sozialkritische Theologie der Gesellschaft, – das wurde entweder überhaupt nicht zur Kenntnis genommen oder mit Bedauern als ein sonderbares Privatvergnügen registriert und zu den Akten gelegt. All' dies wäre gar nicht erwähnenswert, wenn es nicht typisch wäre für eine weitverbreitete, unreflektierte, unkritische Voraussetzung und ein Grundverhalten, das mit dem evangelischen

Christentum gleichgesetzt oder als legitime ethische Seite desselben angesehen wurde und wird. So steht es in vielen kirchlichen Verbänden und Landeskirchen. – Ritters »Pfarrgebete« haben mich Jahrzehnte hindurch begleitet, vor dem Gottesdienst, vor der Predigt und zur Sakramentsfeier. Vielen anderen haben sie sich ebenso bewährt, weil sie die Situation des Dieners der Kirche tief erfassen. Auch zum »Gebet der Tageszeiten« hat Ritter Gebete beigesteuert; was er da schrieb, war erprobt am Altar wie in den Situationen des betenden Christen im alltäglichen Lauf der Dinge. Gewiß trägt auch die Sprache dieser Gebete den Stempel ihrer Zeit, und das romantische Element fehlt nicht. Viele Forderungen und Fragen der gegenwärtigen Gesellschaft müssen in einem neuen Stil des Gebetes aufgenommen werden, wofür sich gute Ansätze in beiden Kirchen finden.

Dennoch bleibt Ritter ein Bahnbrecher, ein Pionier des liturgischen Lebens und Betens; die Kirche sollte ihn nicht vergessen. Hier berührt es mich schmerzlich, daß Stählin in seiner umfangreichen »Via Vitae« es nicht vermocht hat, ein überzeugendes Bild seines Freundes und Mitstreiters Ritter zu zeichnen, das dessen Bedeutung und Rang entspräche. Einer der Gründe für dies auffallende Versagen dürfte wohl in dem offenkundigen Konkurrenz-Verhältnis zu suchen sein, das immer gegenwärtig ihre Freundschaft durchwirkte und zuweilen auch zum Streit der Meinungen führte. Ich habe zu Ritters 70. Geburtstag in »Christ und Welt« geschrieben, es sei eine Schande für die evangelische Kirche – nicht nur die Kurhessische –, daß ein Mann mit so reichen Gaben bloß Dekan in Marburg werden konnte, – und an diesem Urteil halte ich fest.

Daß ein aus dem kompromittierenden Kreis der »Berneuchener« und der Michaelsbruderschaft stammender Bischof in einer Landeskirche, wie sie hierzulande geworden sind, auf schier unüberwindliche Schwierigkeiten stößt, zeigt das Geschick von Bischof Stählin in Oldenburg. Gegensätze von Personen maskieren sich theologisch, sachliche Aufgaben und Probleme werden durch Anti- und Sympathien zugespitzt und verschärft. Diese in der Kirchengeschichte in zahllosen Fällen auftretende, tragische Verwicklung wiederholt sich auch in unserem Zeitalter. Heute sind infolge der ökumenischen und der theologischen Entwicklung manche der alten Fronten verschwunden und Diffamierungsbegriffe wie »katholisierend« entgiftet und ausgetrocknet, weitere Probleme aber wie z. B. die Frage nach den theologischen und geistlichen Gründen der Ordnung und des Rechts der Kirche als »Recht der Gnade« (Hans Adolf Dombois) sind überspielt, verdeckt und nicht ausgetragen. Und es kann auch im vordergründigen Scheitern das untergründige fundamentale Recht des Reformversuches sichtbar werden.

Eine starke, ja vorherrschende Gruppe in den sog. Kirchen der Reformation – die doch wohl die Erneuerung der Kirche aus dem Evangelium erstrebte, ist durchaus reformfeindlich und verwechselt theologische Begriffe des 16., 17. oder 19. Jahrhunderts ständig mit dem Evangelium.

So behält die Position der Michaelsbruderschaft ihr antithetisches Recht vielleicht noch für einige Zeit, doch nur unter der Bedingung, daß sie die große Einsicht der Reformation: »ecclesia semper reformanda« (die Kirche muß stets erneuert werden) auf sich selbst anwendet und in ihrer eigenen Wandlung vollzieht.

Was heißt hier konkret »Wandlung«? Es kommt darauf an, den Grundschaden zu beseitigen, an dem die Bruderschaft krankt, nämlich den Versuch, einen »Orden verheirateter Mönche« zu stiften, wie es ein jüngerer Michaelsbruder ebenso paradox wie treffend ausgedrückt hat. Aus diesem Vorhaben ist von Anfang an der oft geradezu groteske Widerstreit von Anspruch oder Zielsetzung auf der einen, der faktischen Wirklichkeit des Lebens in der EMB auf der anderen Seite entstanden. Die Regel von 1938 mit ihren zahlreichen gesetzlichen Vorschriften – »Der Michaelsbruder tut dies und das, er meidet dies und das« – belastete das Leben der Brüder bis in die Ehen und Familien hinein; ich denke z. B. an die ursprüngliche Vorschrift der Geheimhaltung von Riten, Formen und Beschlüssen vor allen Nichtmitgliedern einschließlich der Ehefrauen. Wir leben im bürgerlichen Wohlstande wie die anderen Leute in der heute noch bestehenden Wohlstandsgesellschaft, wir sind verheiratete evangelische Pfarrer oder »Laien« in sog. weltlichen Berufen; also fehlt uns das für den Orden Entscheidende: der *Verzicht* auf Ehe und Besitz, die Gemeinschaft des Miteinanderlebens in Raum und Zeit. Es wurden also uns Brüdern leider Lasten auferlegt, die wir genau so wenig tragen konnten wie die, welche die Regel erdacht hatten. Zwänge und zahlreiche Verkrampfungen waren und sind die Folge, von 1931 bis heute. Man müßte die Tiefenpsychologie zu Rate ziehen, wollte man all' diese Knäuel auflösen, welche die Folge des Grundirrtums waren bzw. sind.

Man erstrebt heute in der EMB eine neue »Regel« – mit Recht, doch sollte man diesen gleichfalls irreführenden Namen fallen lassen; denn wir können keine Benediktiner sein und erst recht nicht Mönchs-Ritter im Stil des Deutschritterordens des 12. oder 13. Jahrhunderts. Man kann diese nun einmal nicht nachahmen, wenn die Grundfundamente mönchischen und klösterlichen Lebens nicht vorhanden sind.

Die Gesetzlichkeit der alten Regel führte mich dazu, mir die Freiheit zu nehmen, die mir nicht gegeben wurde, und die dadurch entstehenden Konflikte zu tragen, z. B. die volle Freiheit, *das* zu schreiben und zu reden, was ich theologisch und wissenschaftlich verantworten konnte, ohne meine Manuskripte »höheren Orts« vorzulegen, wie dies tatsächlich einmal vorgeschrieben worden war; doch unsere Stifter-Väter dachten gar nicht daran, selbst so zu verfahren; sie schrieben sogar über Dinge, von denen sie gar nichts verstanden, ohne sich je um diese obige Regel zu kümmern. Derartige unvollziehbare Weisungen fielen eines schönen Tages in sich selbst zusammen.

Etwas anderes ist es, den *Rat* der Brüder zu suchen, was schon Luther uns dringlich empfohlen hat; dies aber kann nur unter der Bedingung der Freiheit und Freiwilligkeit geschehen. Die Stifter der EMB wollten dem anarchischen Subjektivismus und der gleichsam leiblosen Unkirchlichkeit im modernen Protestantismus wehren, – wahrlich mit guten Gründen. Sie entdeckten von neuem die pneumatische und leibhafte Wirklichkeit der Kirche als des »Leibes Christi«, aber die von ihnen angewendeten Mittel waren so geartet, daß sich viele Brüder ihnen entzogen.

Der siebzigste Geburtstag

Der siebzigste Geburtstag dürfte als Schlußpunkt meines Berichts gut geeignet sein, mag Gott auch dem Erzähler noch fernere »Gnadenjahre« – wie man seit alters in Westfalen sagt – hinzulegen. Am 22. Juni 1970 fand in Münster, im Hotel Schnellmann, ein Empfang statt, an dem zahlreiche Kollegen, Freunde und Verwandte teilnahmen. Ansprachen hielten u. a. der Dekan der Theologischen Fakultät Karl Gerhard Steck, mein inzwischen Verstorbener Nachfolger Wolf-Dieter Marsch sowie Senatspräsident Ulrich von Dassel für die Evangelische Michaelsbruderschaft, deren ältester Pfarrer Gerhard Hage gleichfalls zugegen war. Das Hauptereignis war jedoch die Überreichung einer stattlichen Festschrift mit dem Titel »Humane Gesellschaft« durch die Professoren Arthur Rich, Zürich, und Trutz Rendtorff, München. Sie hat zu meiner nicht geringen Freude ökumenischen Charakter, wie aus der Zusammensetzung des Mitarbeiterkreises hervorgeht. Zu ihm gehört auch M. M. Thomas, Madras, Präsident des Zentralkommitees des Ökumenischen Rates der Kirchen, mit dem ich auf nicht wenigen Konferenzen zusammengearbeitet hatte. Der Inder und der Deutsche, der Thomaschrist und der evangelische Theologe, waren und sind in Sachen der sozialen Humanität und der Einheit der Kirchen durch gemeinsame Überzeugungen fest miteinander verbunden. Ich erwiderte auf die Gratulationsreden mit dem Dank an alle Kollegen und Freunde, die mein Streben unterstützt hatten, und gedachte meiner Lehrer, durch die ich geworden bin, was ich bin, ein bewegender und beglückender Abschluß eines mehr als 50jährigen theologischen Wirkens, wie er schöner gar nicht hätte sein können.

Etwa zwei Jahre vor meinem siebzigsten Geburtstag war ich emeritiert worden. Da sich die Berufung eines Nachfolgers in die Länge zog, konnte bzw. mußte ich mich noch ein Jahr lang selbst vertreten, so daß der Übergang in die Eremitierung ein verhältnismäßig sanfter und allmählicher war. Trutz Rendtorff und Heinz Eduard Tödt hatten den Ruf auf meinen Lehrstuhl abgelehnt. Wolf-Dieter Marsch dagegen nahm ihn an und begann im Herbst 1969 mit seiner Lehrtätigkeit in Münster. Schon drei Jahre später starb er plötzlich und unerwartet an den Folgen eines Verkehrsunfalls. Ich mußte meinen eigenen Nachfolger überleben.

In den letzten Jahren meiner aktiven Tätigkeit habe ich Hermann Ringeling (heute Professor in Bern) und Theodor Strohm (heute Professor in Zürich) habilitiert. Beide waren zuvor meine Mitarbeiter gewesen. Unter meinen letzten Vorlesungen ist diejenige über »Alte und neue Sexualmoral« hervorzuheben, weil sie auf starkes Interesse stieß. Ich versuchte, den neuzeitlichen Sexualmythos zu entmythologisieren, Schlagworte wie z. B. »Sexualrevolution« auf ihren berechtigten Kern zurückzuführen und die christliche Sexualethik von allen repressiven und patriarchalischen Elementen zu befreien. Dabei legte ich großen Wert auf den dialogischen und partnerschaftlichen Charakter der Ehe.

Mit dem Eintreffen meines Nachfolgers beendete ich meine Vorlesungstätigkeit. Das ist mir nicht leicht gefallen, hatte ich doch seit dem 2. November 1929 vierzig Jahre lang an der Universität gelehrt. Aber ich war und bin der Auffassung, daß für unsere nicht sehr große Fakultät *ein* Professor für Sozialethik vollauf genügt, zumal er noch durch Mitarbeiter unterstützt wird. Die Emeritierung habe ich, ehrlich gesagt, als einen tiefen Einschnitt empfunden, denn ich war noch bei voller Leistungsfähigkeit. Ich möchte annehmen, daß es vielen so geht wie mir. Vom 70. Lebensjahr an gerät man allmählich in Vergessenheit, was umso schwerwiegender ist, je tätiger man war und je lebendiger die Beziehungen und Kontakte waren, die man gehabt hat. Ich bin aber in der glücklichen Lage, auch heute noch ausreichende Kontakte zu haben. Dann und wann halte ich noch einen Vortrag oder nehme an dem einen oder anderen Colloquium in »meinem« alten Institut teil. Besonders dankbar bin ich, daß so die Verbindung mit der jungen Generation aufrechterhalten bleibt, die ich ein langes Leben hindurch gehabt habe. Der Abschied von meiner Lehrtätigkeit fiel mir wohl deswegen so schwer, weil ich ein Leben lang mit Freude und Begeisterung Vorlesungen gehalten habe, und bei überwiegend freier Vortragsweise einen dialogischen Kontakt mit meinen Hörern hatte. In den letzten Jahren als Universitätslehrer habe ich den eigenen Vortrag öfters durch Aussprachen unterbrochen, und das hat sich gut bewährt. Ich bin in der glücklichen Lage, auch weiterhin noch geistig tätig zu sein, allerdings unter stark veränderten und erschwerten Umständen. Seit 1971 bin ich von einem Alters-Glaukom befallen, was nichts geringeres bedeutet, als daß ich nichts Gedrucktes mehr lesen kann. Jeder mag ermessen, was dies für einen Menschen bedeutet, der sein Leben mit Büchern verbracht hat und seit Kindertagen eine »Leseratte« gewesen ist. Ich mußte mich also aufs Hören und für die Ausarbeitung von Vorträgen und Predigten auf die Meditation umstellen, die sich auf einige Notizen bezieht, die mir vorgelesen werden. Dabei kommt mir zustatten, daß ich diese Methode schon in den Jahren der russischen Gefangenschaft angewendet hatte, als mir kein Schreibpapier zur Verfügung stand. Die Meditation bedarf natürlich häufiger Wiederholung, bis der Gedankengang und in die Ausformulierung der einzelnen Sätze klar vor mir steht. Von Anfang an zum freien Sprechen erzogen, hatte ich mich in dieser Kunst schon immer fleißig geübt. »Nie zu früh aufgeben«, hörte ich einmal einen Arzt sagen. Ich versuche immer wieder, diese Mahnung zu beherzigen. So kam es, daß ich vom geistigen Leben und der geistigen Aktivität nicht völlig abgeschnitten wurde. Kontakte sind für alte Menschen von lebenswichtiger Bedeutung. Sie bewahren vor Isolierung und geistigem Stillstand.

Rückblick und Schluß

Kann man im Rückblick auf fünfzig Jahre erlebter Theologie und Universitätsge-schichte eigentlich von einem Lebensertrag sprechen? Im absoluten Sinn weiß dies nur Gott, aber wir Menschen spüren, wenn oft auch nur unbestimmt, das Geheimnis eines Ganzen, das wir nicht in Worte zu fassen vermögen. Immerhin können andere diesen Lebensertrag besser erfassen als wir selbst. Ich sehe nur Fragmente, nur Teilerträge, und doch meine ich, es gäbe einen Leitfaden, etwas von diesen Teilerträgen zu erfassen: die Dankbarkeit gegen Gott und die Mitmenschen. Von ihr geleitet möchte ich sagen: Der wissenschaftliche Lebensertrag wird von den Fortschritten der Forschung schnell über-holt, heute wesentlich schneller als noch etwa im 19. Jahrhundert. Das gilt auch von der Theologie. Es bleiben immer nur wenige Namen und Werke übrig.

Der Ertrag an menschlicher Lebenserfahrung aus Begegnungen mit anderen Men-schen hat dagegen etwas Unaussprechliches an sich und ist nicht übertragbar.

Am greifbarsten steht der Lebensertrag in der Gestalt meiner früheren Schüler und Mitarbeiter vor mir, an die ich etwas habe weitergeben dürfen und können. Sie berei-ten mir durch ihre Person und wissenschaftliche Leistung die reinste Freude und ge-ben mir die Gewißheit, nicht umsonst gelebt und gearbeitet zu haben. Vielleicht emp-fangen sie auch heute noch etwas aus dem wissenschaftlichen und menschlichen Er-trag meines Lebens, so wie ich einst vom Lebensertrag meiner eigenen Lehrer unend-lich viel empfangen habe.

Das alles steht bei Gott, und es gilt davon, was von unserer ganzen Lebenszeit gilt: »Meine Zeit steht in Deinen Händen«.

Mein Weg hat mich wie meine Zeitgenossen durch große Katastrophen und Schrecknisse hindurchgeführt. Wie konnte ich das alles überstehen, mich durch alles hindurchfinden? Ich weiß es nicht, es ist mir verborgen im ganzen wie im einzelnen, aber ich lebe der Gewißheit, daß es Gottes Führung und Geleit war, das mich bis hier-her gebracht hat, da ich auf diesen Blättern »der alten Zeit, der vorigen Jahre« geden-ke. Diese Erinnerungen sollen ein Zeugnis des Dankes gegen Gott und die Menschen sein, – in diesem Sinn jedenfalls sind sie gedacht und geschrieben. Früher schrieben christliche Kaufleute auf die erste Seite ihrer Hauptbücher von Soll und Haben die beiden Worte »Mit Gott«. Ich schreibe am Ende meines Buches, im Rückblick: *mit Gott*! Und allein in diesem Sinn darf ich das Goethesche »Nun, man kommt wohl eine Strecke« auf mich selbst beziehen und anwenden:

> »Ein kleiner Ring begrenzt unser Leben,
> und viele Geschlechter reihen sich dauernd
> an ihres Daseins unendliche Kette.«

Dies begreift man im Alter, wenn man vorwärts schaut, auf die Zukunft. Was kann sie noch bringen? Alle Entscheidungen, die unser Leben geprägt und ihm die Richtung gegeben haben, sind längst gefallen, zum Teil schon vor Jahrzehnten. Sie sind also unwiderruflich, unabänderlich, die guten wie die bösen. Der Weg, den ich noch zurückzulegen habe, wird mit jedem Tag kürzer. Darum ist es ganz natürlich, daß alte Menschen lieber auf die Vergangenheit blicken als auf die Zukunft. Aber darum gerade kommt es darauf an, nicht der Resignation oder der Trauer zu verfallen. Liegt meine Zukunft in den Händen Gottes, so kann ich Trauer und Resignation überwinden, ohne die Vergangenheit zu verherrlichen und zu idealisieren. Ich kann nun auch Lebenswerk und Lebensertrag ganz nüchtern als das sehen, was sie sind, und hinter der eigenen Schwäche und dem Versagen die tragende Güte Gottes erblicken. Dann aber kann ich jeden Tag als einen Tag des geschenkten Lebens und der gewährten Gnade dankbar annehmen, ohne ängstlich zu zählen, wieviel Tage noch kommen werden oder nicht. Dann schreckt die Zukunft nicht mehr, sie ist kein leeres finsteres Loch, sie hat vielmehr den Sinn, die *mir* geschenkte Zukunft und damit die Zukunft Gottes für mich zu sein. Ich nehme sie als solche an, in der festen Gewißheit, selbst angenommen zu sein. Tritt das Eschaton so in das persönliche Leben ein, schließt es jede Klage aus und hebt die ängstliche Sorge um das Morgen und Übermorgen auf.

Personenregister

Erhard Domay

Und es lohnt sich doch

Tagebuch eines Pfarrers

179 Seiten. Gebunden mit Schutzumschlag. 16,80 DM.

Ein Pfarrer gibt sich Rechenschaft. Er registriert, womit er sich beschäftigt und was ihn beschäftigt, was ihm glückt und was ihm mißlingt, was ihm Freude und was ihm Angst macht. Der Alltag eines in einer Mittelstadt der Bundesrepublik lebenden Pfarrers schlägt sich in diesen Notizen nieder. Die unverkrampfte Bescheidenheit und Freimütigkeit, in der er seine Erfahrungen und Erwägungen im Pfarramt aufschreibt, entspricht dem Verständnis eines Berufes, der sich als so unentbehrlich erweist, daß man ihn erfinden müßte, wenn es ihn nicht gäbe.

Gütersloher Verlagshaus Gerd Mohn
Königstraße 23
Postfach 2368
4830 Gütersloh 1

GTB
Siebenstern

Gütersloher
Verlagshaus
Gerd Mohn